#연산반복학습
#생활속계산
#문장읽고계산식세우기
#학원에서검증된문제집

수학리더
연산

Chunjae
Makes
Chunjae

▼

기획총괄	박금옥
편집개발	지유경, 정소현, 조선영, 원희정, 최윤석, 김선주, 박선민
디자인총괄	김희정
표지디자인	윤순미, 박민정
내지디자인	박희춘
제작	황성진, 조규영

발행일	2021년 10월 15일 초판 2021년 10월 15일 1쇄
발행인	(주)천재교육
주소	서울시 금천구 가산로9길 54
신고번호	제2001-000018호
고객센터	1577-0902
교재 구입 문의	1522-5566

※ 정답 분실 시에는 천재교육 홈페이지에서 내려받으세요.

※ KC 마크는 이 제품이 공통안전기준에 적합하였음을 의미합니다.

※ 주의

책 모서리에 다칠 수 있으니 주의하시기 바랍니다.

부주의로 인한 사고의 경우 책임지지 않습니다.

8세 미만의 어린이는 부모님의 관리가 필요합니다.

수학 리더 연산 1-A

차례

이 책의 구성과 특징

| 이번에 배울 내용을 알아볼까요?

공부할 내용을 만화로 재미있게 확인할 수 있습니다.

기초 계산 연습

계산 원리와 방법을 한눈에
익힐 수 있고 계산 반복 훈련으로
확실하게 익힐 수 있습니다.

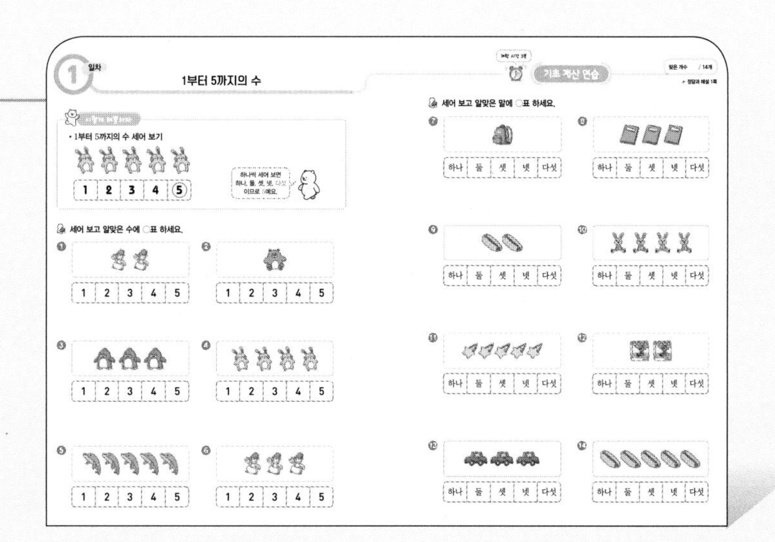

플러스 계산 연습

다양한 형태의 계산 문제를 반복하여
완벽하게 익힐 수 있습니다.

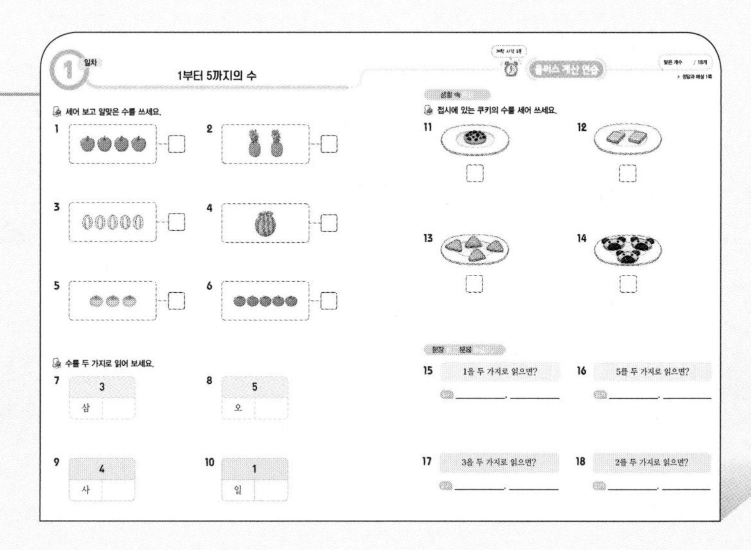

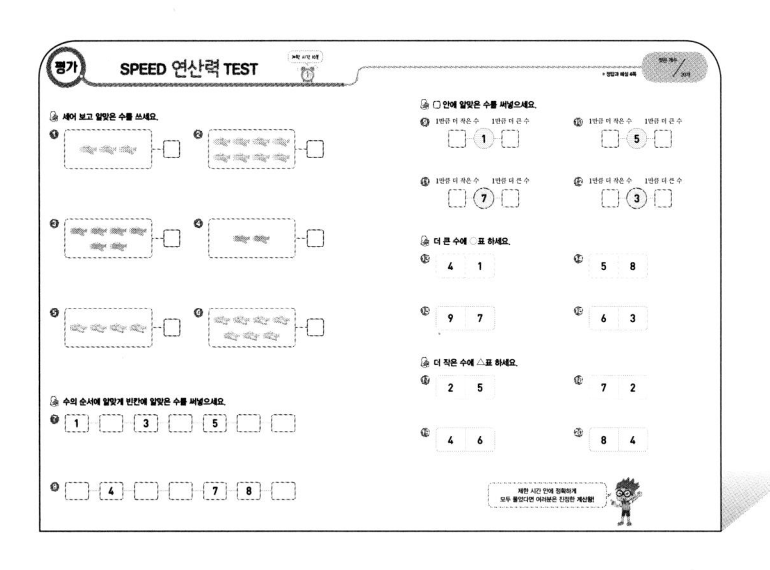

평가 SPEED 연산력 TEST

배운 내용을 테스트로 마무리 할 수 있습니다.

특강 문장제 문제 도전하기

단순 연산 문제와 함께
문장제 문제도 연습할 수
있습니다.

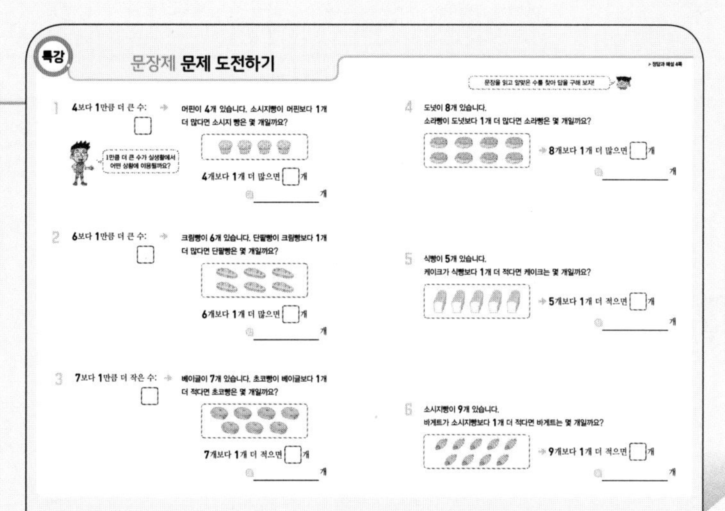

특강 창의·융합·코딩·도전하기

요즘 수학 문제인 창의·융합·코딩
문제를 수록하였습니다.

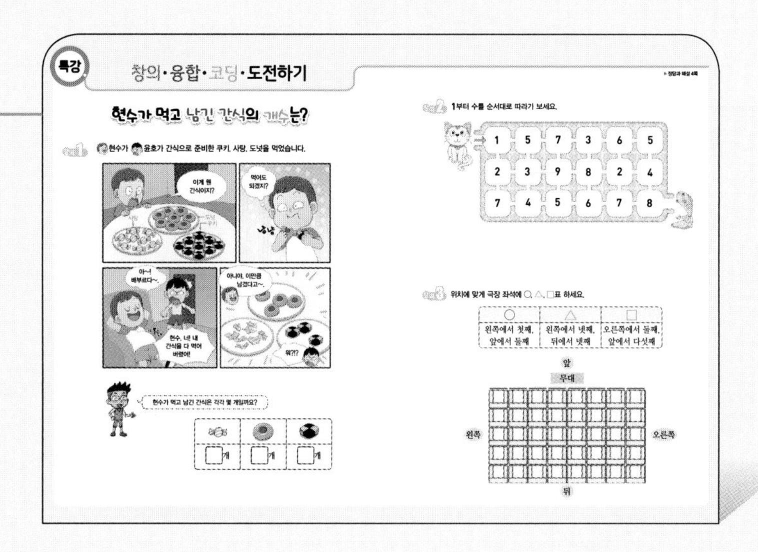

9까지의 수

실생활에서 알아보는 재미있는 수학 이야기

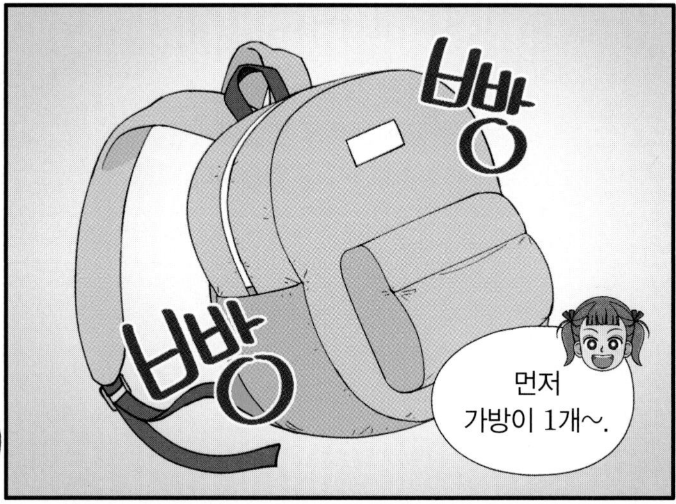

이번에 배울 내용을 알아볼까요?

1일차 1부터 5까지의 수
2일차 6부터 9까지의 수
3일차 수의 순서
4일차 몇째 알아보기
5일차 1만큼 더 작은 수, 1만큼 더 큰 수
6일차 수의 크기 비교하기

1부터 5까지의 수

이렇게 해결하자

• 1부터 5까지의 수 세어 보기

1	2	3	4	(5)

하나씩 세어 보면
하나, 둘, 셋, 넷, 다섯
이므로 5예요.

세어 보고 알맞은 수에 ○표 하세요.

❶

1	2	3	4	5

❷

1	2	3	4	5

❸

1	2	3	4	5

❹

1	2	3	4	5

❺

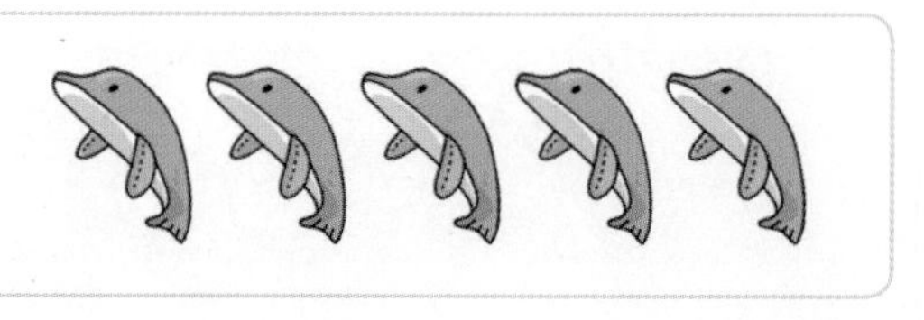

1	2	3	4	5

❻

1	2	3	4	5

맞은 개수 / 14개

▶ 정답과 해설 1쪽

세어 보고 알맞은 말에 ○표 하세요.

7

하나	둘	셋	넷	다섯

8

하나	둘	셋	넷	다섯

9

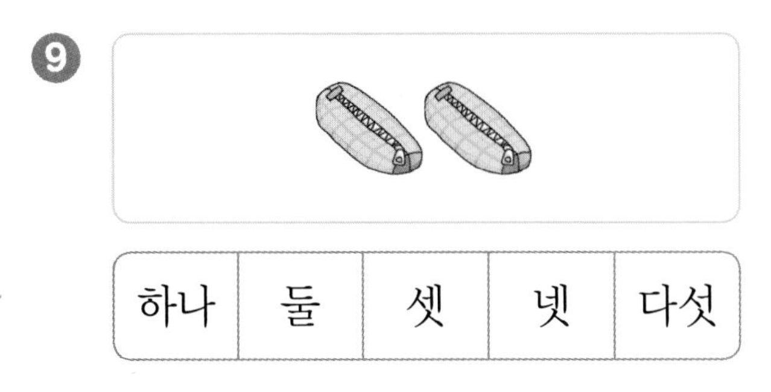

하나	둘	셋	넷	다섯

10

하나	둘	셋	넷	다섯

11

하나	둘	셋	넷	다섯

12

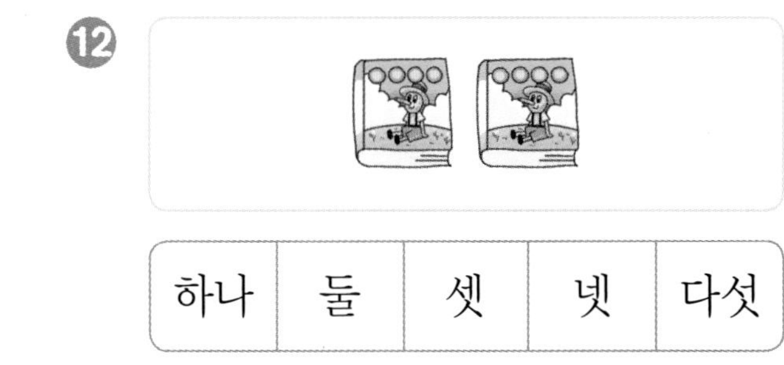

하나	둘	셋	넷	다섯

13

하나	둘	셋	넷	다섯

14

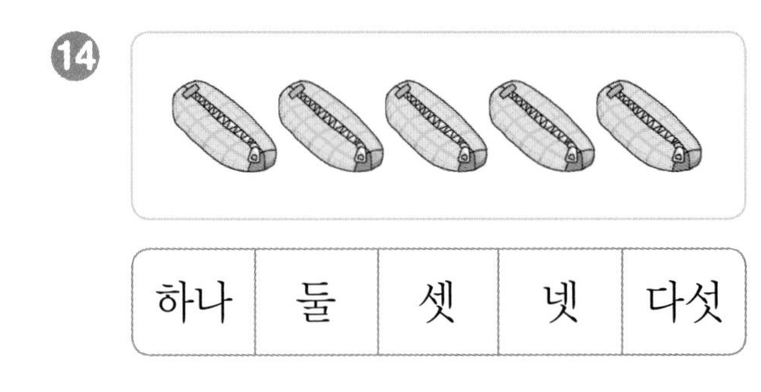

하나	둘	셋	넷	다섯

1 일차

1부터 5까지의 수

세어 보고 알맞은 수를 쓰세요.

1

2

3

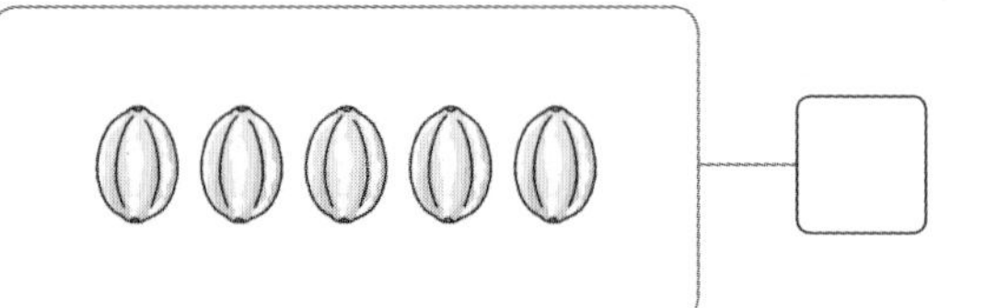

4

5

6

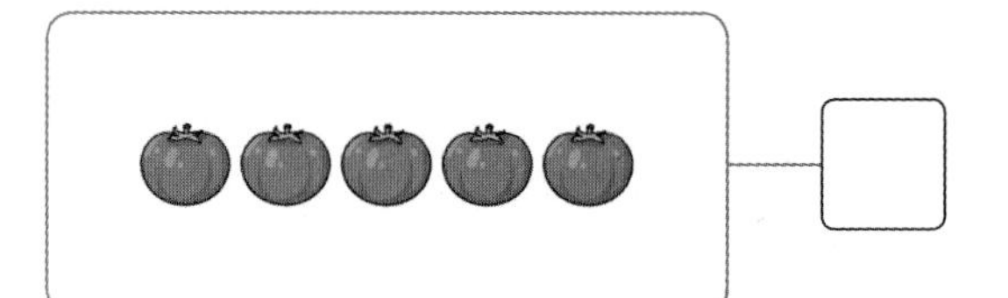

수를 두 가지로 읽어 보세요.

7

3	
삼	

8

5	
오	

9

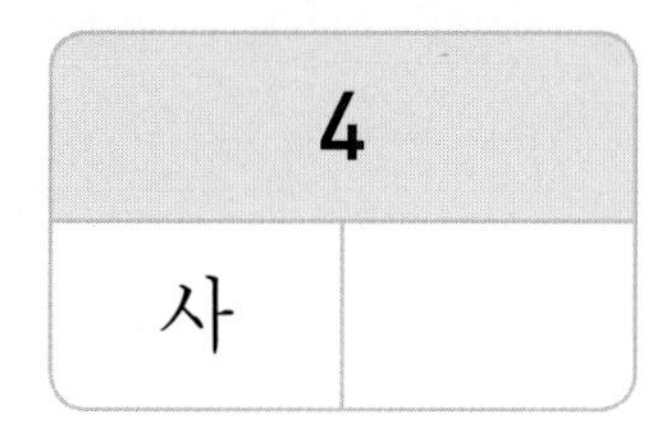

4	
사	

10

1	
일	

제한 시간 5분

플러스 계산 연습

맞은 개수 / 18개

▶ 정답과 해설 1쪽

생활 속 문제

접시에 있는 쿠키의 수를 세어 쓰세요.

11

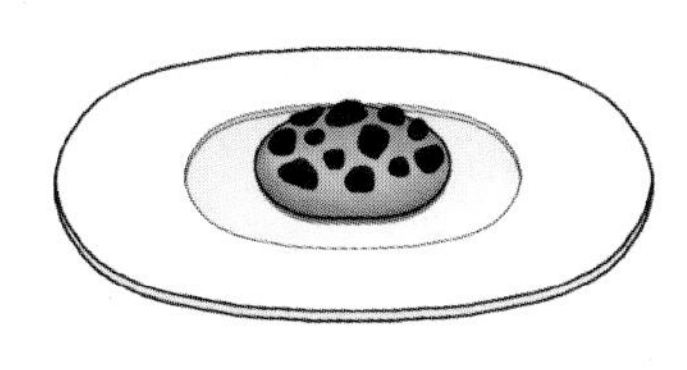

☐

12

☐

13

☐

14

☐

문장 읽고 문제 해결하기

15 1을 두 가지로 읽으면?

읽기 ____________, ____________

16 5를 두 가지로 읽으면?

읽기 ____________, ____________

17 3을 두 가지로 읽으면?

읽기 ____________, ____________

18 2를 두 가지로 읽으면?

읽기 ____________, ____________

2 일차

6부터 9까지의 수

이렇게 해결하자

• 6부터 9까지의 수 세어 보기

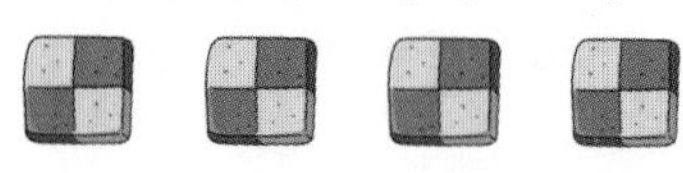

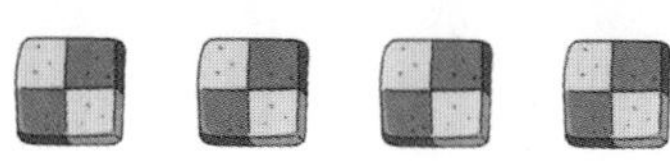

6	7	(8)	9

쿠키를 세어 보면
여덟이므로 8이에요.

세어 보고 알맞은 수에 ○표 하세요.

❶

6	7	8	9

❷

6	7	8	9

❸

6	7	8	9

❹

6	7	8	9

❺

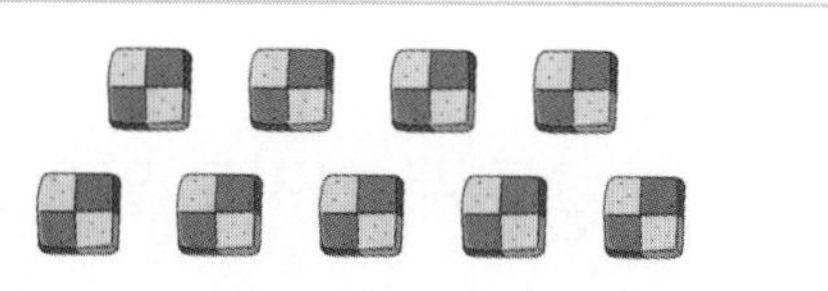

6	7	8	9

❻

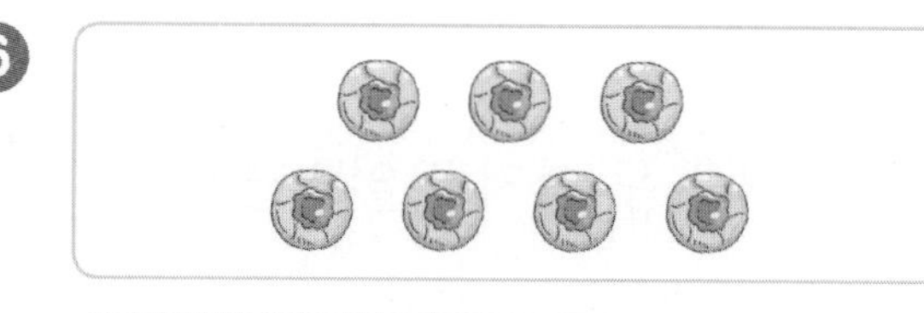

6	7	8	9

맞은 개수 / 14개

▶ 정답과 해설 1쪽

세어 보고 알맞은 말에 ○표 하세요.

7

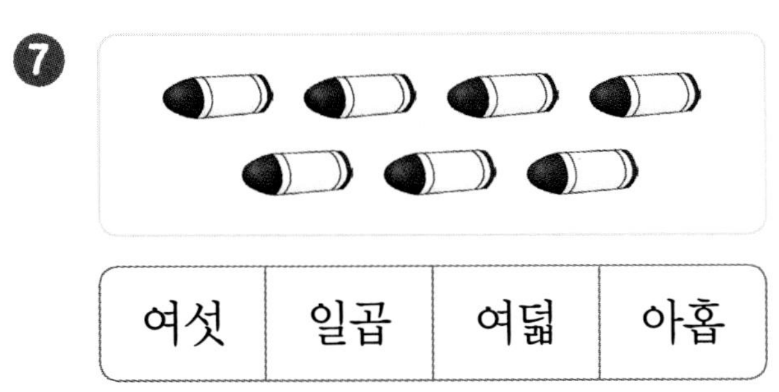

8

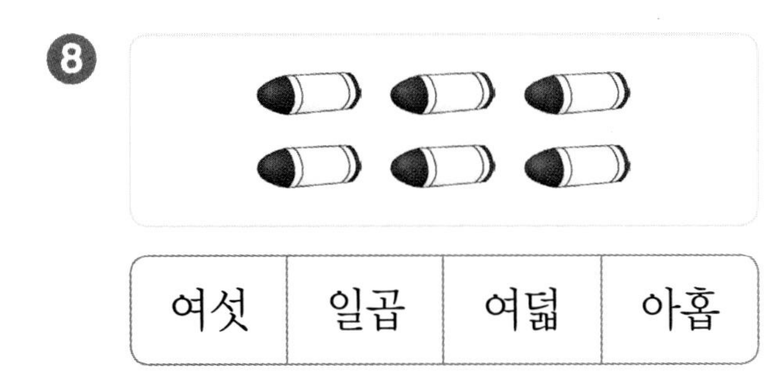

9

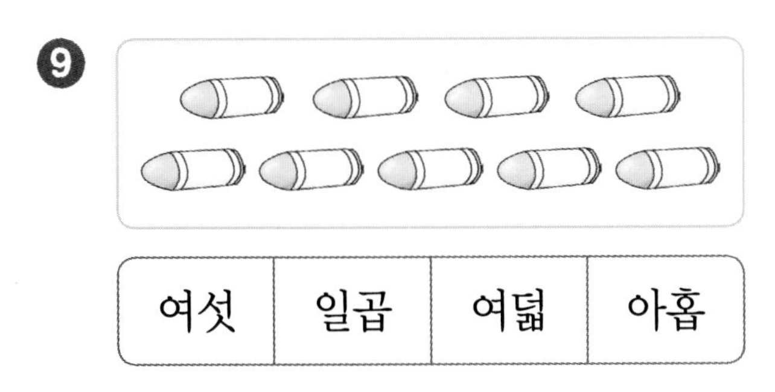

10

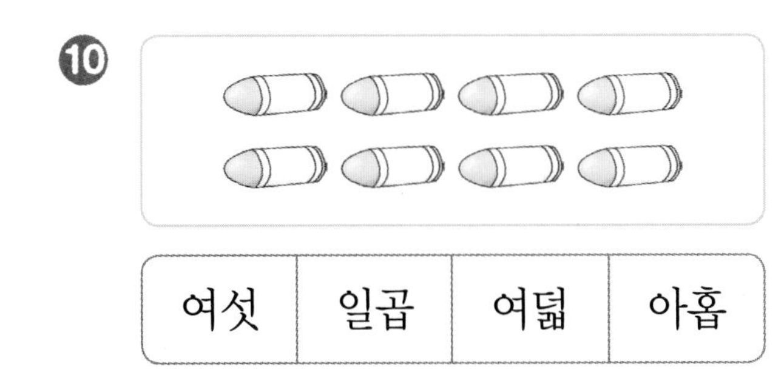

11

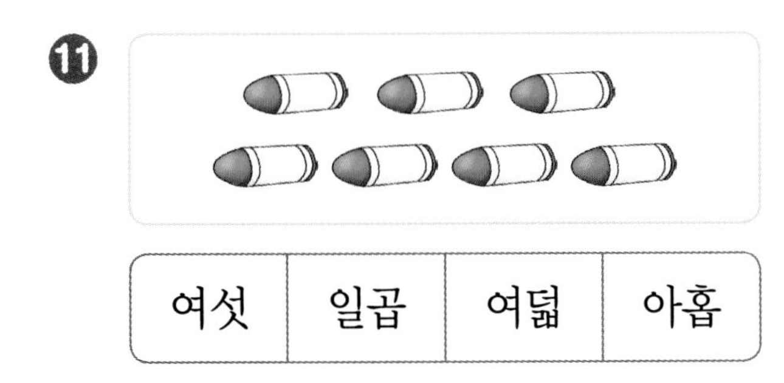

12

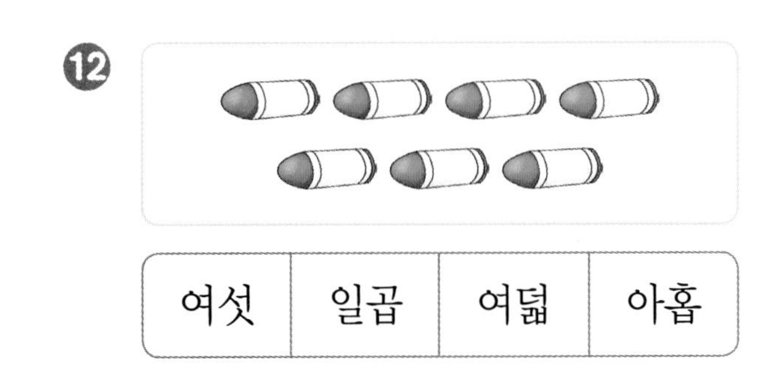

13

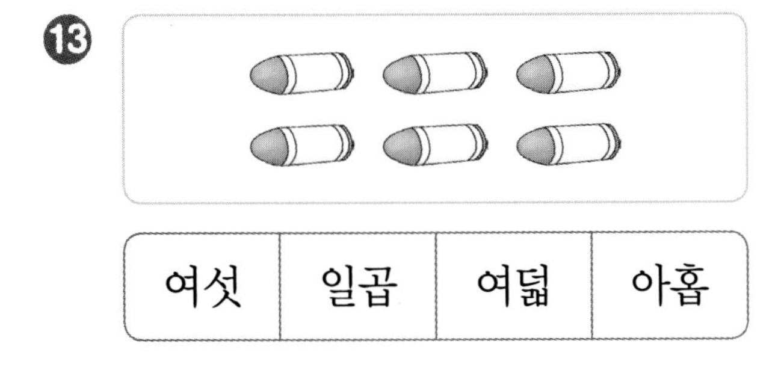

14

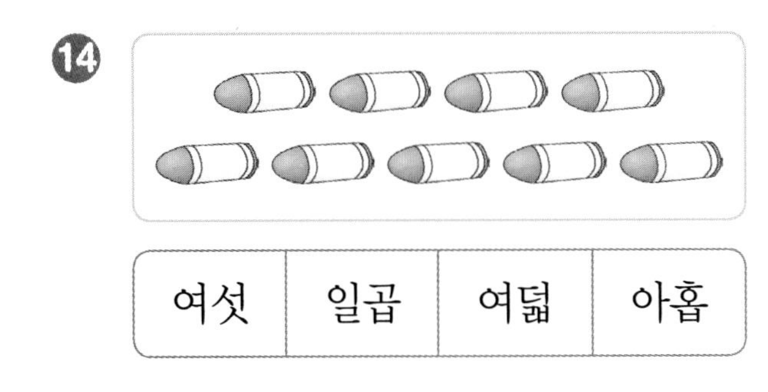

2 일차

6부터 9까지의 수

세어 보고 알맞은 수를 쓰세요.

1

2

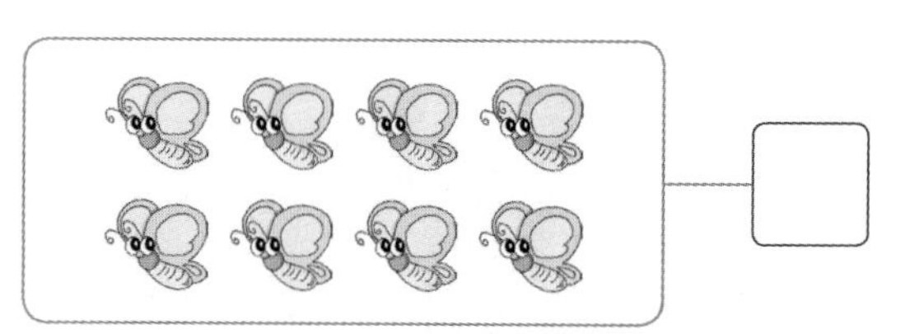

3

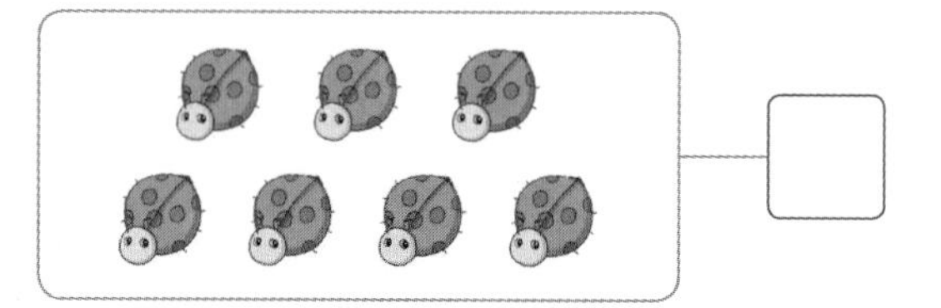

4

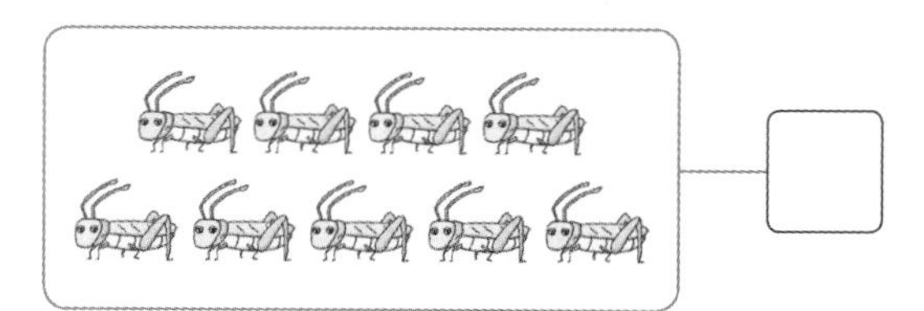

5

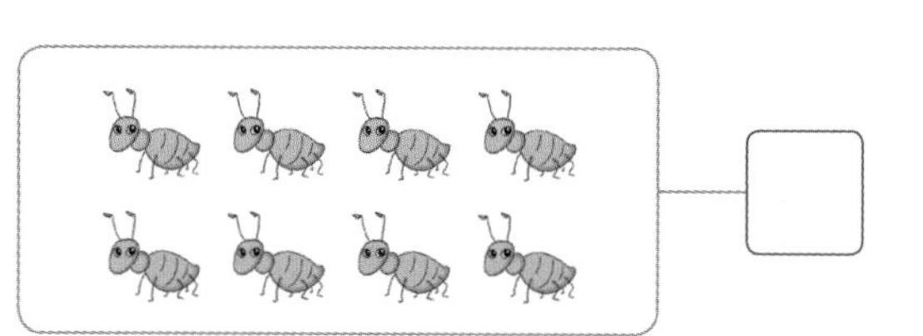

6

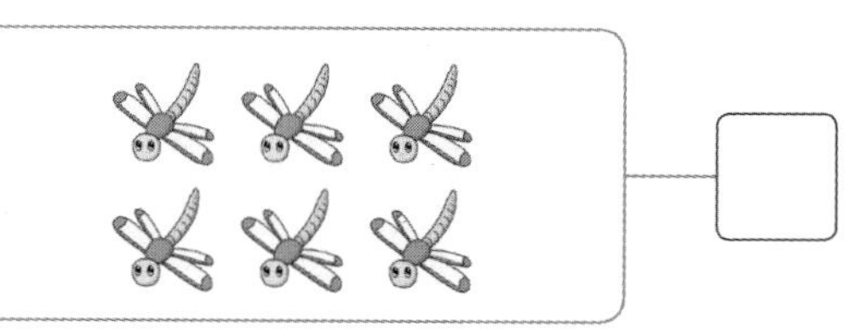

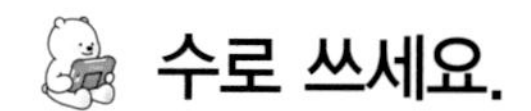

수로 쓰세요.

7

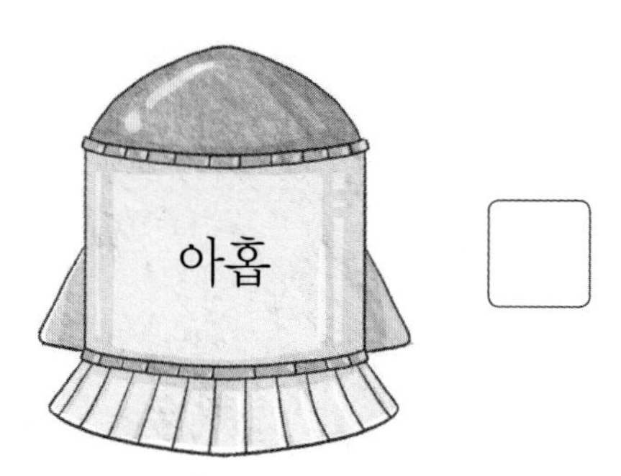

8

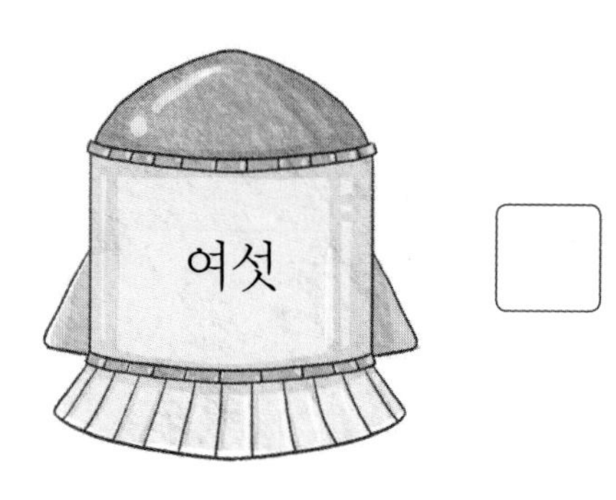

9

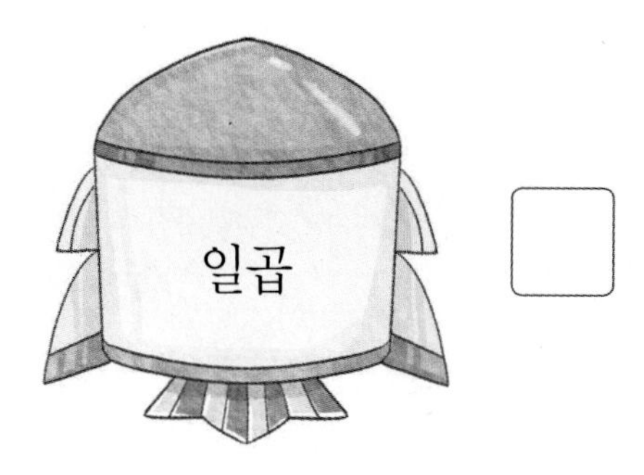

10

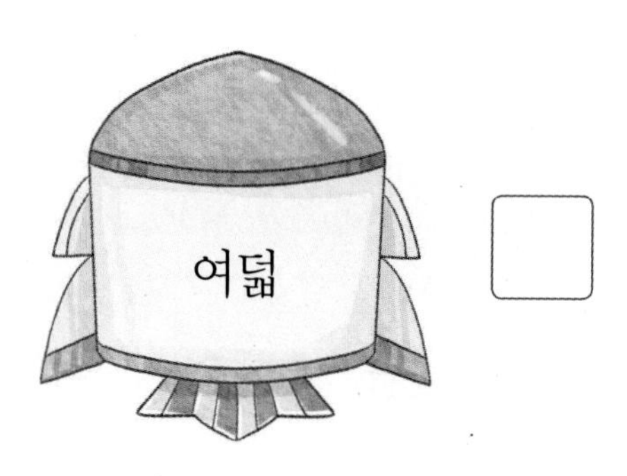

제한 시간 3분

플러스 계산 연습

맞은 개수 / 15개

▶ 정답과 해설 1쪽

생활 속 문제

동물의 수를 세어 쓰세요.

11

☐

12

☐

13

☐

문장 읽고 문제 해결하기

14 7을 두 가지로 읽으면?

읽기 ________, ________

15 9를 두 가지로 읽으면?

읽기 ________, ________

일차

수의 순서

이렇게 해결하자

• 수의 순서 알아보기

1부터 수를 순서대로 써요.

수의 순서에 맞게 빈칸에 알맞은 수를 써넣으세요.

❶

❷

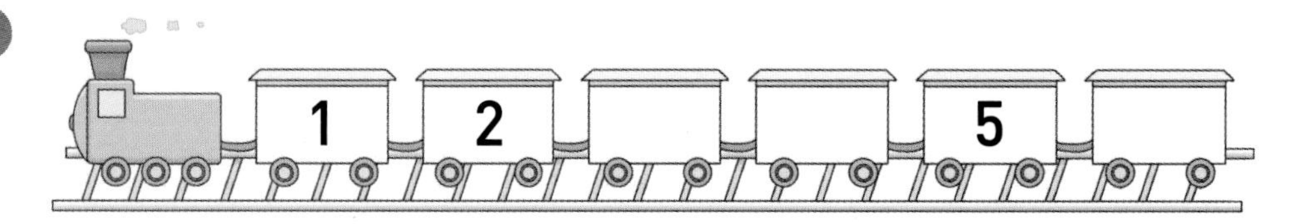

❸

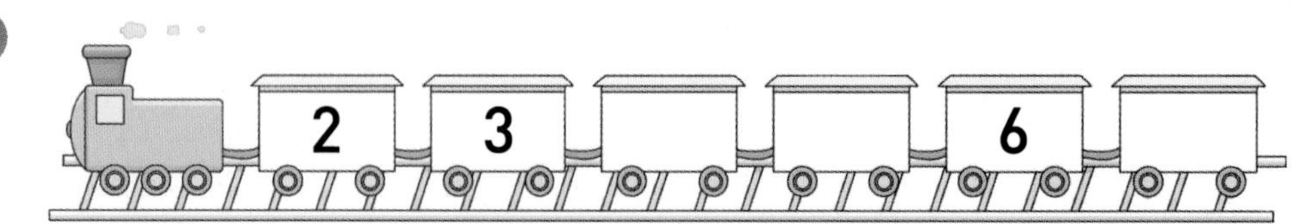

❹

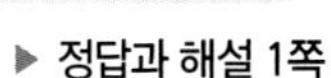

▶ 정답과 해설 1쪽

5

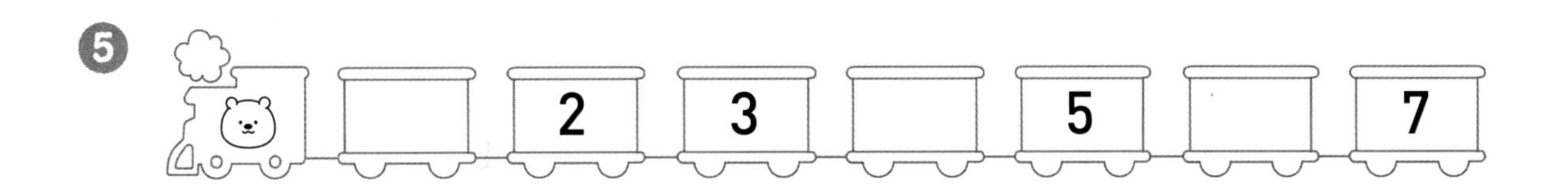

6

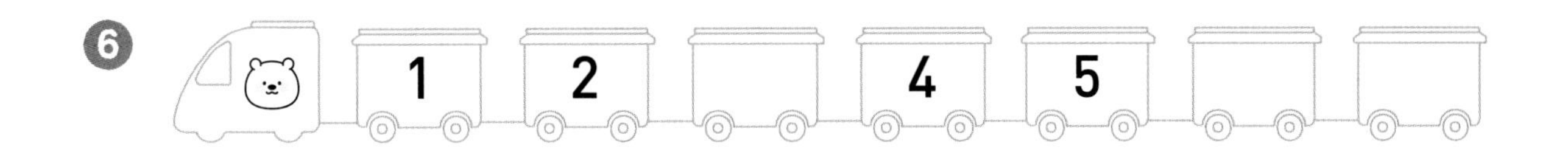

7

8

9

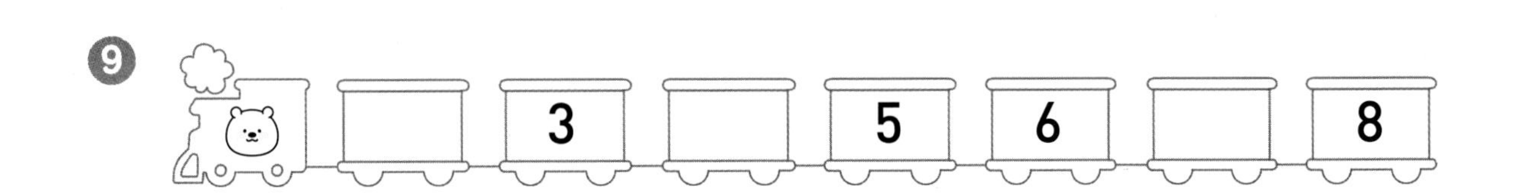

10

수의 순서

수의 순서에 맞게 빈칸에 알맞은 수를 써넣으세요.

1

2

4

2

3

3

5

순서를 거꾸로 하여 빈칸에 알맞은 수를 써넣으세요.

4

5

맞은 개수 / 12개

▶ 정답과 해설 2쪽

생활 속 문제

수의 순서대로 점을 선으로 이어 보세요.

6

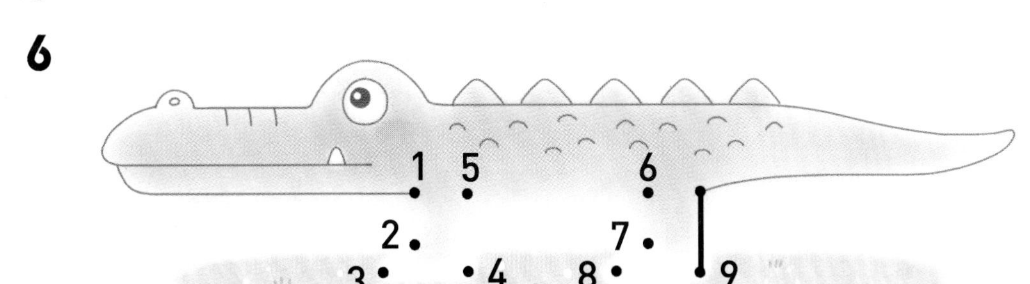

7

1 2 3 8 7 4 9 6 5

8

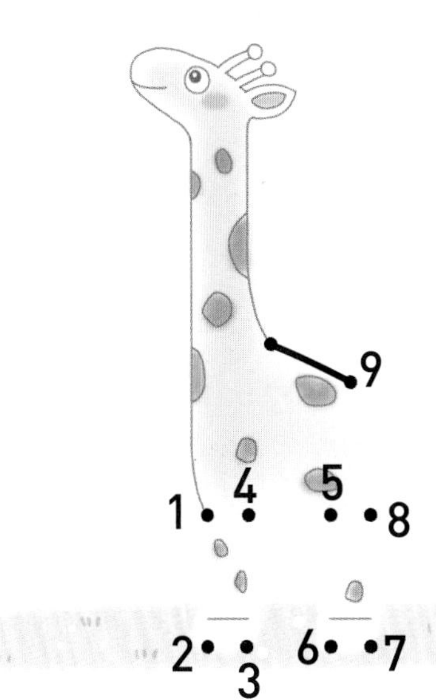

문장 읽고 문제 해결하기

9 순서에 맞게 2 바로 다음의 수는?

답 ______________

10 순서에 맞게 6 바로 다음의 수는?

답 ______________

11 순서에 맞게 7 바로 다음의 수는?

답 ______________

12 순서에 맞게 5 바로 다음의 수는?

답 ______________

4 일차

몇째 알아보기

이렇게 해결하자

• 몇째 알아보기

순서를 나타낼 때는 아홉째,
수를 셀 때는 아홉이에요.

첫째 둘째 셋째 넷째 다섯째 여섯째 일곱째 여덟째 아홉째

순서에 맞게 ▢ 안에 알맞은 말을 써넣으세요.

1

첫째 둘째 ▢ ▢

2

첫째 ▢ ▢

3

첫째 ▢ ▢

제한 시간 3분

기초 계산 연습

맞은 개수 / 8개

▶ 정답과 해설 2쪽

순서에 맞게 빈칸에 알맞은 말을 써넣으세요.

❹ 

❺ 

❻ 

❼ 

❽ 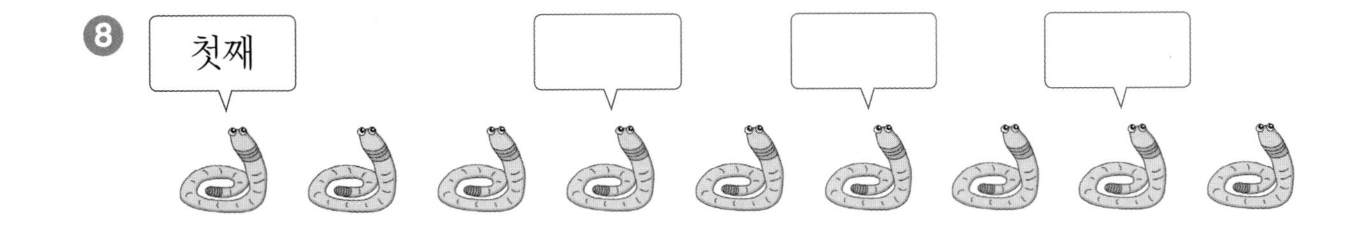

4 일차

몇째 알아보기

왼쪽에서부터 알맞게 색칠해 보세요.

1

셋(삼) ○○○○○○○○○

셋째 ○○○○○○○○○

2

여섯(육) ○○○○○○○○○

여섯째 ○○○○○○○○○

3

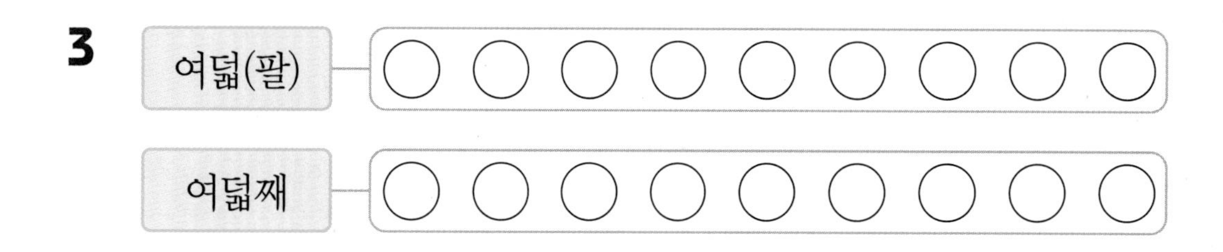

순서에 맞는 나무에 ○표 하세요.

4 넷째

5 일곱째

제한 시간 4분

플러스 계산 연습

맞은 개수 / 13개

▶ 정답과 해설 2쪽

생활 속 문제

순서에 알맞게 선으로 이어 보세요.

6

위에서 셋째 •

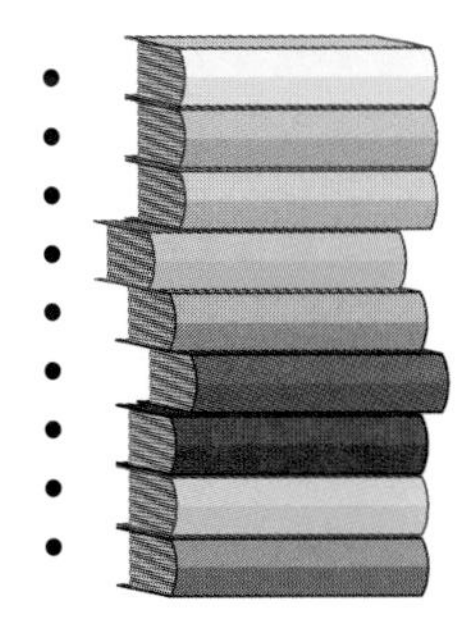

7

위에서 일곱째 •

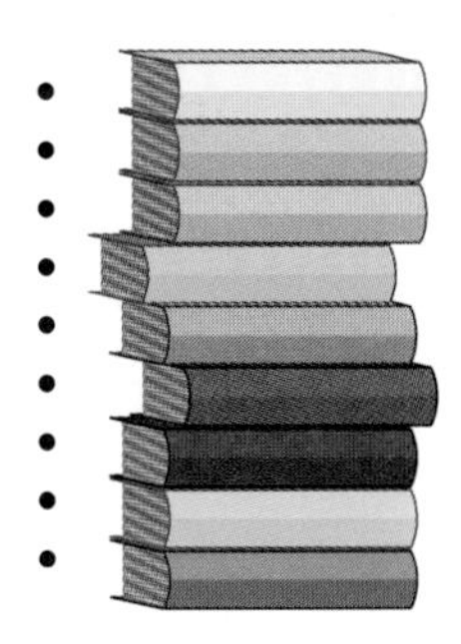

8

아래에서 둘째 •

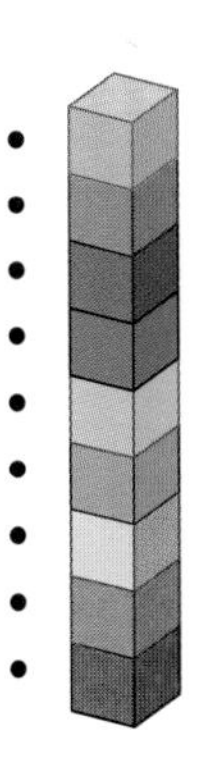

9

아래에서 다섯째 •

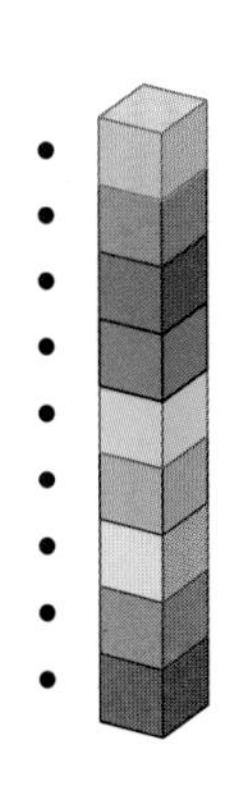

문장 읽고 문제 해결하기

10 순서에 맞게 둘째 바로 다음은 몇째?

답 ____________

11 순서에 맞게 넷째 바로 다음은 몇째?

답 ____________

12 순서에 맞게 여섯째 바로 다음은 몇째?

답 ____________

13 순서에 맞게 여덟째 바로 다음은 몇째?

답 ____________

5 일차

1만큼 더 작은 수, 1만큼 더 큰 수

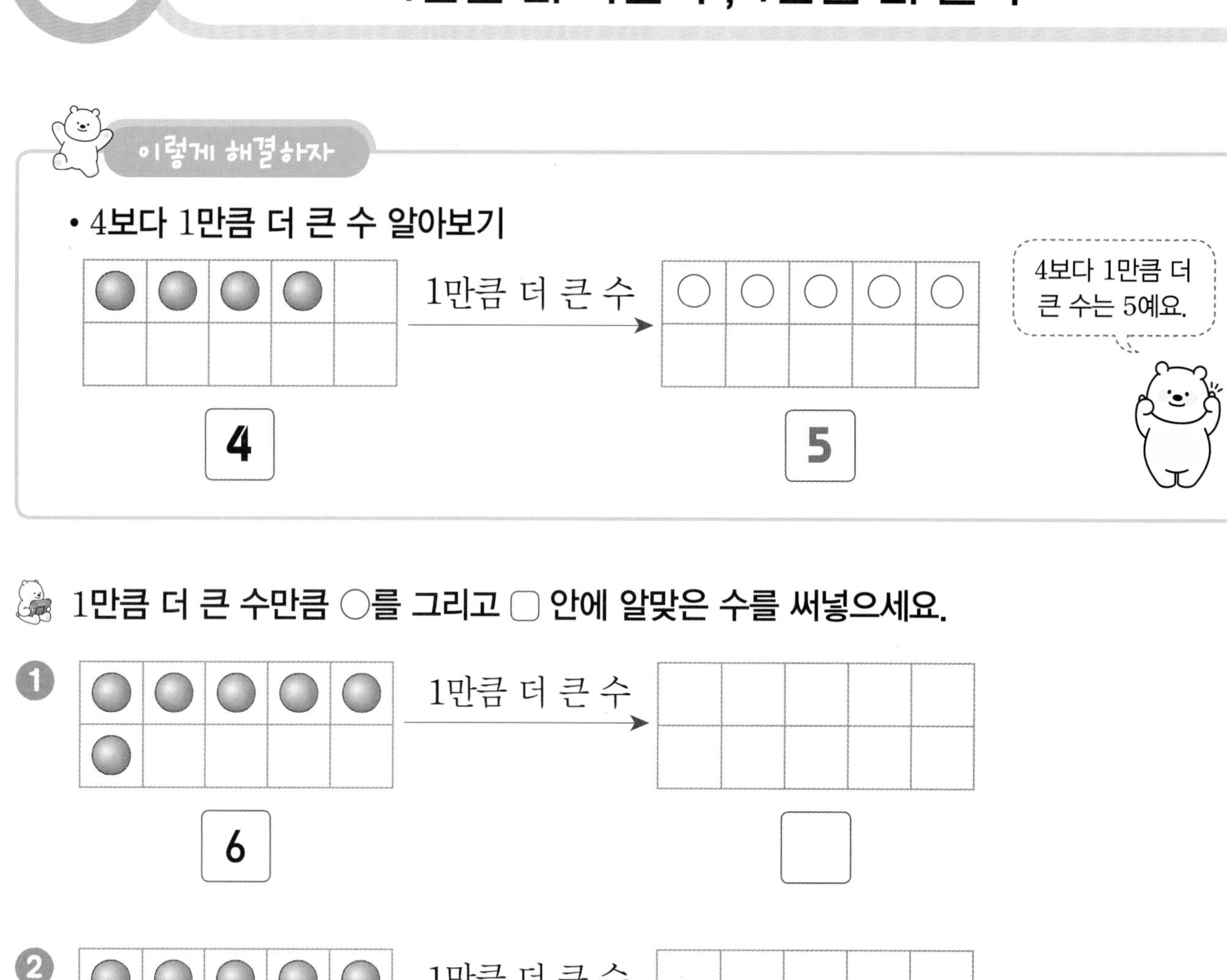

1만큼 더 큰 수만큼 ○를 그리고 □ 안에 알맞은 수를 써넣으세요.

❶ 6 → 1만큼 더 큰 수 → □

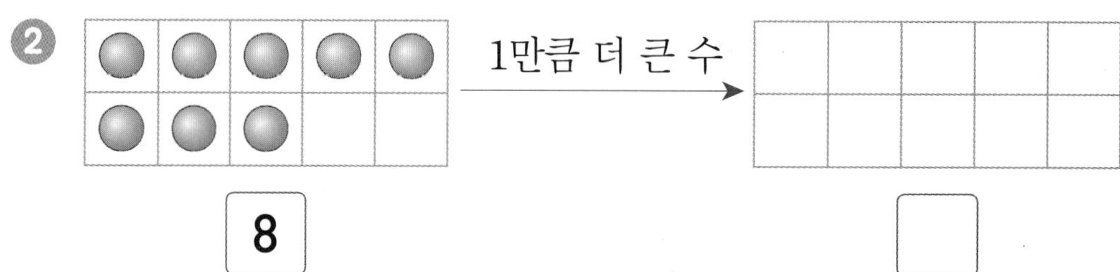

❷ 8 → 1만큼 더 큰 수 → □

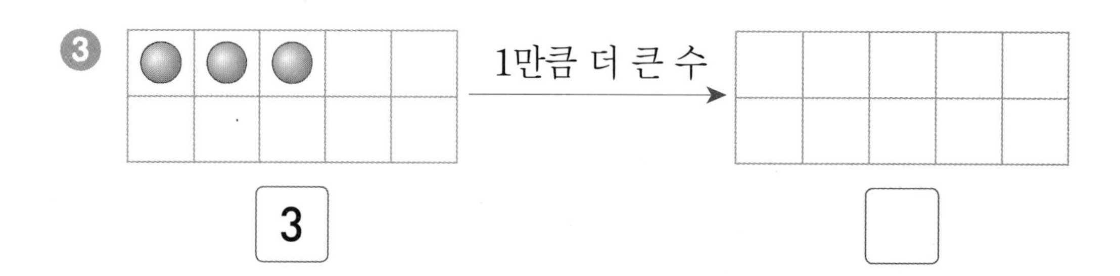

❸ 3 → 1만큼 더 큰 수 → □

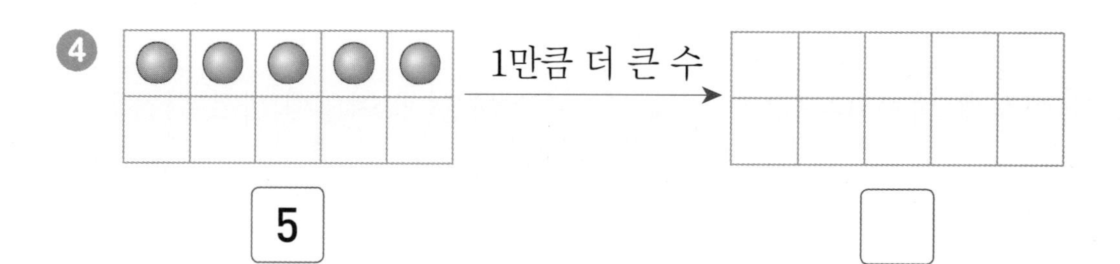

❹ 5 → 1만큼 더 큰 수 → □

기초 계산 연습

▶ 정답과 해설 3쪽

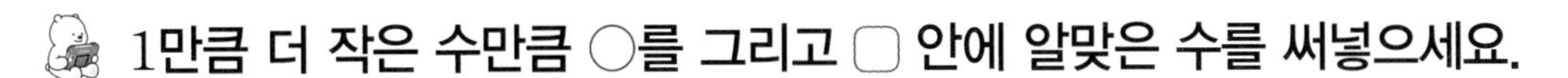

1만큼 더 작은 수만큼 ○를 그리고 ▢ 안에 알맞은 수를 써넣으세요.

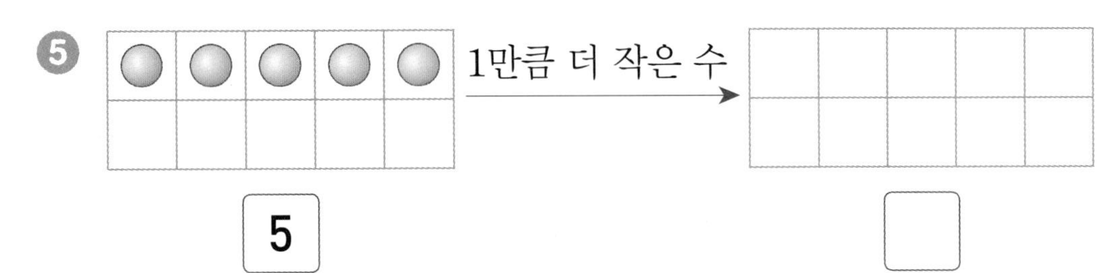

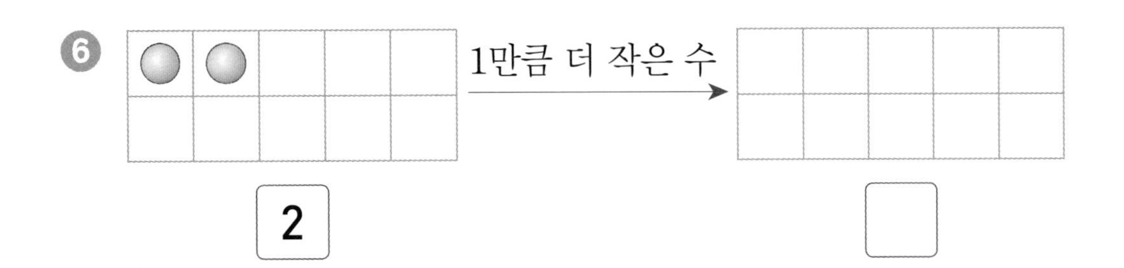

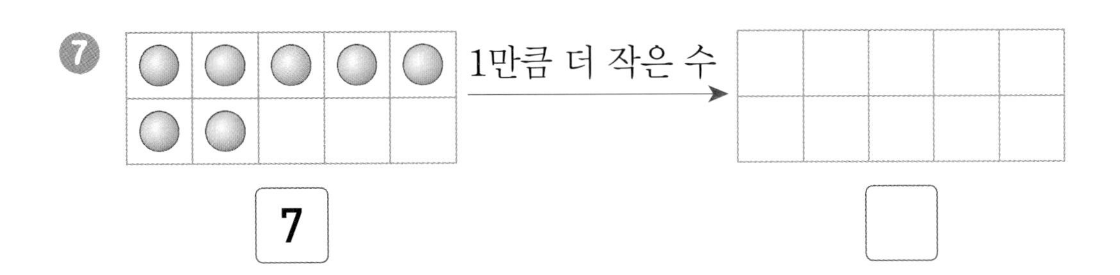

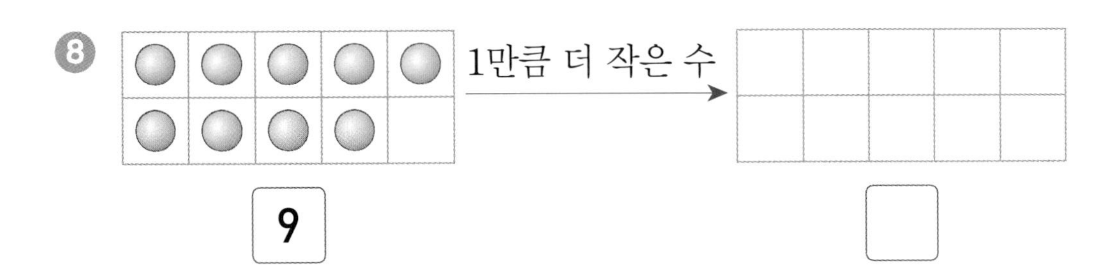

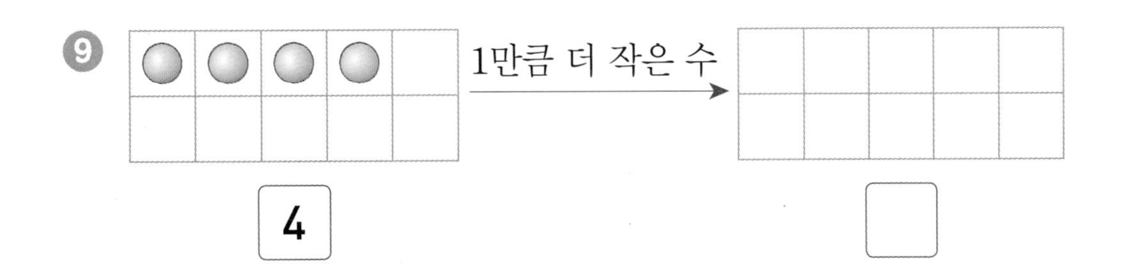

5 일차

1만큼 더 작은 수, 1만큼 더 큰 수

□ 안에 알맞은 수를 써넣으세요.

1 1만큼 더 작은 수　　1만큼 더 큰 수

2 1만큼 더 작은 수　　1만큼 더 큰 수

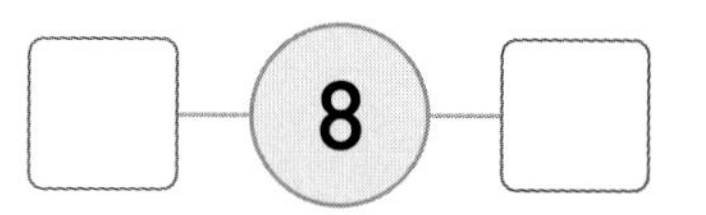

3 1만큼 더 작은 수　　1만큼 더 큰 수

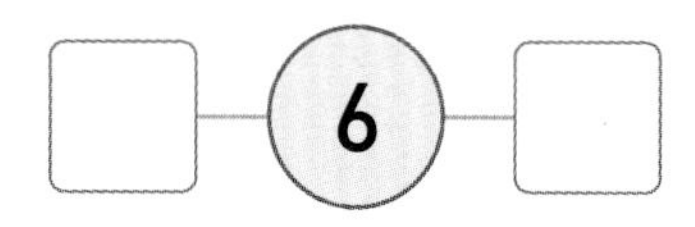

4 1만큼 더 작은 수　　1만큼 더 큰 수

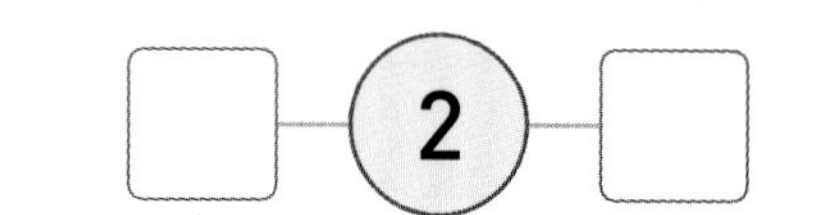

5 1만큼 더 작은 수　　1만큼 더 큰 수

6 1만큼 더 작은 수　　1만큼 더 큰 수

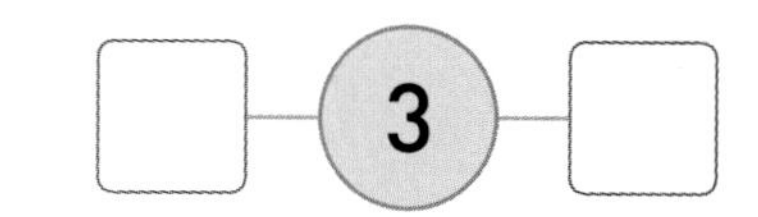

⬠ 안의 수보다 1만큼 더 큰 수에 ○표, 1만큼 더 작은 수에 △표 하세요.

7 

2　4　6　7

8 

5　6　8　9

9 

1　2　5　4

10 

2　3　5　7

11 

7　4　5　8

12 

7　6　5　9

제한 시간 6분

플러스 계산 연습

맞은 개수 / 22개

▶ 정답과 해설 3쪽

생활 속 문제

달걀의 수보다 1만큼 더 작은 수를 쓰세요.

13  ☐

14  ☐

15  ☐

16 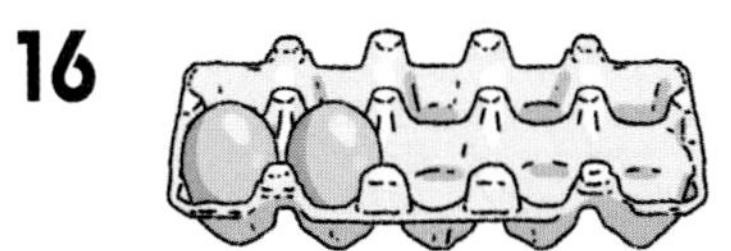 ☐

17 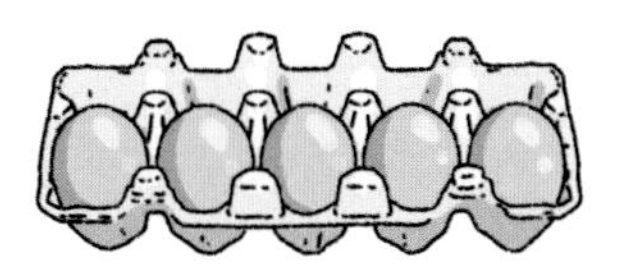 ☐

18  ☐

문장 읽고 문제 해결하기

19 2보다 1만큼 더 큰 수는?

답 ____________

20 5보다 1만큼 더 큰 수는?

답 ____________

21 1보다 1만큼 더 작은 수는?

답 ____________

22 3보다 1만큼 더 작은 수는?

답 ____________

6 일차

수의 크기 비교하기

이렇게 해결하자

• 9까지의 수의 크기 비교하기

(4개)	4
(5개)	(5)

는 보다 많습니다.
➜ 5는 4보다 큽니다.

더 큰 수에 ○표 하세요.

❶

(6개)	6
(4개)	4

❷

(5개)	5
(2개)	2

❸

(7개)	7
(9개)	9

❹

(6개)	6
(7개)	7

❺

(8개)	8
(5개)	5

❻

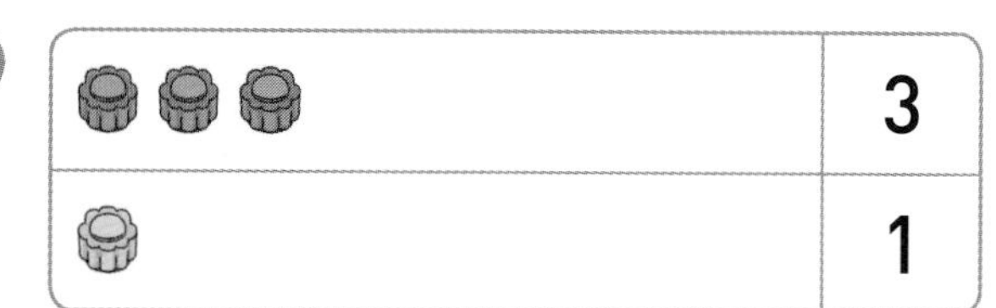

(3개)	3
(1개)	1

❼

(9개)	9
(8개)	8

❽

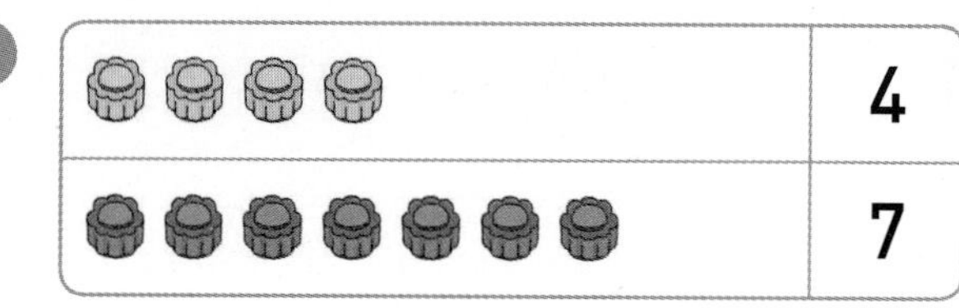

(4개)	4
(7개)	7

제한 시간 5분

기초 계산 연습

맞은 개수 / 18개

▶ 정답과 해설 3쪽

더 작은 수에 △표 하세요.

9

	9
	7

10

	4
	6

11

	6
	7

12

	9
	8

13

	7
	5

14

	5
	2

15

	1
	3

16

	3
	2

17

	7
	8

18

	5
	4

수의 크기 비교하기

더 작은 수에 △표 하세요.

1

5	7

2

3	8

3

2	1

4

6	9

더 큰 수에 ○표 하세요.

5

6	9

6

4	3

7

7	2

8

5	4

가장 큰 수에 ○표, 가장 작은 수에 △표 하세요.

9

10

제한 시간 6분

플러스 계산 연습

맞은 개수 / 18개

▶ 정답과 해설 4쪽

생활 속 문제

색연필의 수를 세어 ▢ 안에 알맞은 수를 써넣고, 두 수의 크기를 비교해 보세요.

11

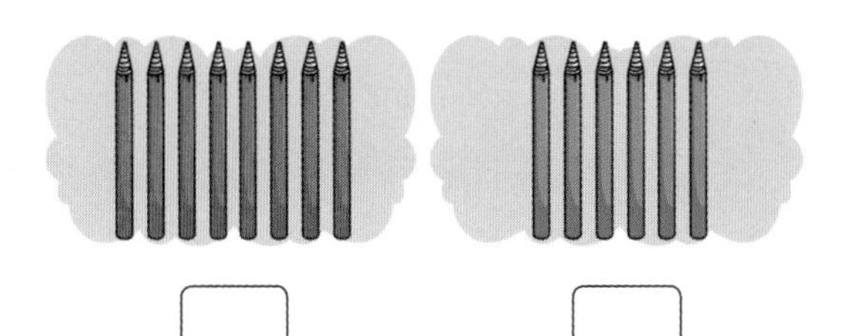

▢ ▢

→ ▢ 은/는 ▢ 보다 큽니다.

12

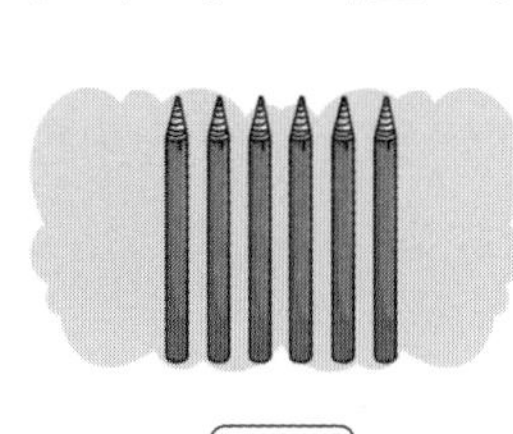

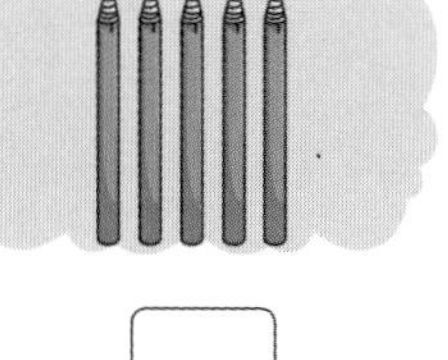

▢ ▢

→ ▢ 은/는 ▢ 보다 큽니다.

13

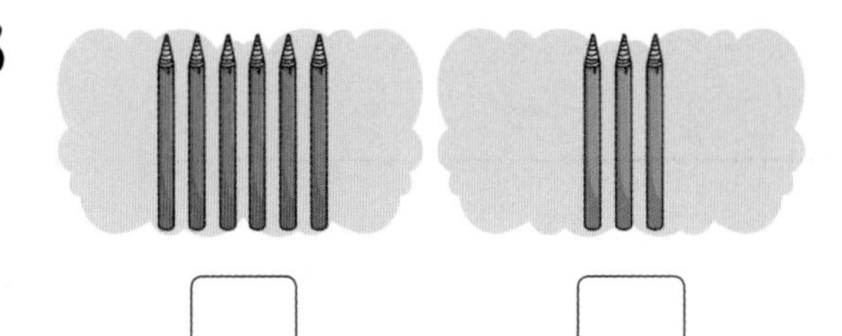

▢ ▢

→ ▢ 은/는 ▢ 보다 작습니다.

14

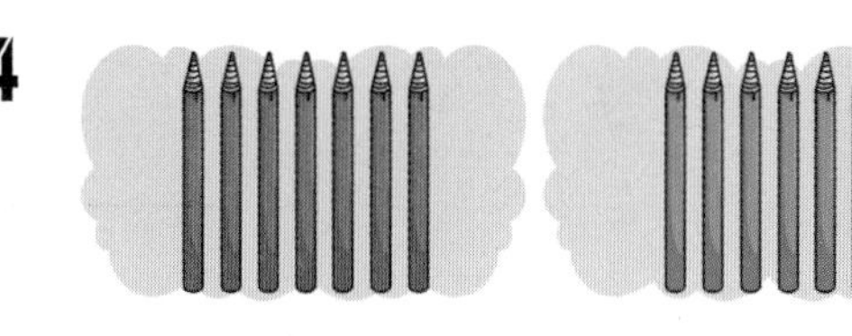

▢ ▢

→ ▢ 은/는 ▢ 보다 작습니다.

문장 읽고 문제 해결하기

15 4와 7 중에서 더 큰 수는?

답 ______________

16 3과 1 중에서 더 큰 수는?

답 ______________

17 8과 9 중에서 더 작은 수는?

답 ______________

18 6과 4 중에서 더 작은 수는?

답 ______________

SPEED 연산력 TEST

세어 보고 알맞은 수를 쓰세요.

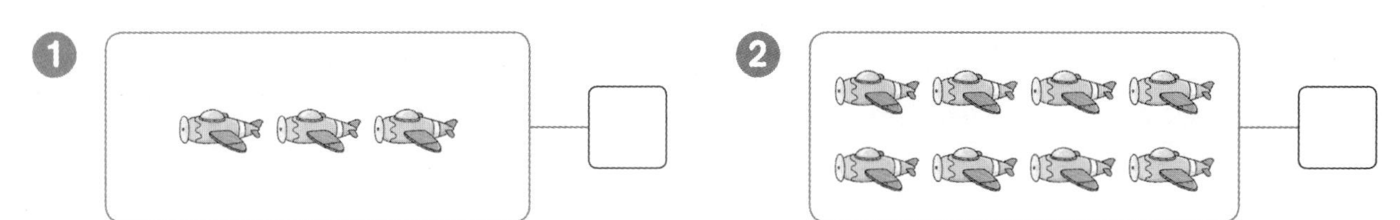

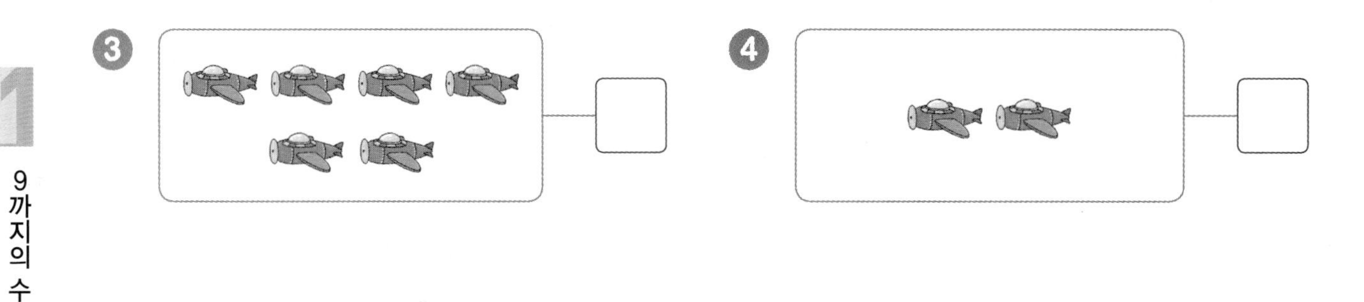

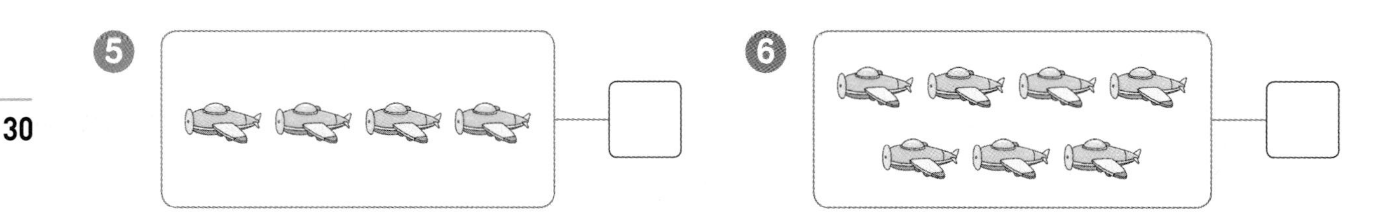

수의 순서에 알맞게 빈칸에 알맞은 수를 써넣으세요.

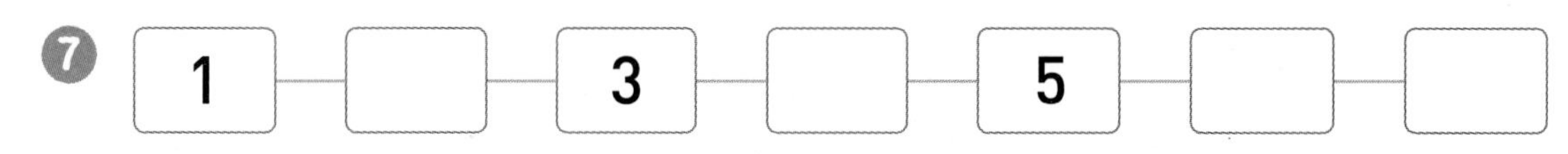

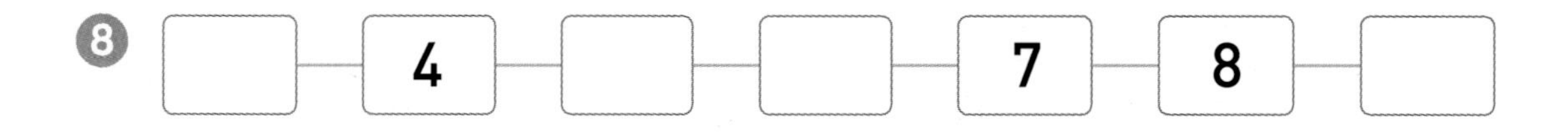

□ 안에 알맞은 수를 써넣으세요.

⑨ 1만큼 더 작은 수 1만큼 더 큰 수

⑩ 1만큼 더 작은 수 1만큼 더 큰 수

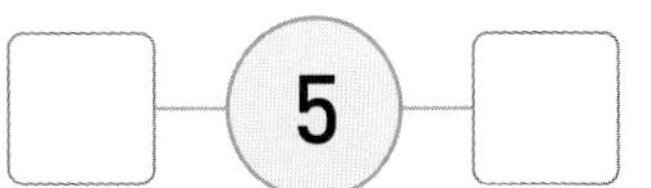

⑪ 1만큼 더 작은 수 1만큼 더 큰 수

⑫ 1만큼 더 작은 수 1만큼 더 큰 수

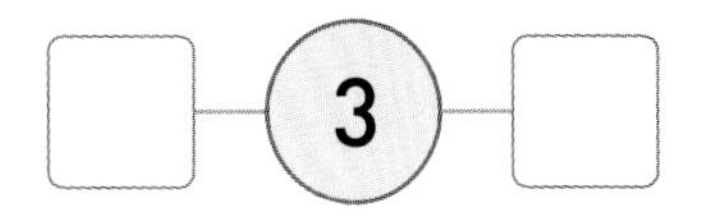

더 큰 수에 ○표 하세요.

⑬

⑭ 5 8

⑮

⑯ 6 3

더 작은 수에 △표 하세요.

⑰

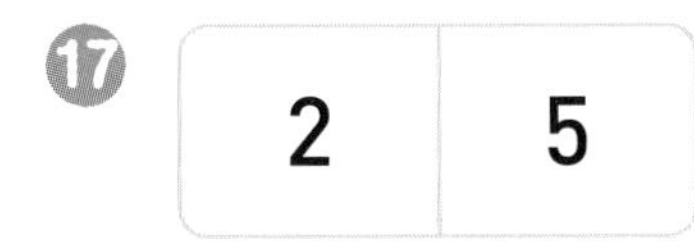

⑱ 7 2

⑲ 4 6

⑳ 8 4

제한 시간 안에 정확하게
모두 풀었다면 여러분은 진정한 **계산왕!**

특강 문장제 문제 도전하기

1 4보다 1만큼 더 큰 수: □ ➔ 머핀이 4개 있습니다. 소시지빵이 머핀보다 1개 더 많다면 소시지 빵은 몇 개일까요?

1만큼 더 큰 수가 실생활에서 어떤 상황에 이용될까요?

4개보다 1개 더 많으면 □개

답 ______ 개

2 6보다 1만큼 더 큰 수: □ ➔ 크림빵이 6개 있습니다. 단팥빵이 크림빵보다 1개 더 많다면 단팥빵은 몇 개일까요?

6개보다 1개 더 많으면 □개

답 ______ 개

3 7보다 1만큼 더 작은 수: □ ➔ 베이글이 7개 있습니다. 초코빵이 베이글보다 1개 더 적다면 초코빵은 몇 개일까요?

7개보다 1개 더 적으면 □개

답 ______ 개

▶정답과 해설 4쪽

문장을 읽고 알맞은 수를 찾아 답을 구해 보자!

4 도넛이 **8**개 있습니다.
소라빵이 도넛보다 **1**개 더 많다면 소라빵은 몇 개일까요?

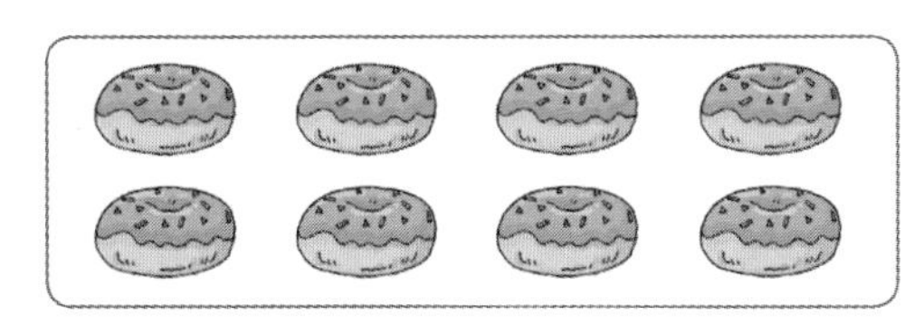

➜ **8**개보다 **1**개 더 많으면 ☐개

답 ________ 개

5 식빵이 **5**개 있습니다.
케이크가 식빵보다 **1**개 더 적다면 케이크는 몇 개일까요?

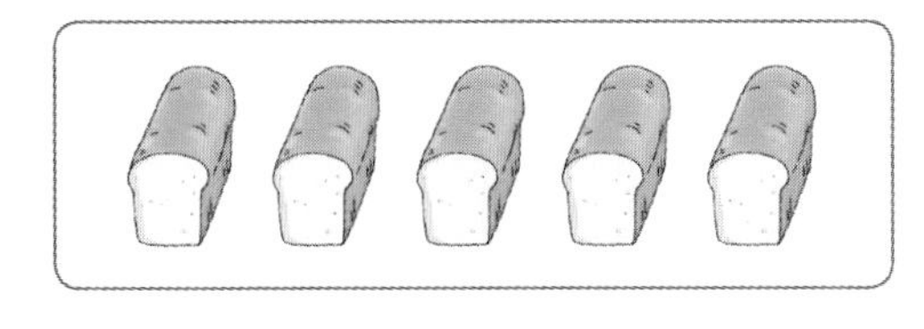

➜ **5**개보다 **1**개 더 적으면 ☐개

답 ________ 개

6 소시지빵이 **9**개 있습니다.
바게트가 소시지빵보다 **1**개 더 적다면 바게트는 몇 개일까요?

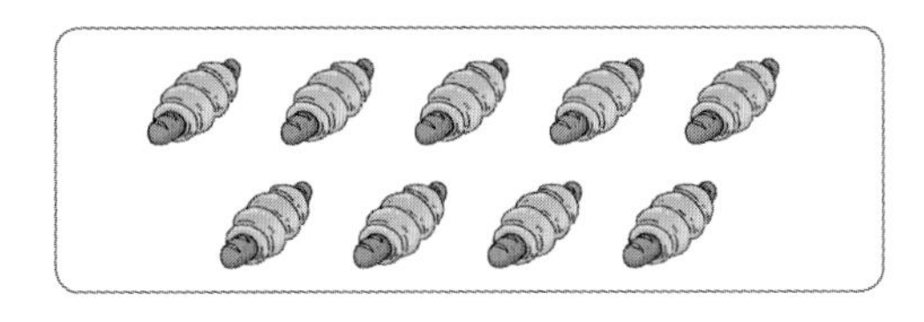

➜ **9**개보다 **1**개 더 적으면 ☐개

답 ________ 개

특강 창의·융합·코딩·도전하기

현수가 먹고 남긴 간식의 개수는?

현수가 윤호가 간식으로 준비한 쿠키, 사탕, 도넛을 먹었습니다.

현수가 먹고 남긴 간식은 각각 몇 개일까요?

사탕	도넛	쿠키
□개	□개	□개

▶ 정답과 해설 4쪽

창의 2 1부터 수를 순서대로 따라가 보세요.

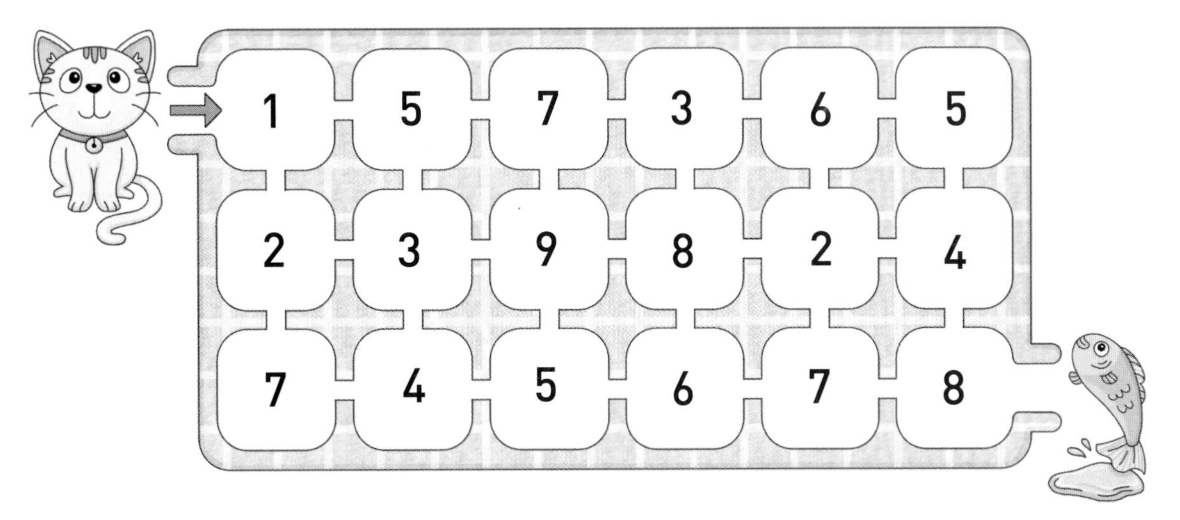

창의 3 위치에 맞게 극장 좌석에 ○, △, □표 하세요.

○	△	□
왼쪽에서 첫째, 앞에서 둘째	왼쪽에서 넷째, 뒤에서 넷째	오른쪽에서 둘째, 앞에서 다섯째

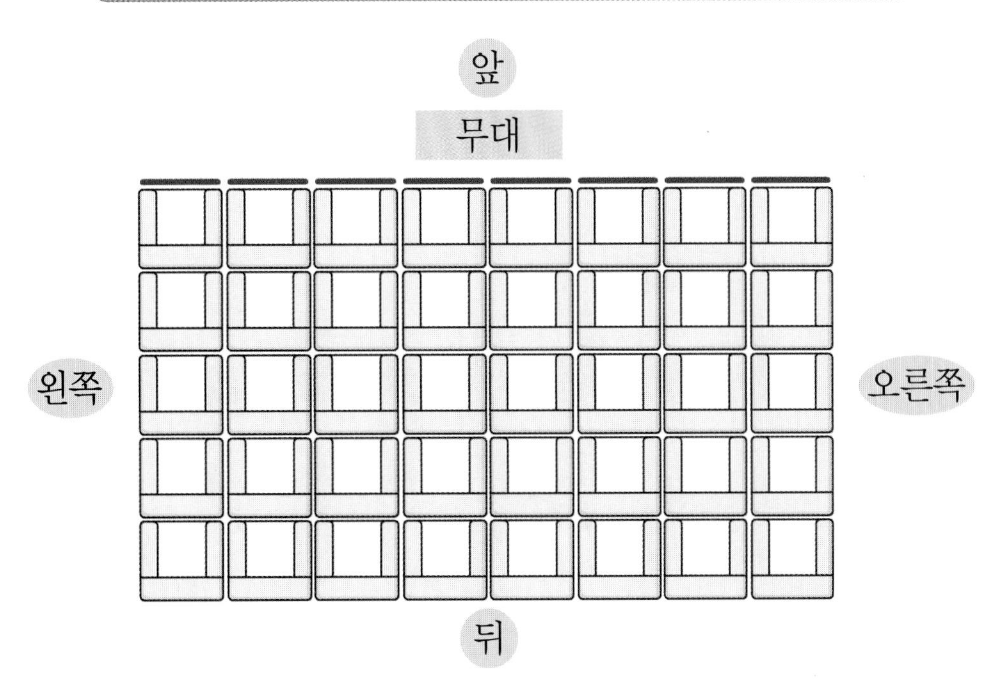

② 덧셈

실생활에서 알아보는 재미있는 수학 이야기

이번에 배울 내용을 알아볼까요?

- 1일차 2, 3, 4, 5 모으기
- 2일차 6, 7, 8, 9 모으기
- 3일차 더하기로 나타내고 읽기
- 4일차 덧셈(1)
- 5일차 덧셈(2)
- 6일차 0 더하기
- 7일차 덧셈식에서 □ 구하기
- 8일차 세 수의 덧셈

1 일차

2, 3, 4, 5 모으기

이렇게 해결하자

• 4가 되게 모으기

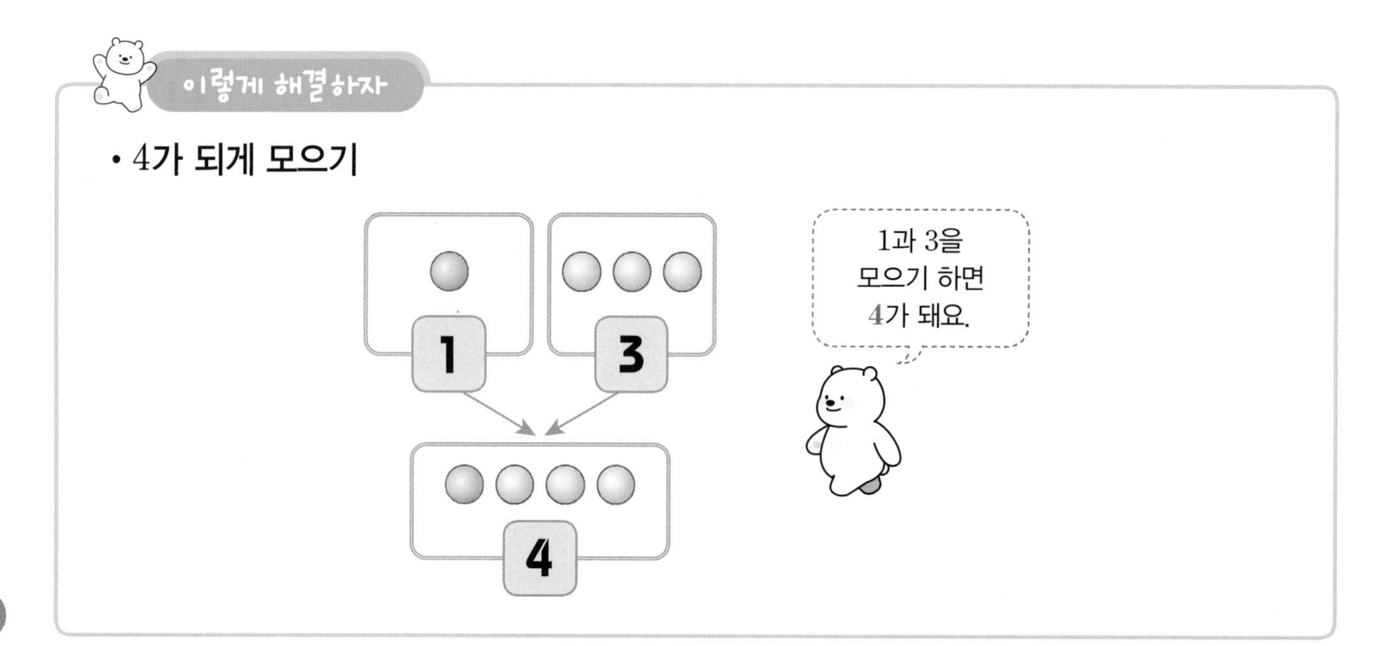

그림을 보고 빈 곳에 알맞은 수를 써넣으세요.

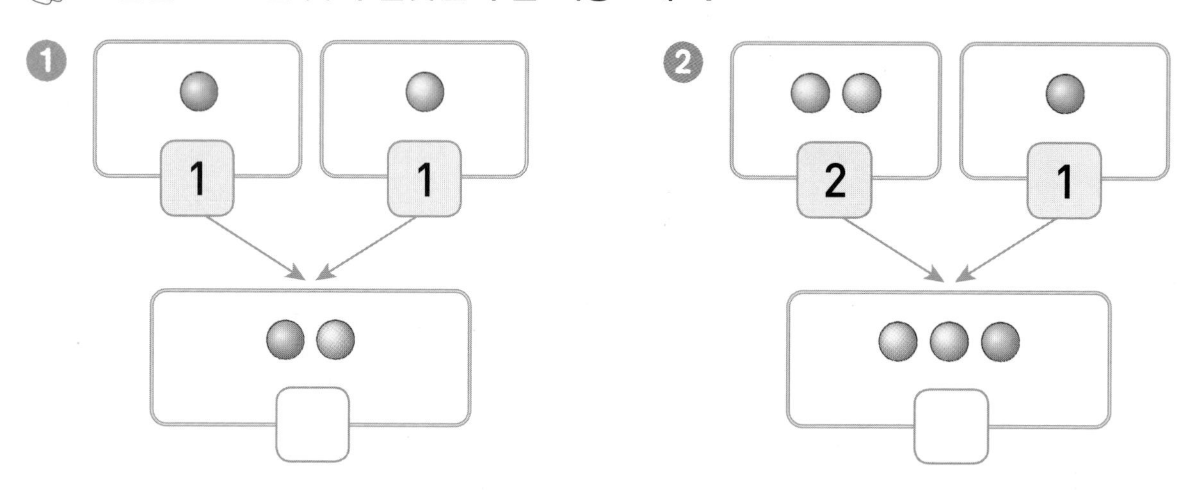

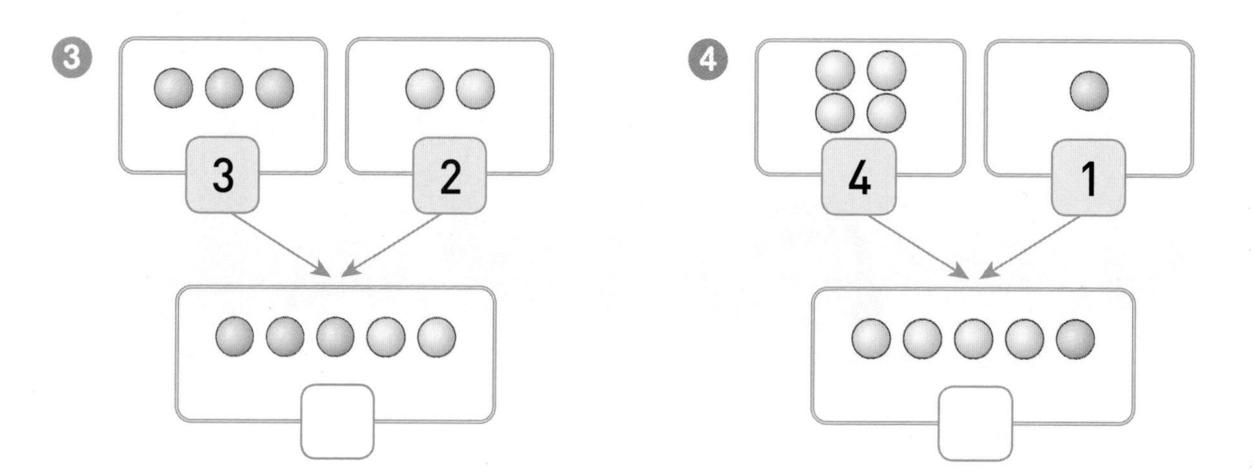

기초 계산 연습

맞은 개수 / 14개

▶ 정답과 해설 5쪽

 **모으기를 해 보세요.**

5
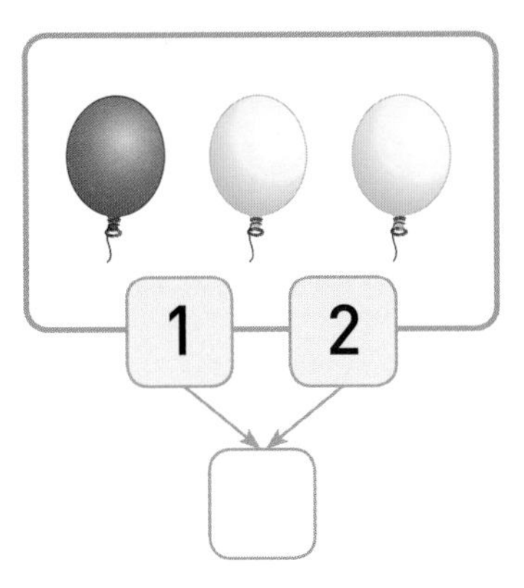

6
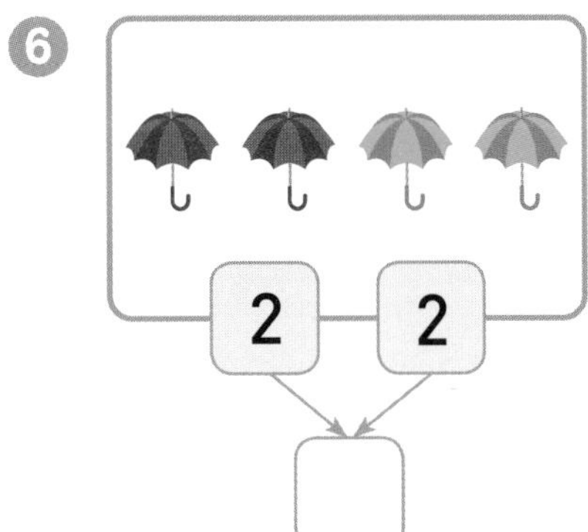

7
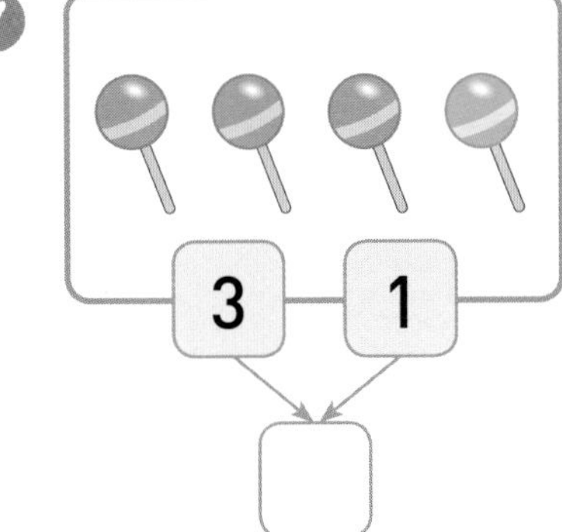

8
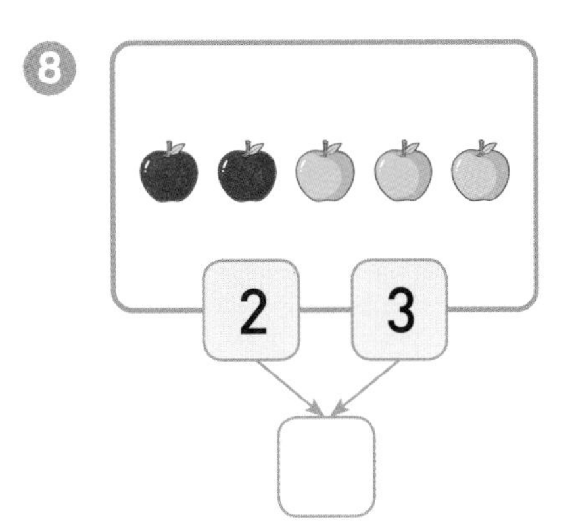

9
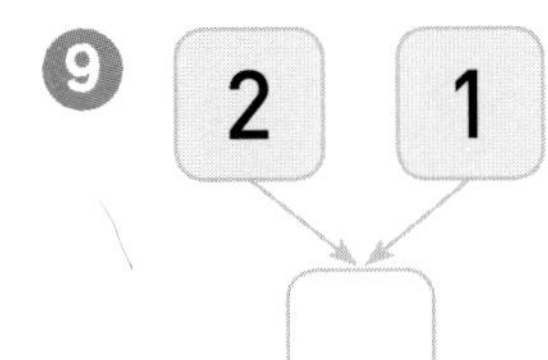

10
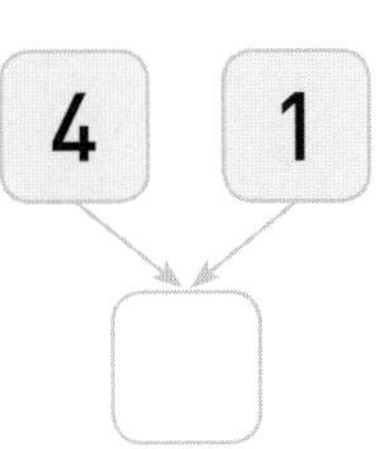

11
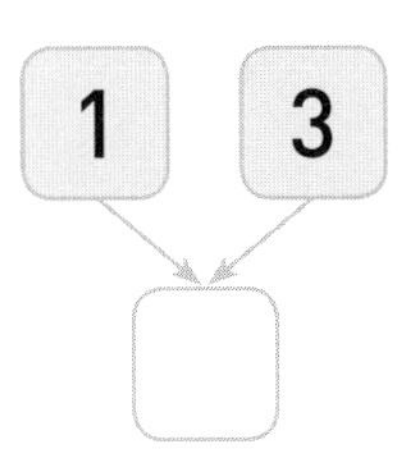

12
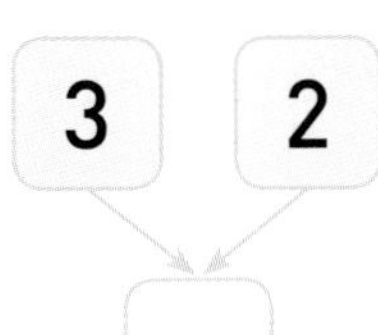

13
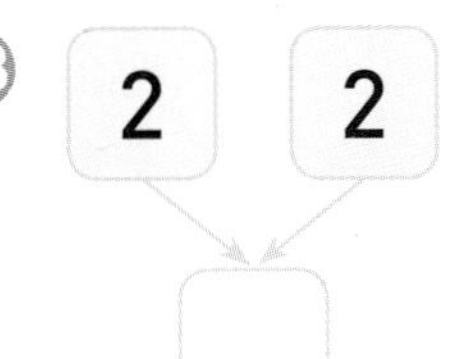

14
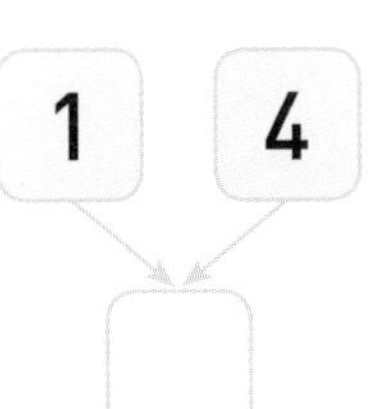

2, 3, 4, 5 모으기

두 수를 모으기 하여 빈 곳에 써넣으세요.

1

2

3

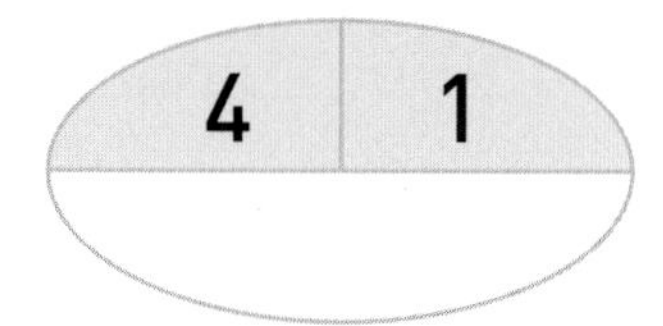

4

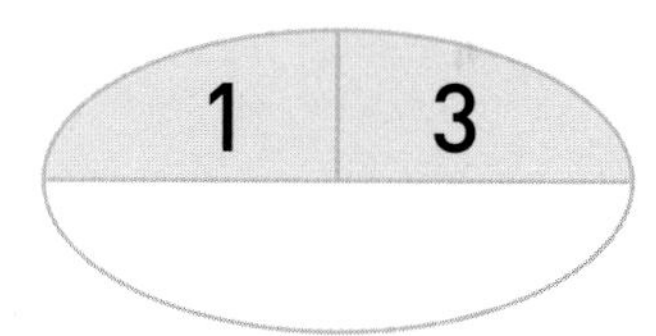

5

3 2

6

점의 수를 모으기 하여 ▢ 안에 써넣으세요.

7

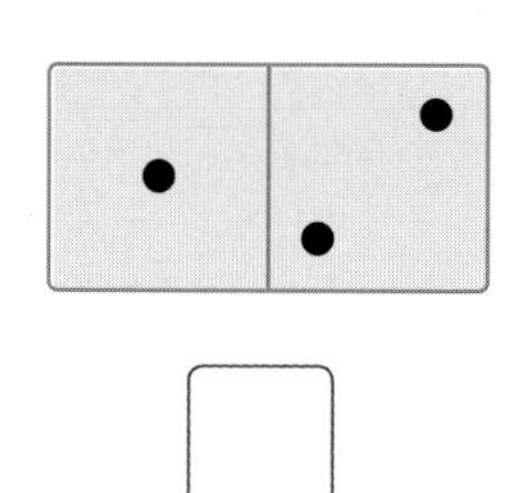

8

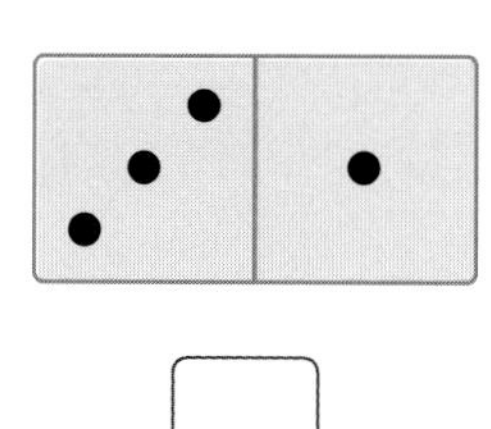

9

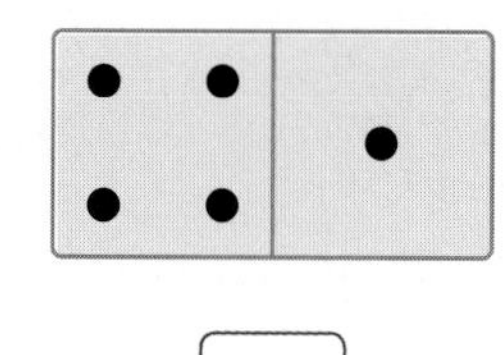

10

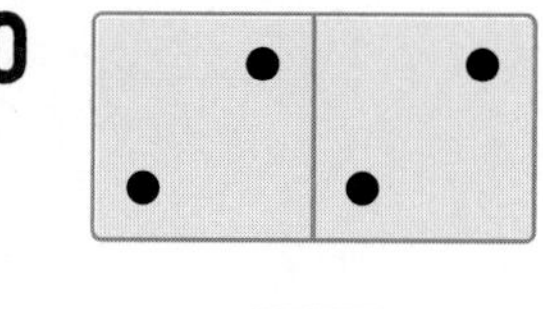

플러스 계산 연습

맞은 개수 / 18개

▶ 정답과 해설 5쪽

생활 속 문제

친구들이 오른쪽 두 수를 모은 수를 들고 있을 때 빈 곳에 알맞은 수를 써넣으세요.

11

2 2

12

1 4

13

1 2

14

3 1

문장 읽고 문제 해결하기

15 감자 2개와 3개를 모으기 하면?

2 3

16 고구마 1개와 3개를 모으기 하면?

1 3

17 가위 1개와 2개를 모으기 하면?

1 2

18 자 3개와 2개를 모으기 하면?

3 2

6, 7, 8, 9 모으기

이렇게 해결하자

• 6이 되게 모으기

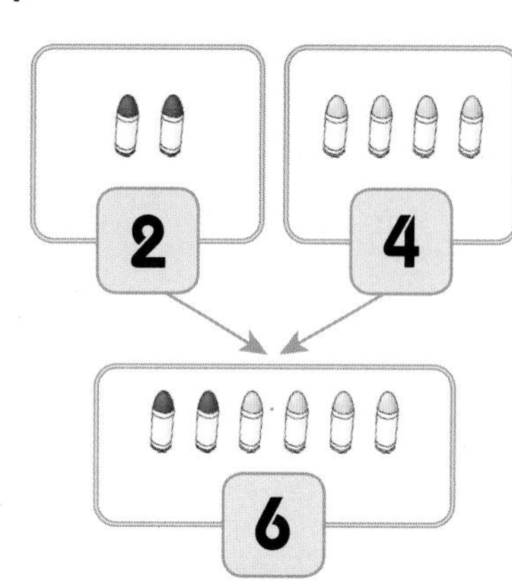

2와 4를
모으기 하면
6이 돼요.

모으기를 해 보세요.

❶
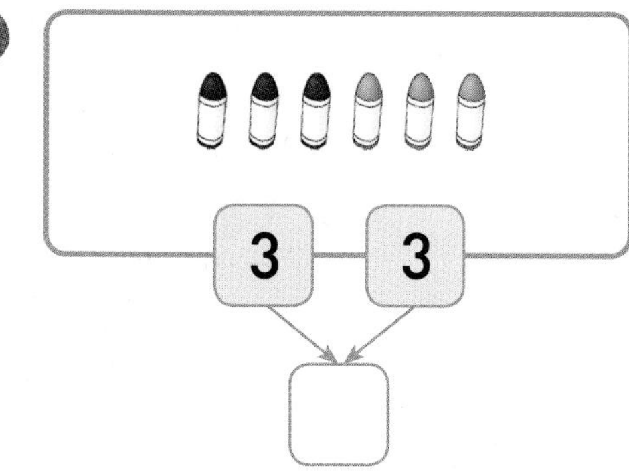

❷
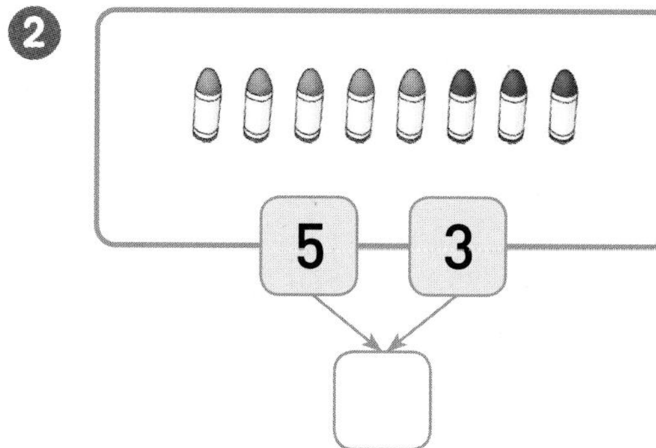

❸
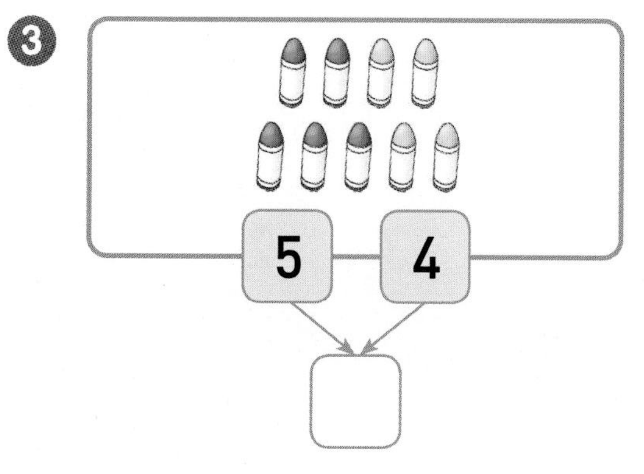

❹
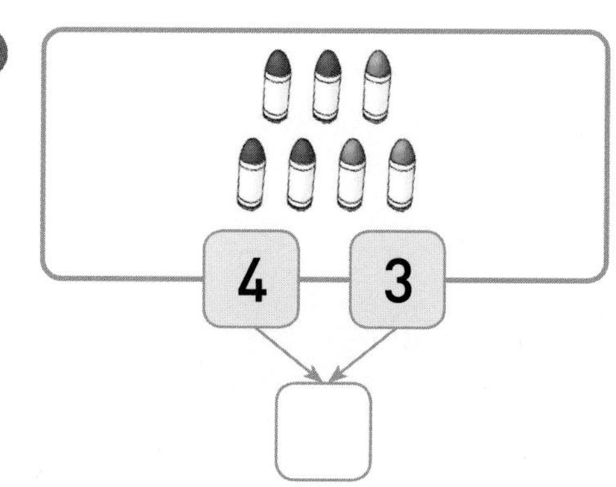

기초 계산 연습

맞은 개수 / 17개

▶ 정답과 해설 5쪽

5
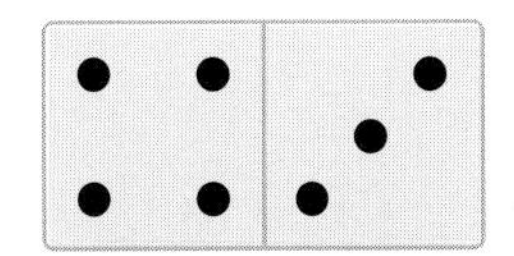
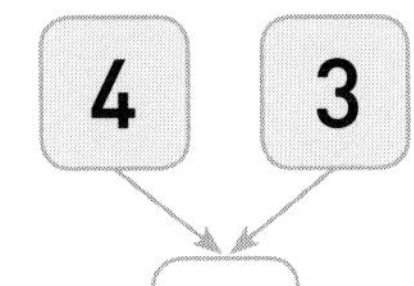

6
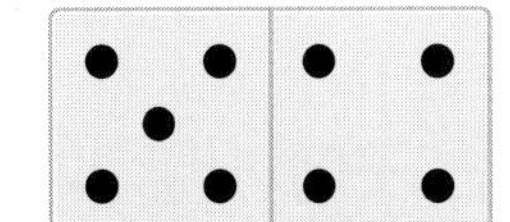
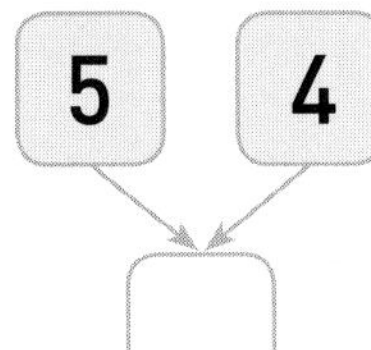

7
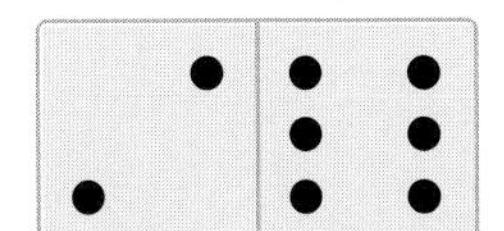
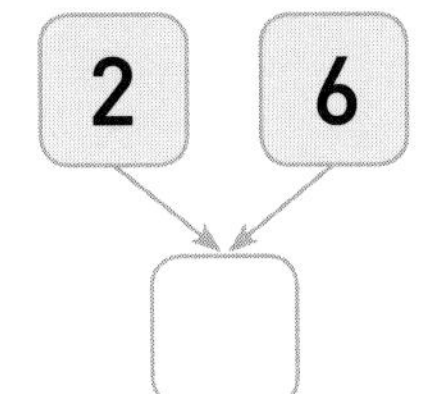

8

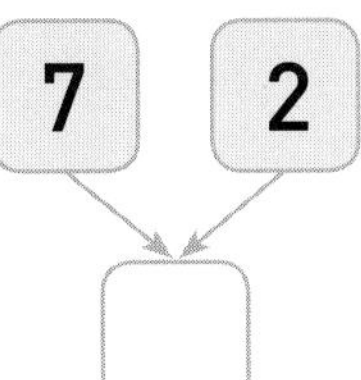

9

10

11

12

13
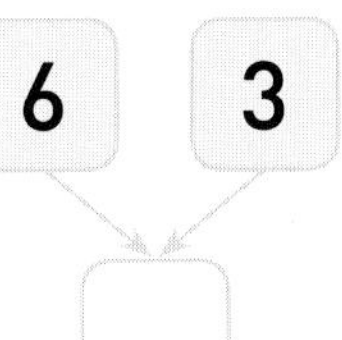

14
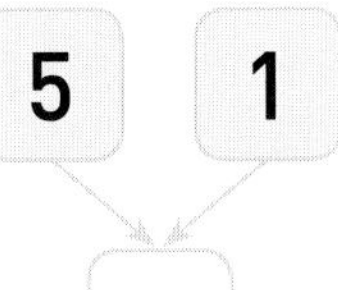

15
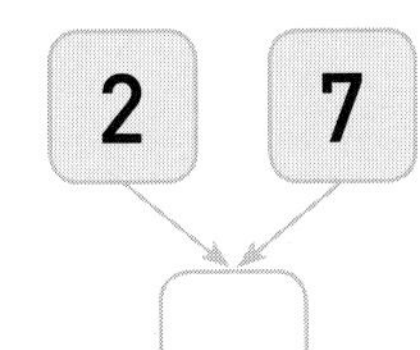

16
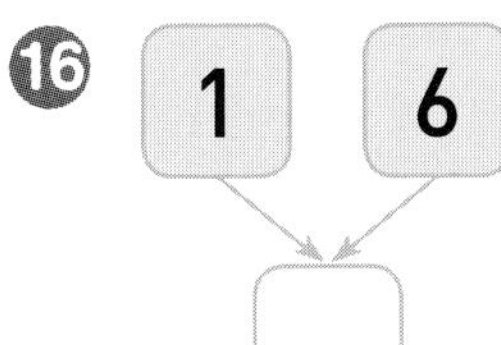

17
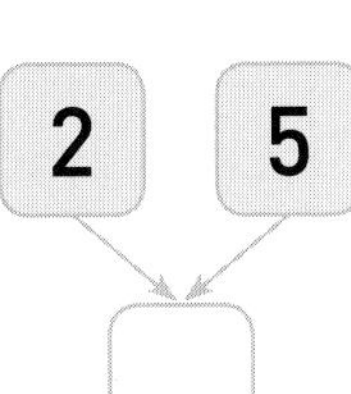

2 일차

6, 7, 8, 9 모으기

두 수를 모으기 하여 빈 곳에 써넣으세요.

1

2
6

2

3
4

3

8
1

4

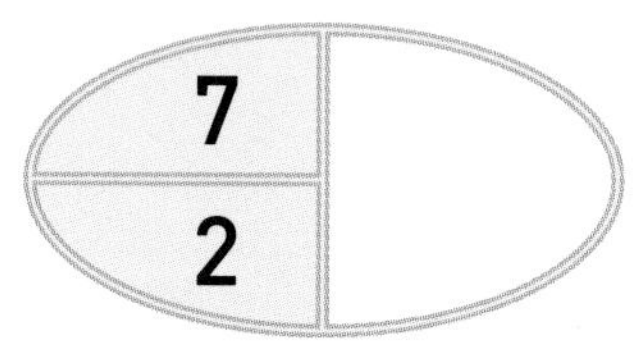

5

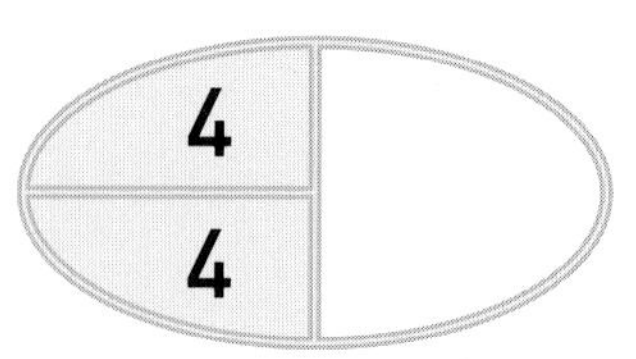

6

3
3

모으면 ◯ 안의 수가 되는 두 수를 모두 찾아 ▭ 또는 ▯로 묶어 보세요.

7

6

2	4	5
3	6	1

8

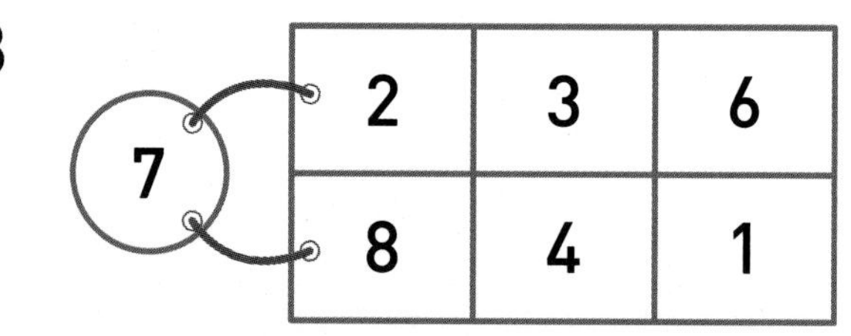

9

8

1	7	4
6	3	5

10

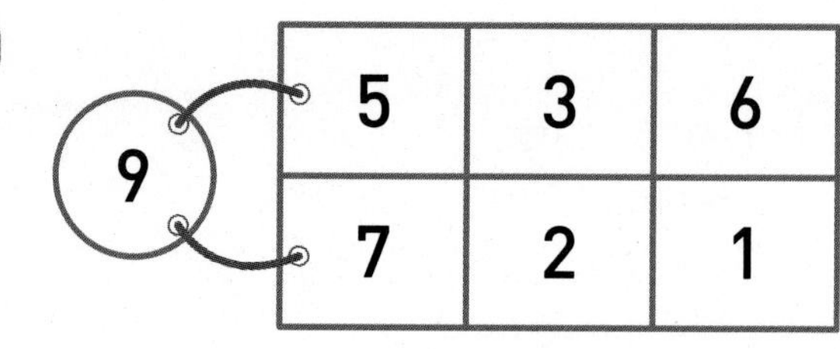

플러스 계산 연습

맞은 개수 / 18개

▶ 정답과 해설 5쪽

생활 속 문제

친구들이 오른쪽 두 수를 모은 수를 들고 있을 때 빈 곳에 알맞은 수를 써넣으세요.

11

6 1 → □

12

1 5 → □

13

5 3 → □

14

5 4 → □

문장 읽고 문제 해결하기

15 리코더 2개와 7개를 모으기 하면?

2 7 → □

16 탬버린 2개와 4개를 모으기 하면?

2 4 → □

17 가지 4개와 3개를 모으기 하면?

4 3 → □

18 당근 6개와 2개를 모으기 하면?

6 2 → □

3 일차

더하기로 나타내고 읽기

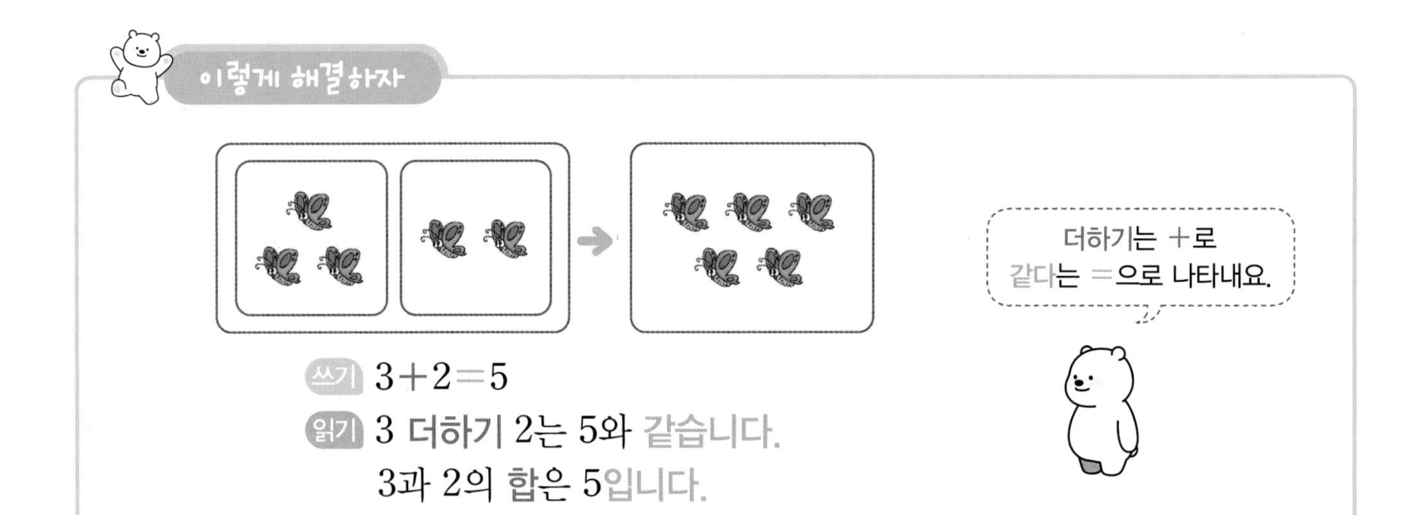

그림을 보고 알맞은 덧셈식을 만들어 보세요.

❶

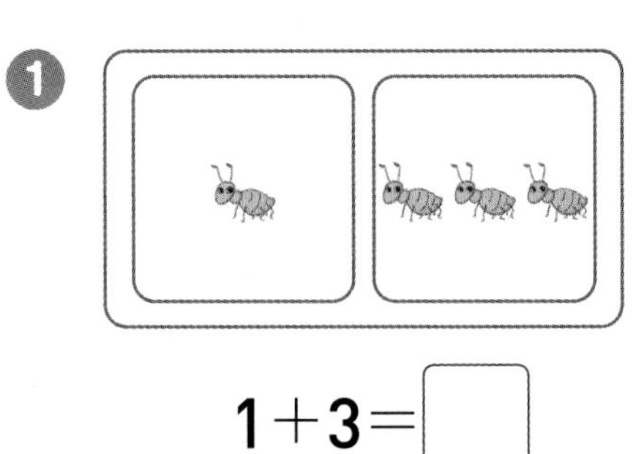

1+3=□

❷

2+2=□

❸

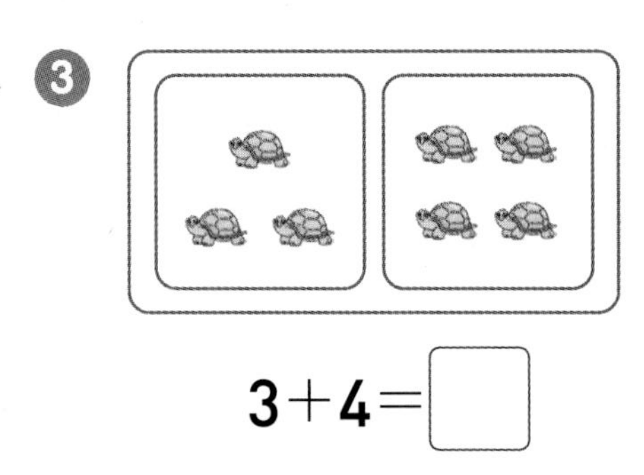

3+4=□

❹

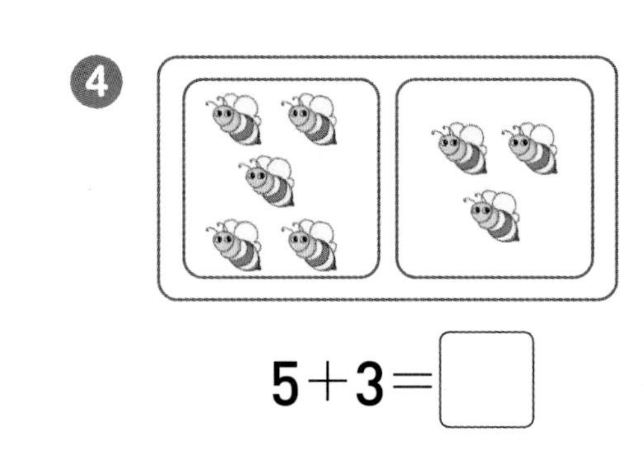

5+3=□

❺

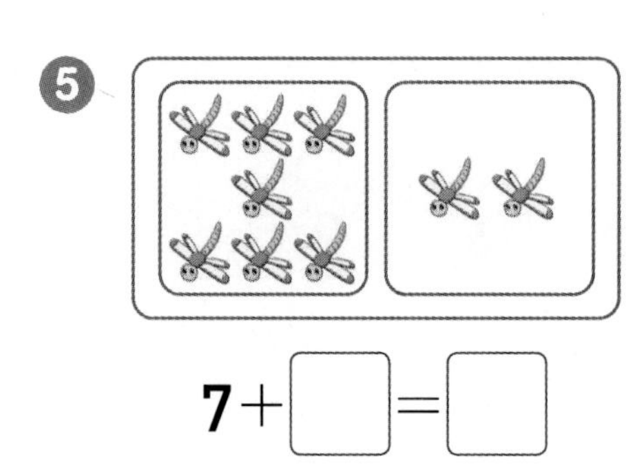

7+□=□

❻

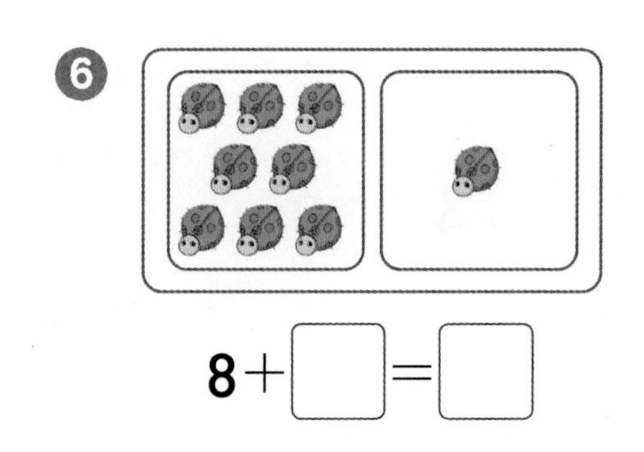

8+□=□

기초 계산 연습

맞은 개수 / 14개

▶ 정답과 해설 6쪽

❼

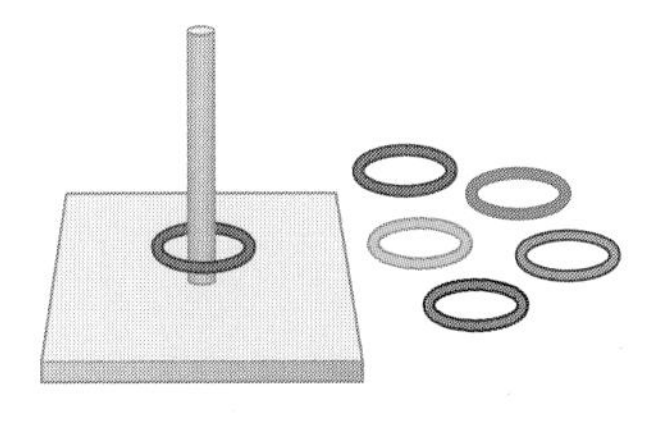

1+5=☐

❽

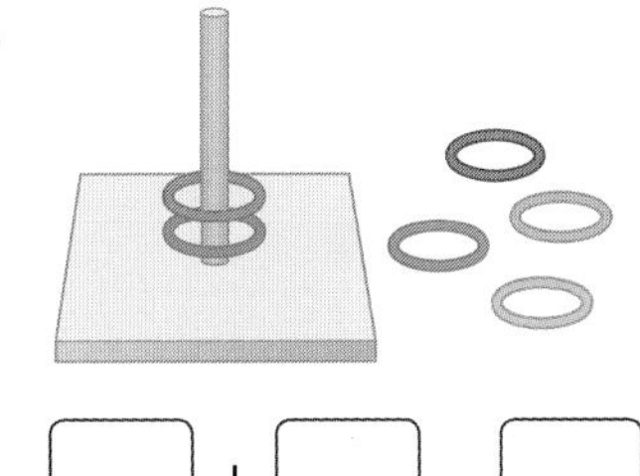

☐+☐=☐

❾

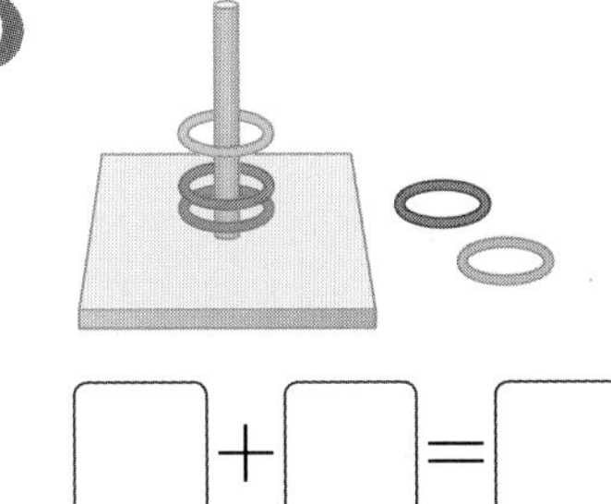

☐+☐=☐

❿

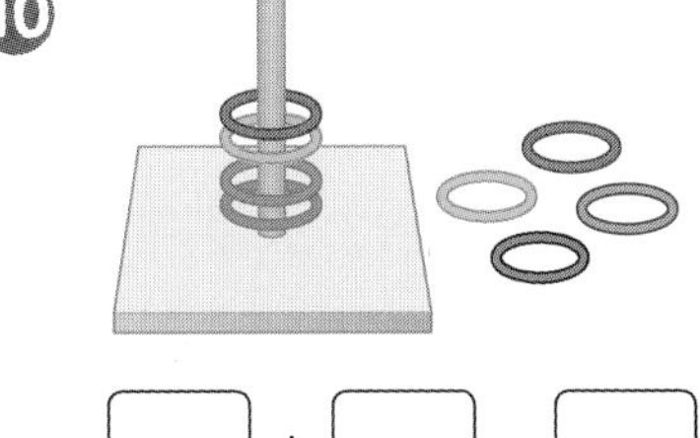

☐+☐=☐

덧셈식을 읽어 보세요.

⓫ 4+1=5

- 4 더하기 1은 ☐와 같습니다.
- 4와 ☐의 합은 5입니다.

⓬ 2+4=6

- 2 더하기 ☐는 6과 같습니다.
- 2와 4의 합은 ☐입니다.

⓭ 5+2=7

- 5 더하기 ☐는 ☐과 같습니다.
- 5와 ☐의 합은 7입니다.

⓮ 1+8=9

- 1 더하기 ☐은 ☐와 같습니다.
- 1과 ☐의 합은 ☐입니다.

3 일차

더하기로 나타내고 읽기

1 알맞은 것끼리 선으로 이어 보세요.

• 2+6=8

• 6+3=9

• 2+7=9

보기 와 같이 그림에 알맞은 덧셈식을 쓰고 두 가지 방법으로 읽어 보세요.

보기

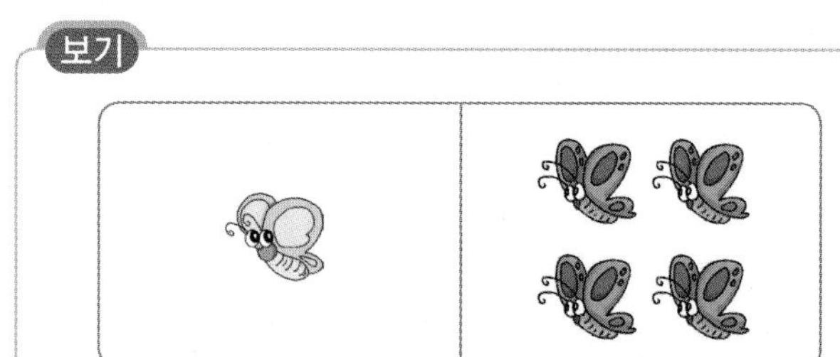

쓰기 1+4=5

읽기 1 더하기 4는 5와 같습니다.

1과 4의 합은 5입니다.

2

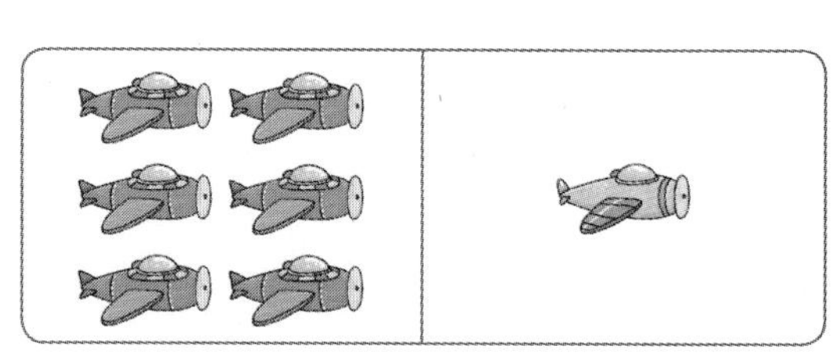

쓰기 □+1=□

읽기

3

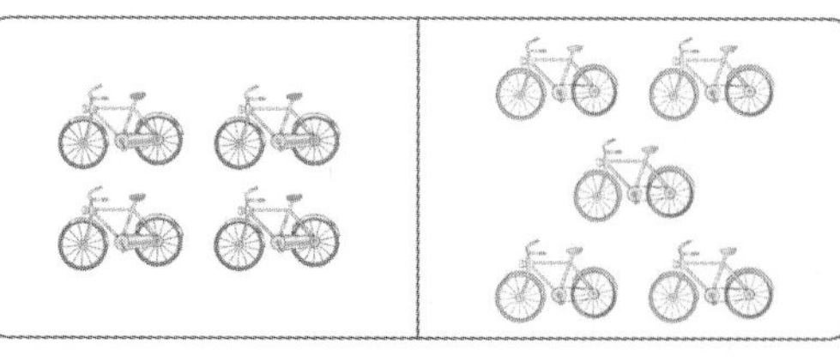

쓰기 4+□=□

읽기

4

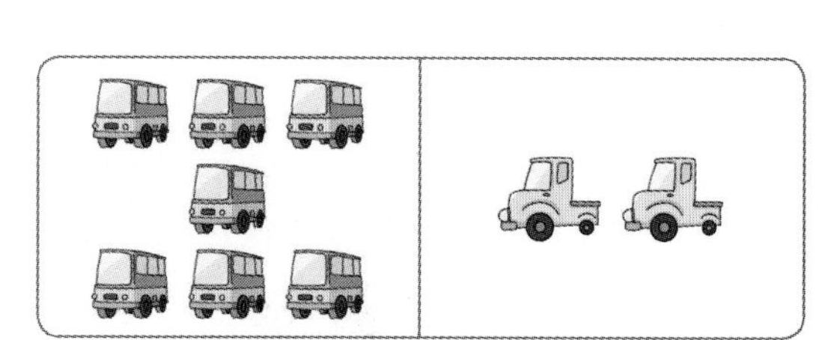

쓰기 7+□=□

읽기

제한 시간 10분

플러스 계산 연습

맞은 개수 / 14개

▶ 정답과 해설 6쪽

생활 속 계산

 그림을 보고 참새는 모두 몇 마리인지 덧셈식으로 나타내어 보세요.

5

$3+2=\square$

6

$\square+\square=\square$

7

$\square+\square=\square$

8

$\square+\square=\square$

문장 읽고 계산식 세우기

9

3 더하기 5는 8과 같습니다.

식 $3+5=\square$

10

4 더하기 3은 7과 같습니다.

 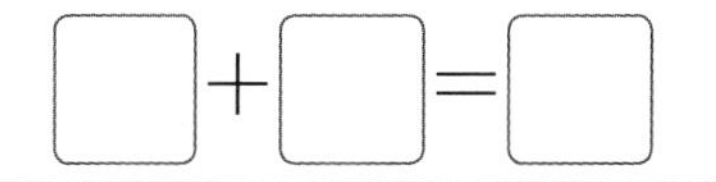

11

6 더하기 1은 7과 같습니다.

식 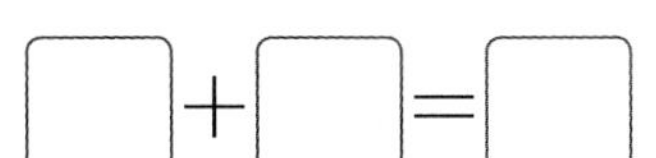

12

7과 2의 합은 9입니다.

 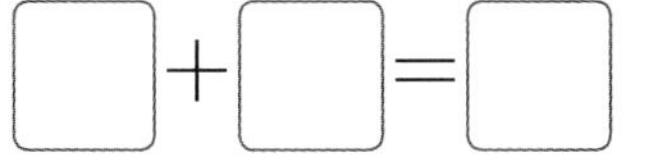

13

5와 3의 합은 8입니다.

식 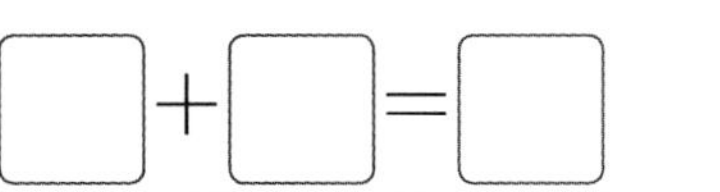

14

2와 4의 합은 6입니다.

 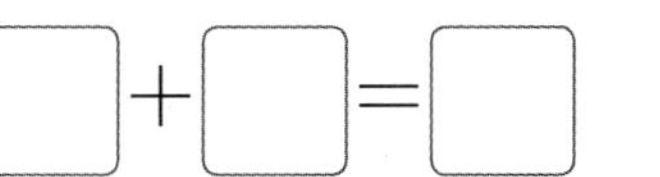

덧셈(1)

이렇게 해결하자

• ○를 그려 덧셈하기

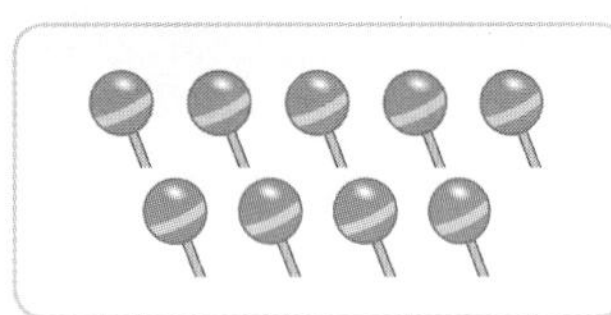

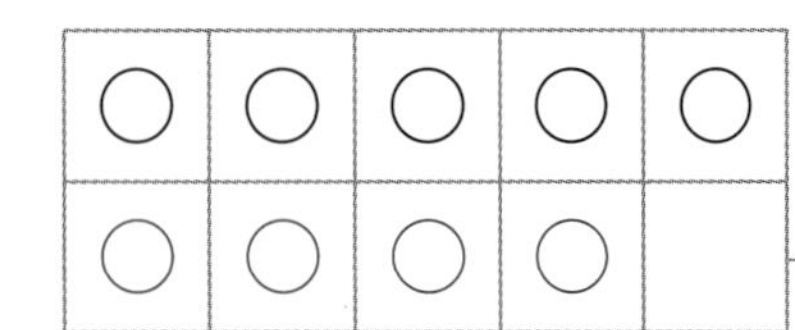

5 다음에 ○를 4개 더 그리면 5+4=9입니다.

$5+4=9$

더한 결과

○를 더 그려 덧셈을 해 보세요.

❶ $2+7=\square$

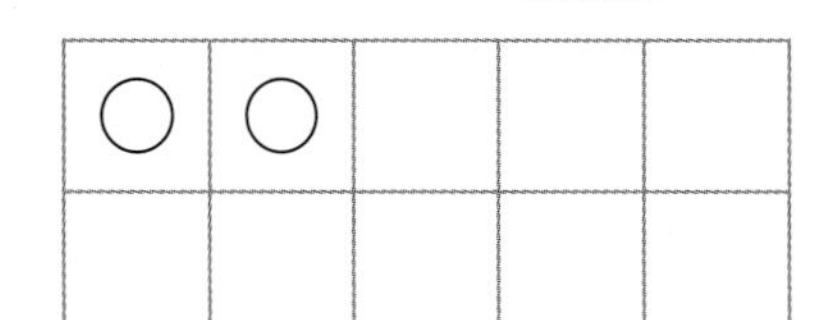

❷ $4+3=\square$

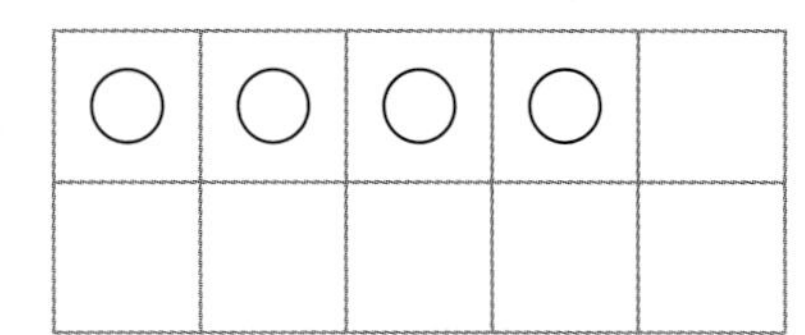

❸ $3+5=\square$

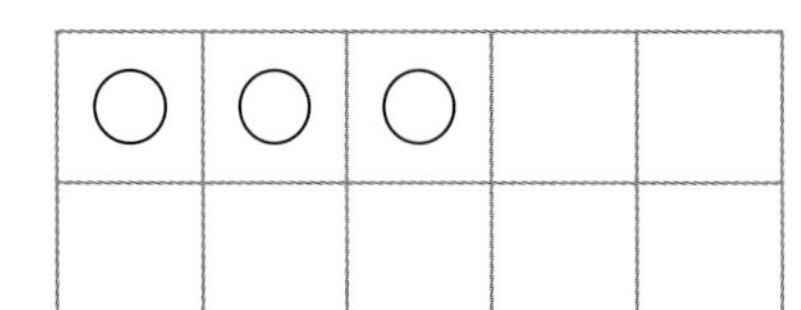

❹ $6+1=\square$

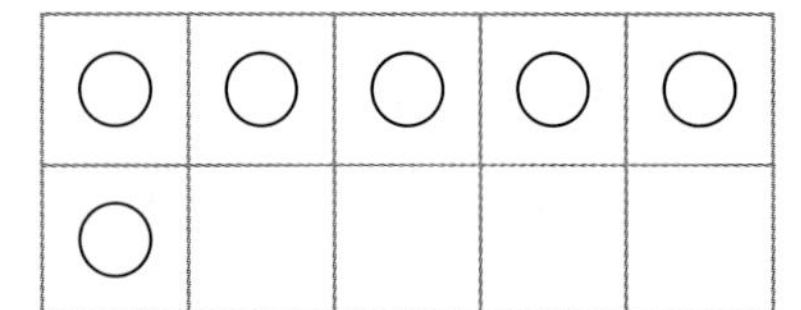

❺ $7+2=\square$

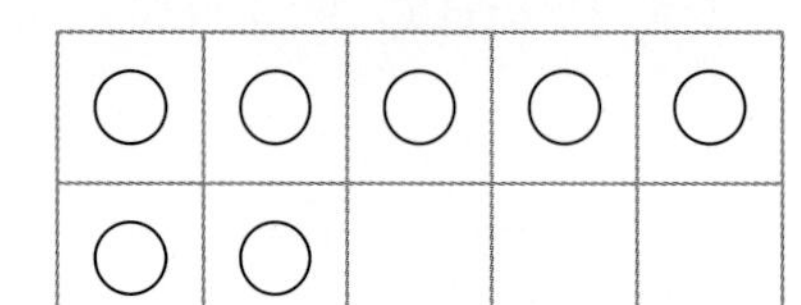

❻ $4+4=\square$

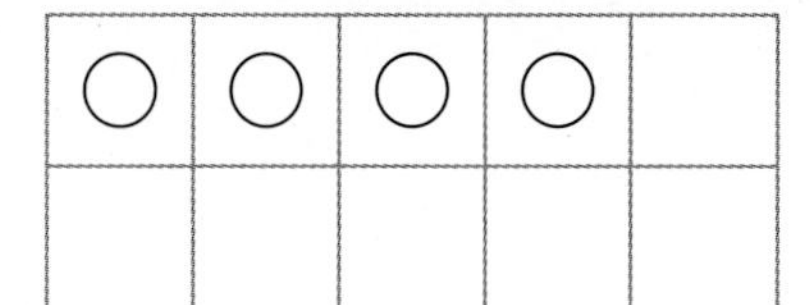

기초 계산 연습

맞은 개수 / 21개

▶ 정답과 해설 6쪽

❼ $3+6=\square$

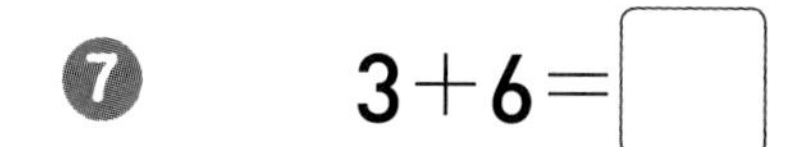

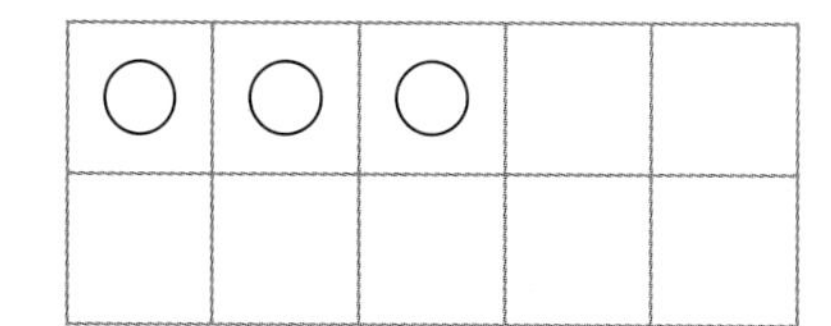

❽ $6+2=\square$

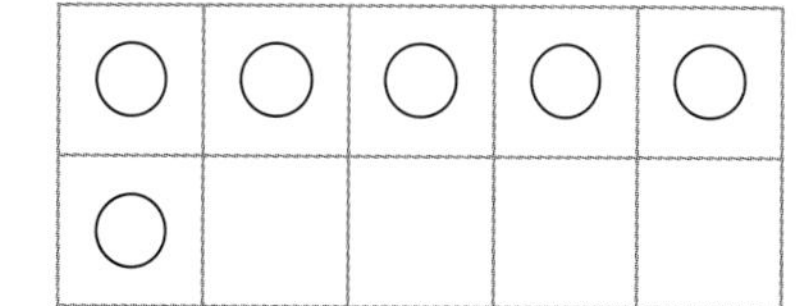

❾ $2+4=\square$

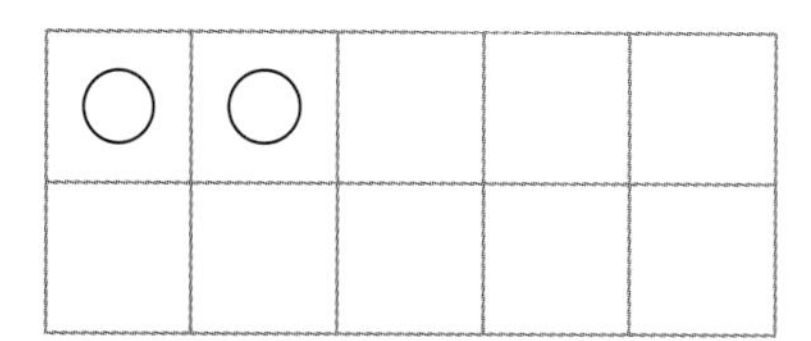

❿ $2+5=\square$

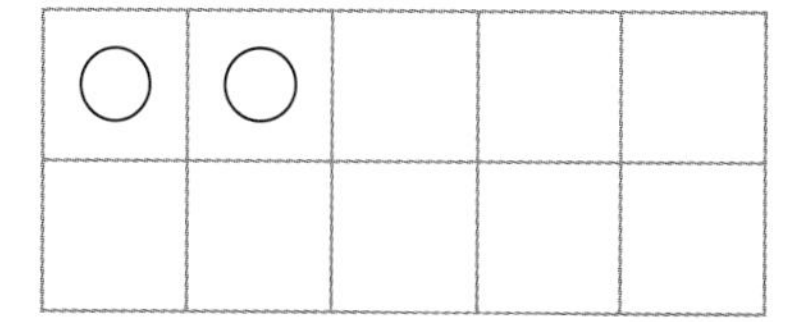

⓫ $5+1=\square$

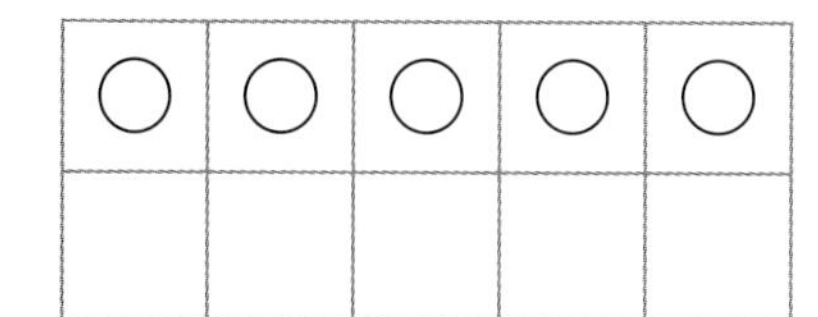

⓬ $2+2=\square$

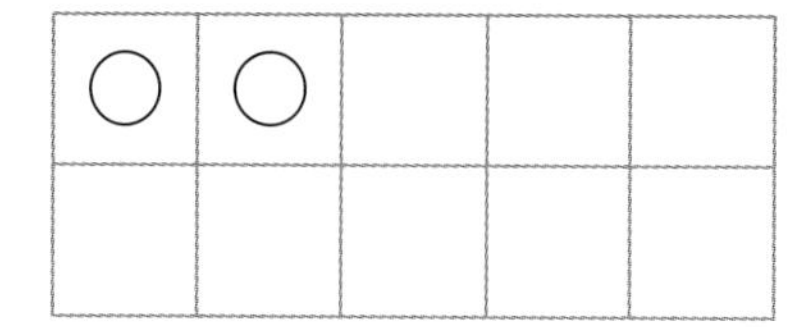

덧셈을 해 보세요.

⓭ $2+6=\square$

⓮ $5+3=\square$

⓯ $1+8=\square$

⓰ $3+2=\square$

⓱ $2+7=\square$

⓲ $3+4=\square$

⓳ $5+1=\square$

⓴ $2+6=\square$

㉑ $7+1=\square$

4 일차

덧셈(1)

주어진 수만큼 ○를 그려 덧셈을 해 보세요.

1

$$\begin{array}{r} 4 \\ +\ 2 \\ \hline \square \end{array}$$

○○○○
○○

2

$$\begin{array}{r} 3 \\ +\ 3 \\ \hline \square \end{array}$$

3

$$\begin{array}{r} 5 \\ +\ 4 \\ \hline \square \end{array}$$

4

$$\begin{array}{r} 7 \\ +\ 1 \\ \hline \square \end{array}$$

빈 곳에 알맞은 수를 써넣으세요.

5 3 → +5 → □

6 6 → +2 → □

7 8 → +1 → □

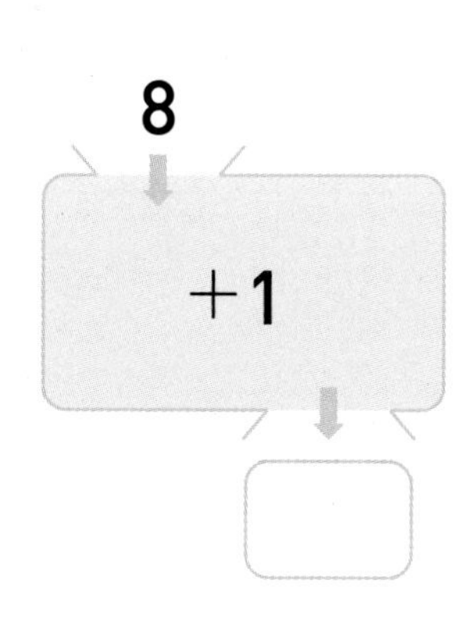

8 2 → +3 → □

9 4 → +3 → □

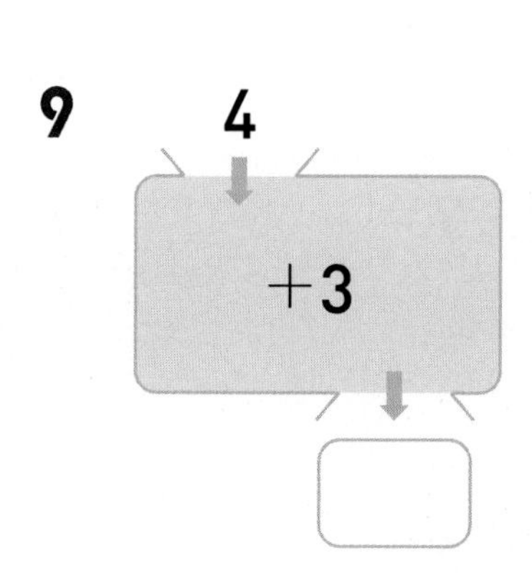

10 5 → +2 → □

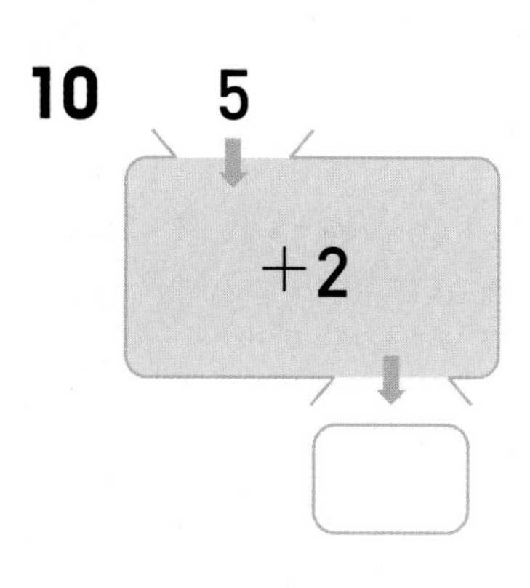

플러스 계산 연습

맞은 개수 / 18개

▶ 정답과 해설 7쪽

생활 속 계산

 양손에 있는 구슬은 모두 몇 개인지 구하세요.

11

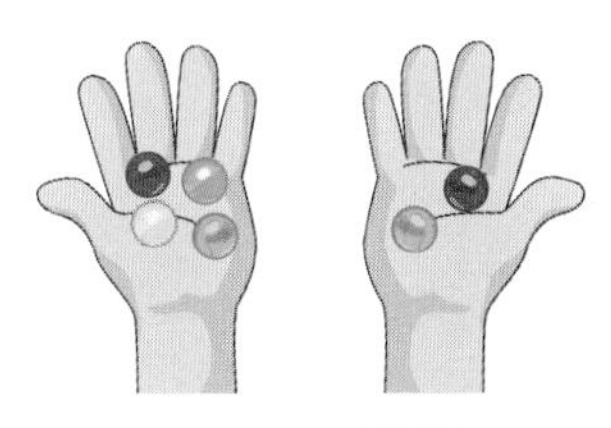

4+2=☐(개)

12

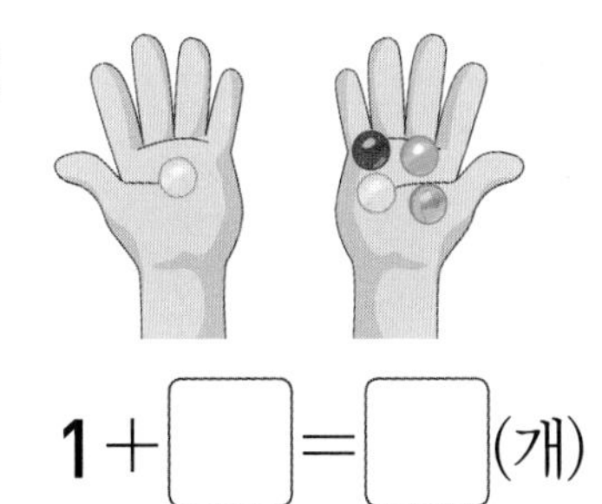

1+☐=☐(개)

13

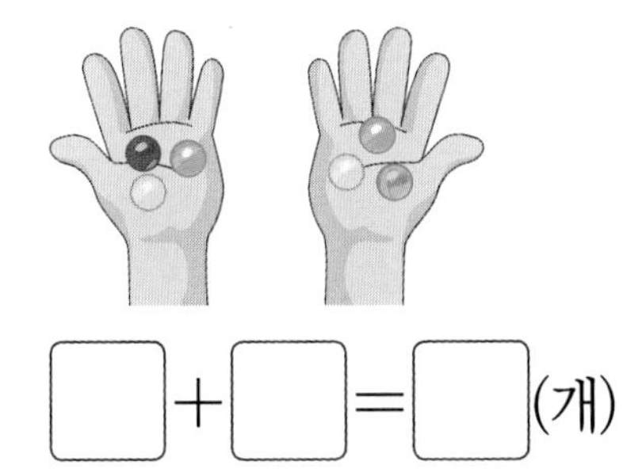

☐+☐=☐(개)

14

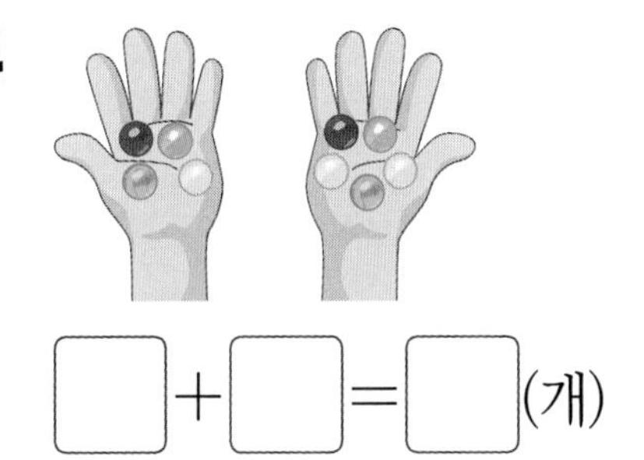

☐+☐=☐(개)

문장 읽고 계산식 세우기

 ○를 더 그려 덧셈을 해 보세요.

15

2보다 6만큼 더 큰 수는?

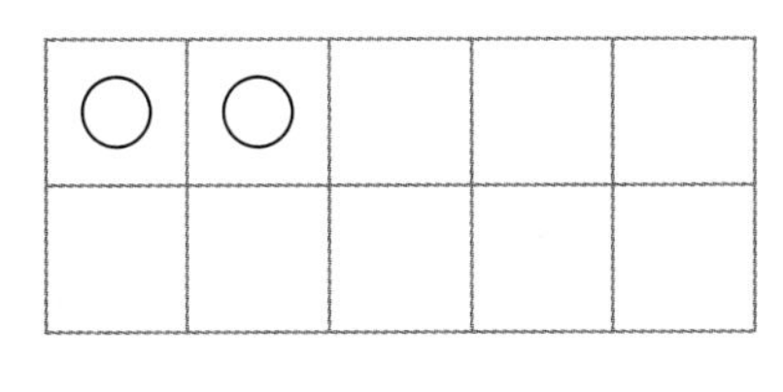

식 2+☐=☐

16

4보다 4만큼 더 큰 수는?

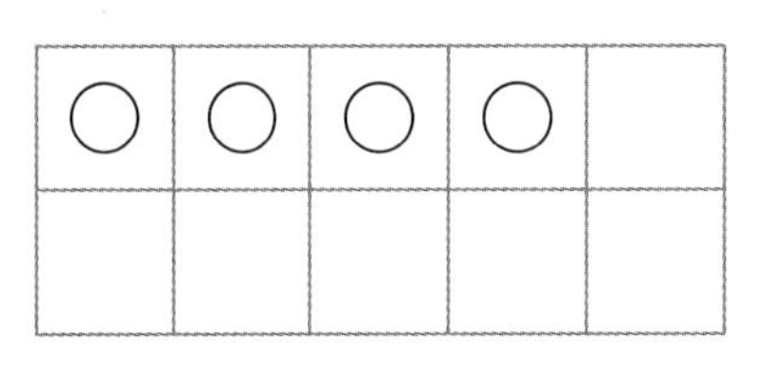

식 ☐+☐=☐

17

빨간 팽이 3개와 파란 팽이 6개를 합하면?

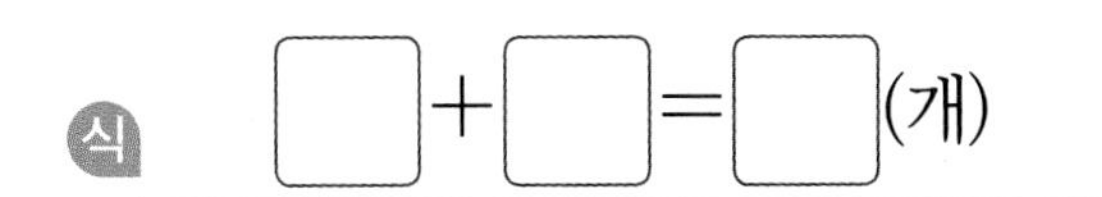

식 ☐+☐=☐(개)

18

노란 색종이 7장과 초록 색종이 1장을 합하면?

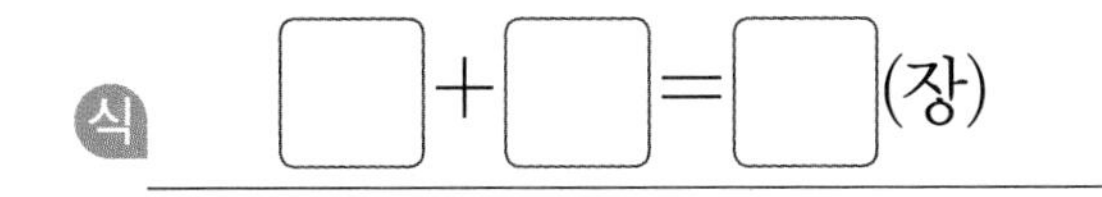

식 ☐+☐=☐(장)

5 일차

덧셈(2)

이렇게 해결하자

• 모으기를 이용하여 덧셈하기

1 3

4

→ $1+3=4$

1과 3을 모으기 하면 4이므로 $1+3=4$예요.

모으기를 하여 덧셈을 해 보세요.

❶ 5 2 → □

$5+2=\square$

❷ 7 1 → □

$7+1=\square$

❸ 3 2 → □

$3+2=\square$

❹ 3 6 → □

$3+6=\square$

❺ 4 5 → □

$4+5=\square$

❻ 1 6 → □

$1+6=\square$

❼ 2 3 → □

$2+3=\square$

❽ 4 4 → □

$4+4=\square$

❾ 6 3 → □

$6+3=\square$

기초 계산 연습

맞은 개수 / 24개

▶ 정답과 해설 7쪽

⑩

6 2 → □

$6+2=\square$

⑪ 1 2 → □

$1+2=\square$

⑫ 2 7 → □

$2+7=\square$

⑬ 1 4 → □

$1+4=\square$

⑭ 5 3 → □

$5+3=\square$

⑮ 8 1 → □

$8+1=\square$

덧셈을 해 보세요.

⑯ $3+1=\square$

⑰ $2+7=\square$

⑱ $3+3=\square$

⑲ $5+4=\square$

⑳ $4+3=\square$

㉑ $1+5=\square$

㉒ $1+7=\square$

㉓ $3+4=\square$

㉔ $7+2=\square$

5 일차

덧셈(2)

모으기를 하여 덧셈을 해 보세요.

1

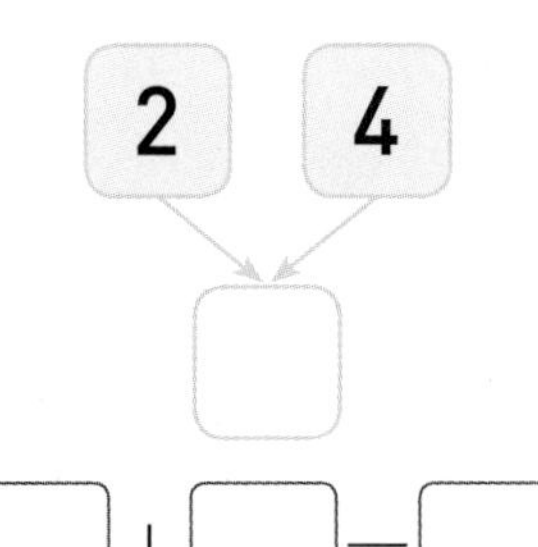

□ + □ = □

2

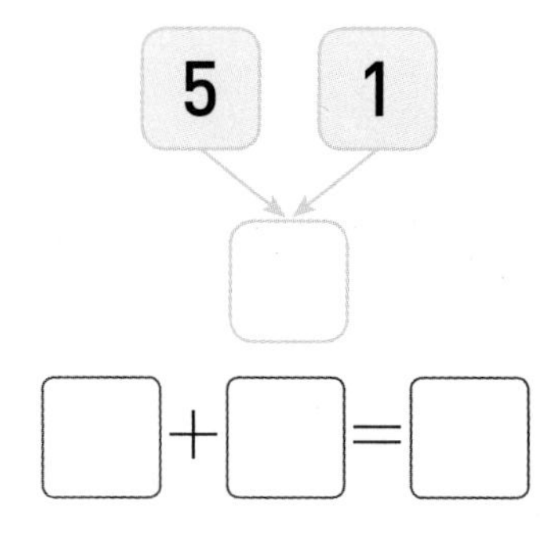

3

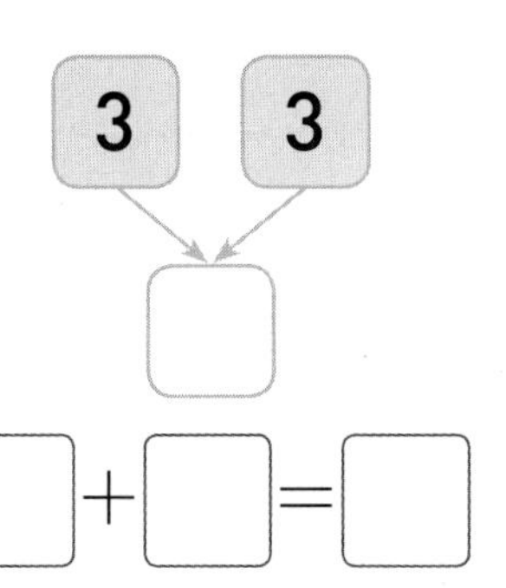

4

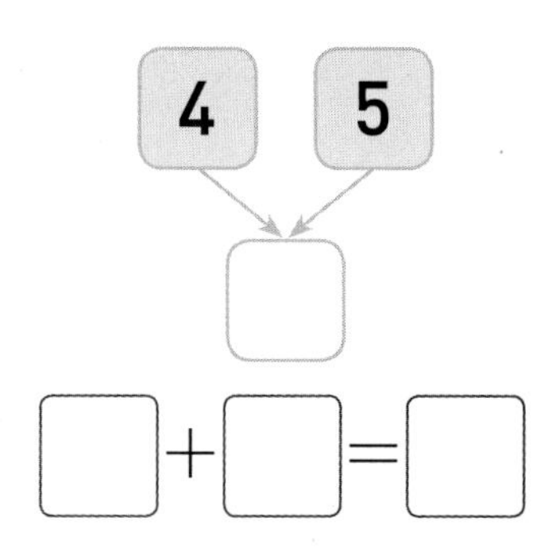

빈 곳에 알맞은 수를 써넣으세요.

5

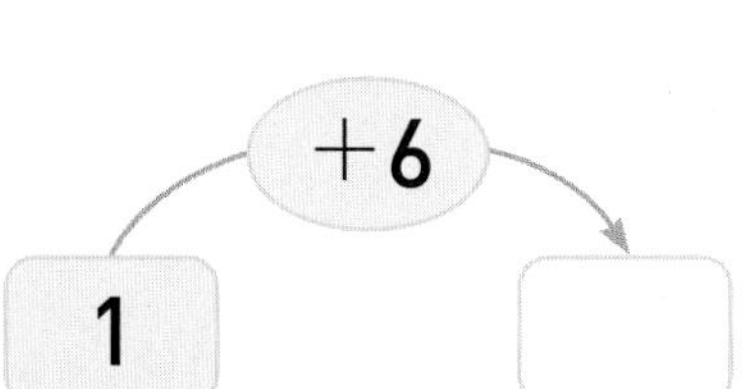

6

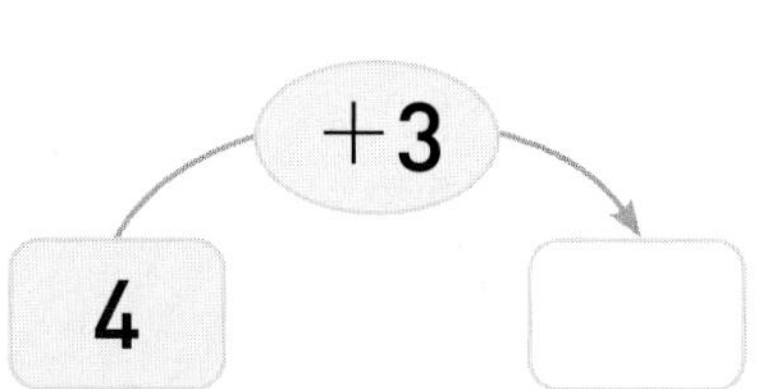

7

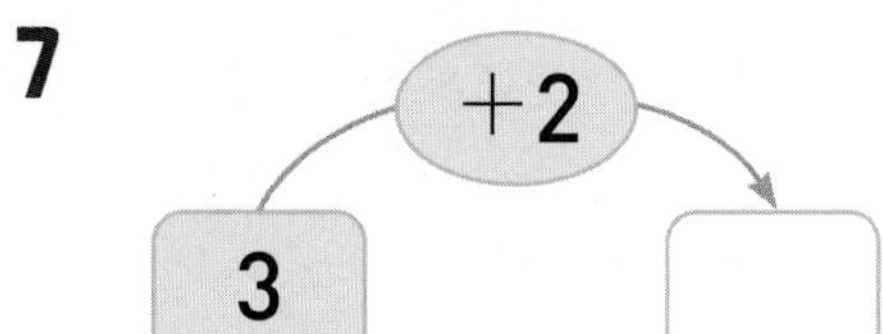

8

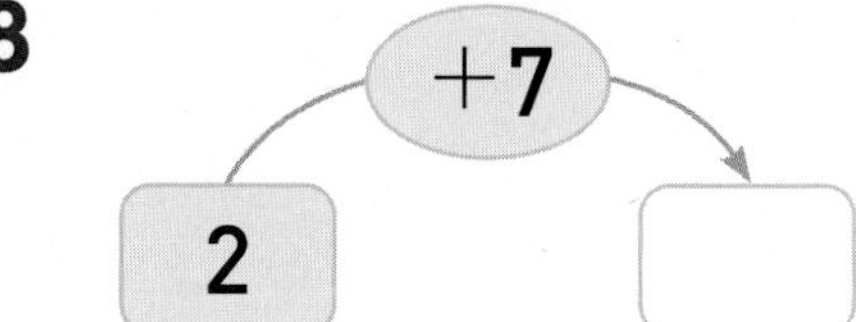

플러스 계산 연습

맞은 개수 / 14개

▶ 정답과 해설 7쪽

생활 속 계산

다트 던지기 놀이를 하였습니다. 몇 점을 받았는지 구하세요.

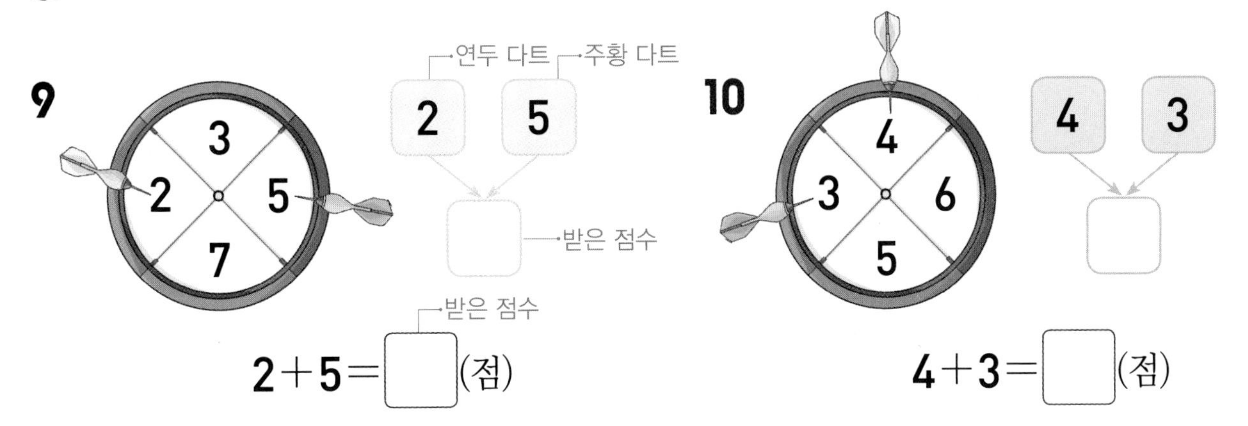

9

$2+5=\square$(점)

10

$4+3=\square$(점)

11

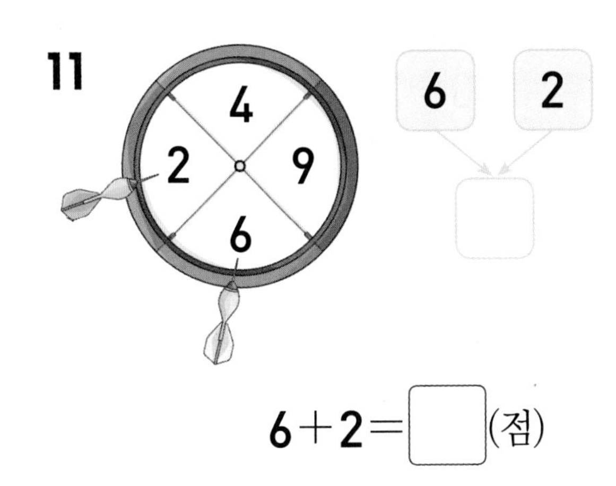

$6+2=\square$(점)

12

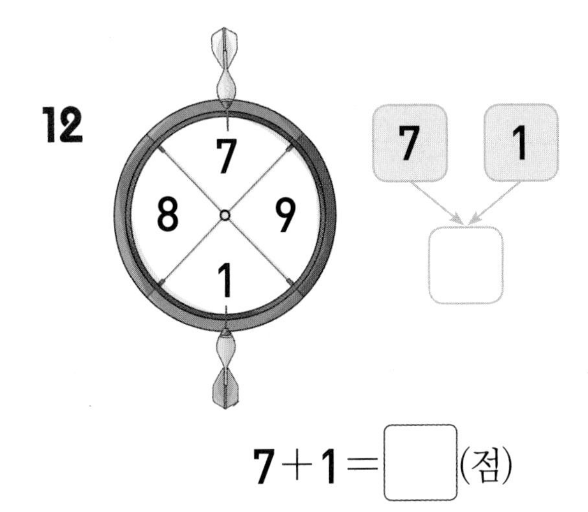

$7+1=\square$(점)

문장 읽고 계산식 세우기

13 강아지 1마리에서 2마리가 더 오면 강아지는 모두 몇 마리?

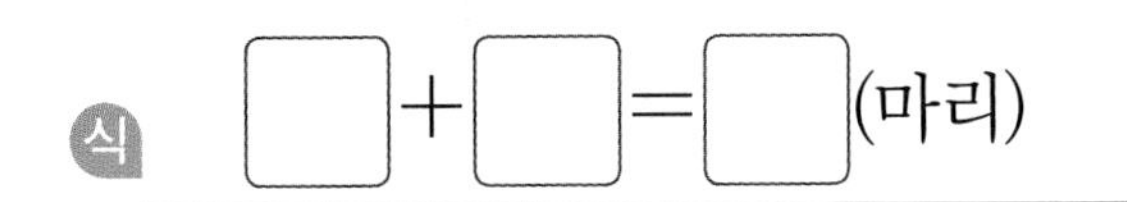

식 $\square+\square=\square$(마리)

14 거북 8마리에서 1마리가 더 오면 거북은 모두 몇 마리?

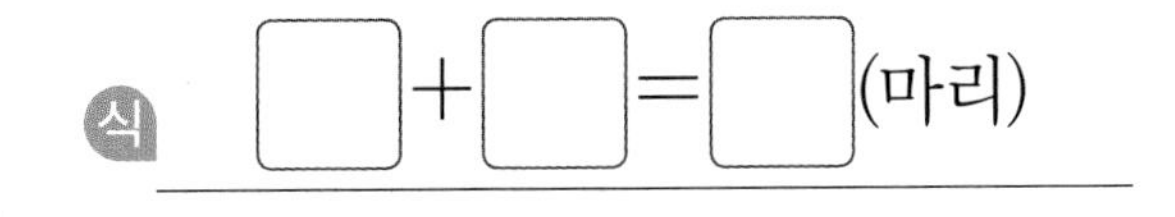

식 $\square+\square=\square$(마리)

2 덧셈

6 일차

0 더하기

이렇게 해결하자

 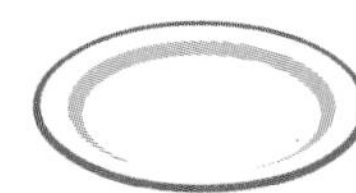

$3+0=3$

$0+2=2$

어떤 수에 0을 더하거나 0에 어떤 수를 더하면
항상 어떤 수가 돼요.

 그림을 보고 덧셈을 해 보세요.

❶  

$1+0=$ □

❷  

$0+3=$ □

❸ 

$4+0=$ □

❹  

$0+5=$ □

$6+0=$ □

❻   

$0+2=$ □

2 덧셈

기초 계산 연습

맞은 개수 / 18개

▶ 정답과 해설 7쪽

점의 수를 보고 덧셈을 해 보세요.

7

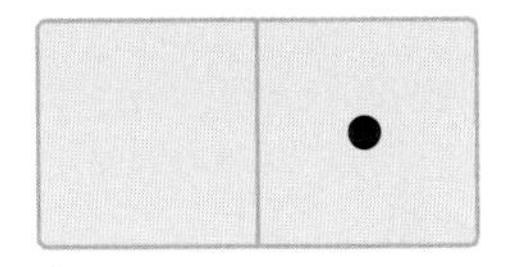

□ + 1 = □

8

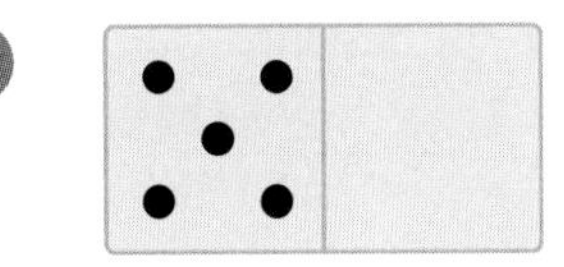

5 + □ = □

9

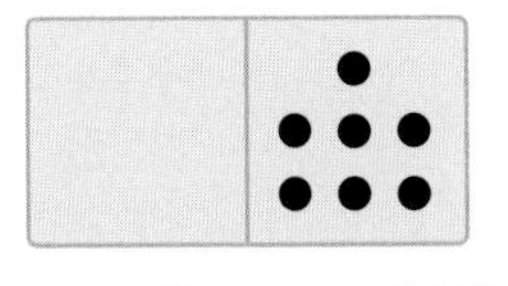

0 + □ = □

10

□ + 0 = □

11

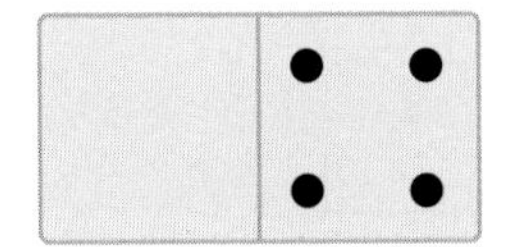

□ + 4 = □

12

8 + □ = □

덧셈을 해 보세요.

13 9 + 0 = □

14 7 + 0 = □

15 8 + 0 = □

16 0 + 3 = □

17 0 + 6 = □

18 0 + 9 = □

6 일차

0 더하기

그림을 보고 덧셈을 해 보세요.

1

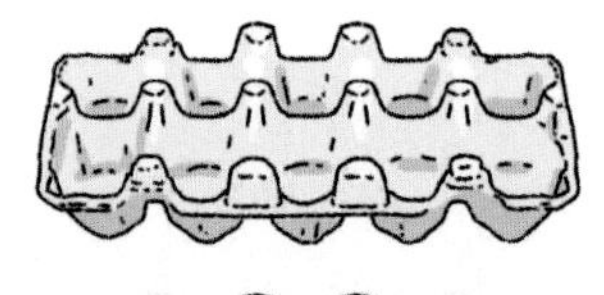

0+4=☐

2

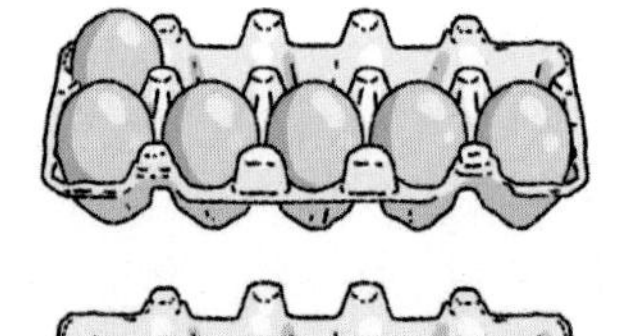

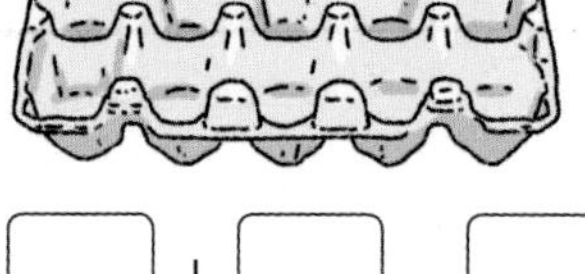

☐+☐=☐

3

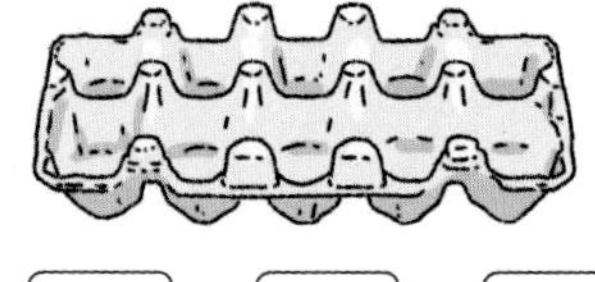

☐+☐=☐

4

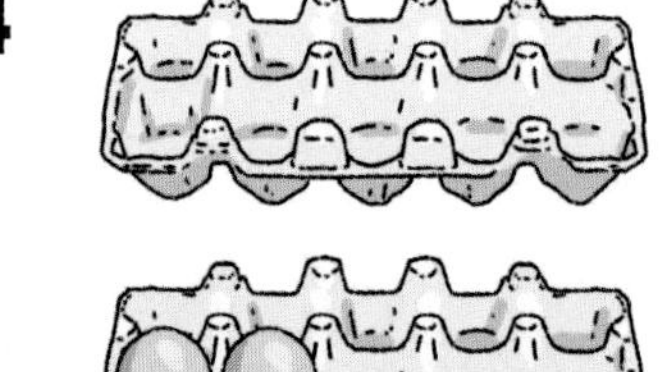

☐+☐=☐

빈 곳에 알맞은 수를 써넣으세요.

5

6	+0	

6

4	+0	

7

0	+9	

8

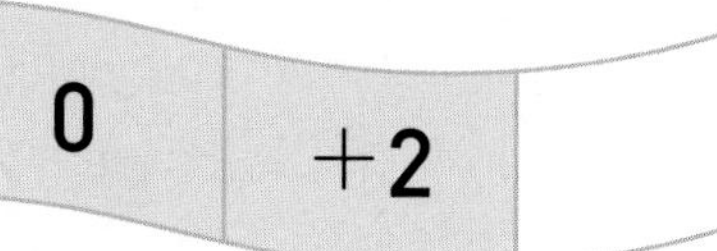

0	+2	

플러스 계산 연습

맞은 개수 / 16개

▶ 정답과 해설 8쪽

생활 속 계산

과녁 맞히기 놀이를 하였습니다. 모두 몇 점을 받았는지 구하세요.

9

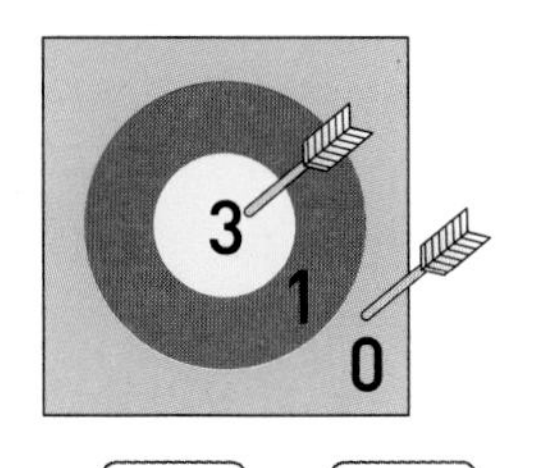

3+□=□(점)

10

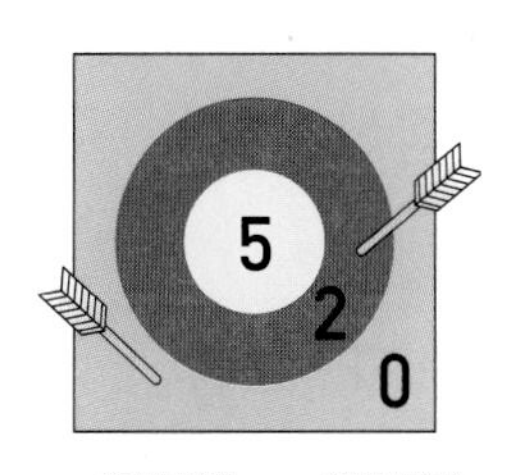

2+□=□(점)

11

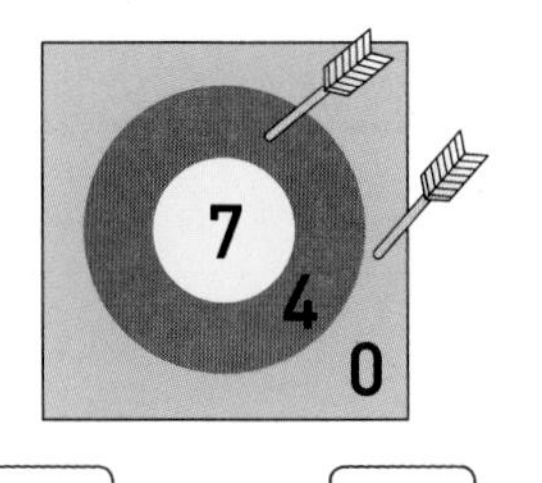

□+0=□(점)

12

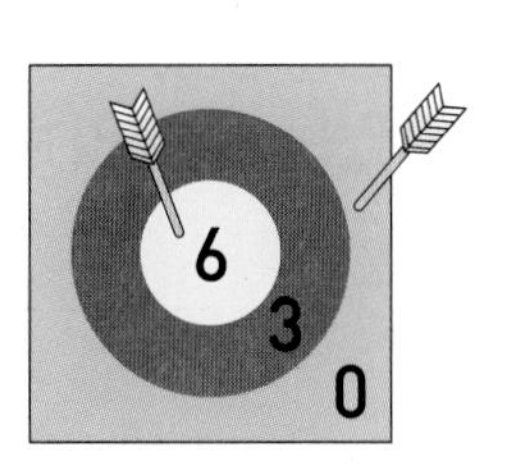

□+0=□(점)

문장 읽고 계산식 세우기

13

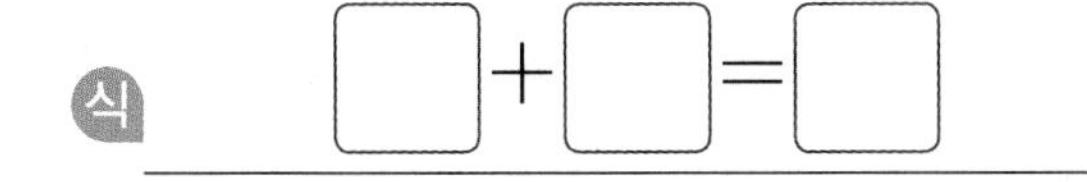

5보다 0만큼 더 큰 수는?

식 □+□=□

14

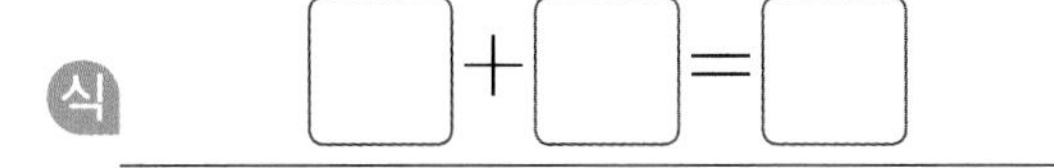

0보다 8만큼 더 큰 수는?

식 □+□=□

15

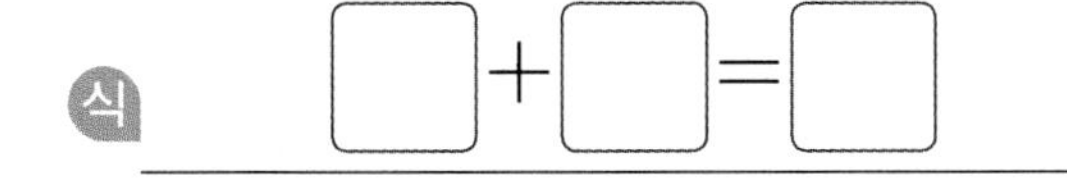

0에 7을 더하면?

식 □+□=□

16

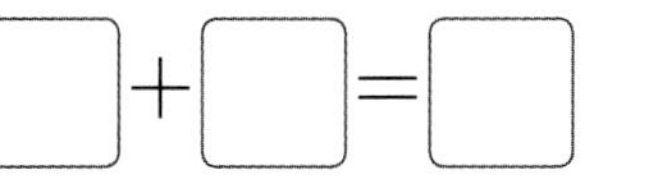

9에 0을 더하면?

식 □+□=□

7 일차

덧셈식에서 □ 구하기

이렇게 해결하자

• 그림을 보고 덧셈식에서 □ 구하기

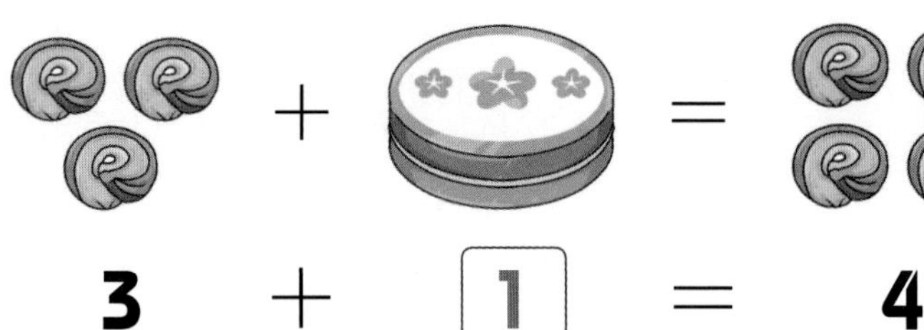

3 + [1] = 4

처음 쿠키의 수 / 통에 들어 있는 쿠키의 수 / 전체 쿠키의 수

3과 어떤 수를 더하면 4가 되는지 생각해 봐요.

주머니 속에 들어 있는 구슬의 수를 구하세요.

❶ $2+\square=5$

❷ $2+\square=6$

❸ $3+\square=8$

❹ $6+\square=7$

❺ $2+\square=2$

❻ $5+\square=8$

제한 시간 7분

기초 계산 연습

맞은 개수 / 14개

▶ 정답과 해설 8쪽

상자에 들어 있는 물건의 수를 구하세요.

7. $\square + 4 = 6$

8. $\square + 3 = 8$

9. $\square + 2 = 5$

10. $\square + 7 = 7$

11. $6 + \square = 7$

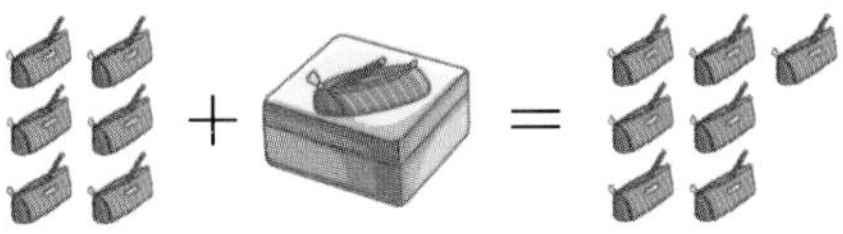

12. $9 + \square = 9$

13. $4 + \square = 5$

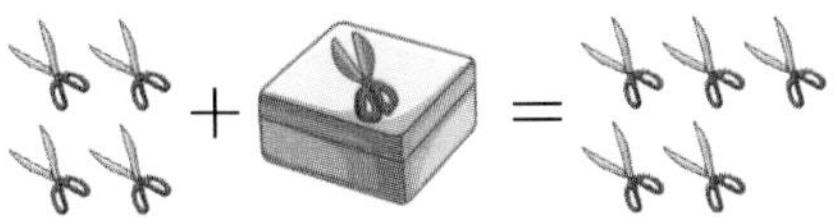

14. $6 + \square = 7$

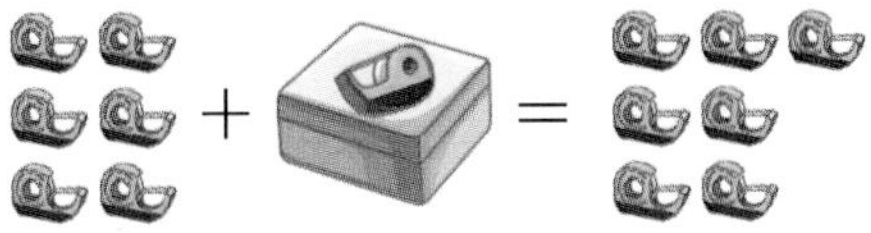

7 일차

덧셈식에서 □ 구하기

□ 안에 알맞은 수를 써넣으세요.

1 $4+\square=8$

2 $6+\square=6$

3 $8+\square=9$

4 $\square+3=6$

5 $\square+5=7$

6 $\square+2=6$

빈 곳에 알맞은 수를 써넣으세요.

7 □ → +1 → 7

8 □ → +5 → 6

9 □ → +2 → 5

10 □ → +4 → 4

11 4 → +□ → 8

12 7 → +□ → 8

제한 시간 10분

플러스 계산 연습

맞은 개수 / 20개

▶ 정답과 해설 8쪽

생활 속 계산

가방에 들어 있는 물건의 수를 구하세요.

13

$2+\square=5$

14

$\square+4=8$

15

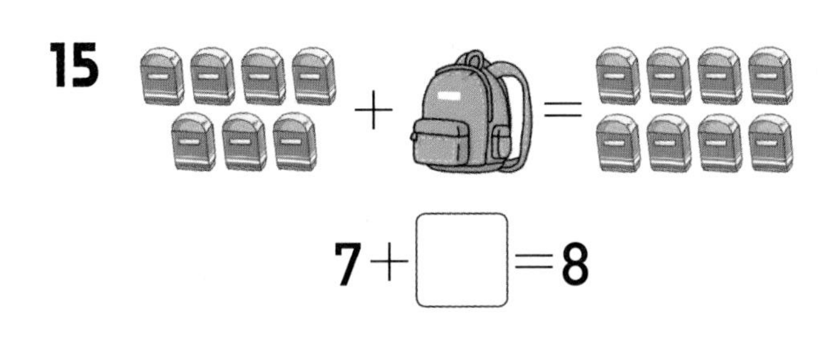

$7+\square=8$

16

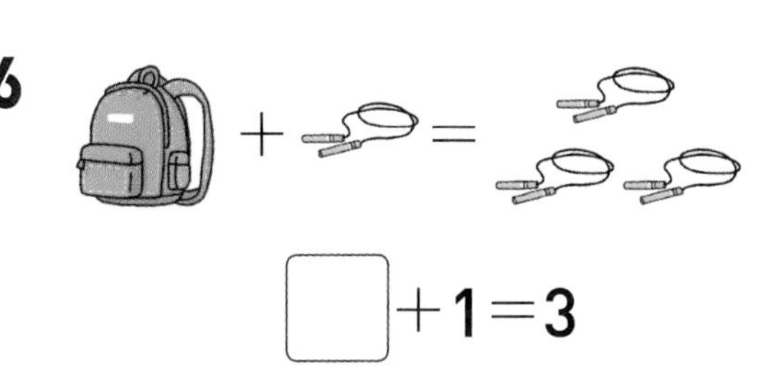

$\square+1=3$

문장 읽고 계산식 세우기

문장을 읽고 ♥를 사용하여 식을 완성하고 답을 구하세요.

17

축구공 4개에서 몇 개를 더 사와야 9개가 되는지?

식 4+♥=9

답 ♥=☐

18

사과 몇 개와 사과 2개를 더하면 7개가 되는지?

식 ♥+2=7

답 ♥=☐

19

야구공 5개에서 몇 개를 더 사와야 7개가 되는지?

식 5+♥=☐

답 ♥=☐

20

포도 몇 송이와 포도 3송이를 더하면 8송이가 되는지?

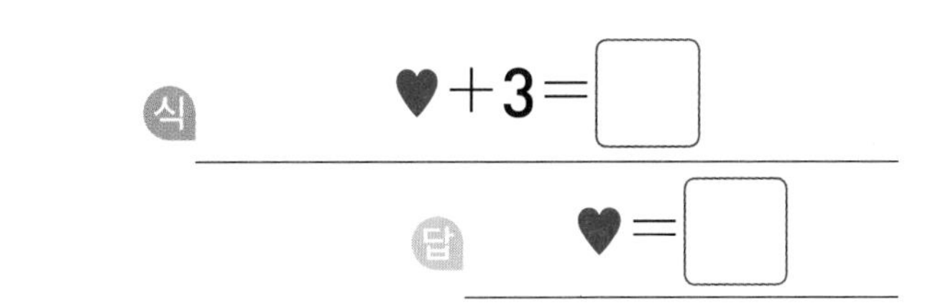

식 ♥+3=☐

답 ♥=☐

8 일차

세 수의 덧셈

이렇게 해결하자

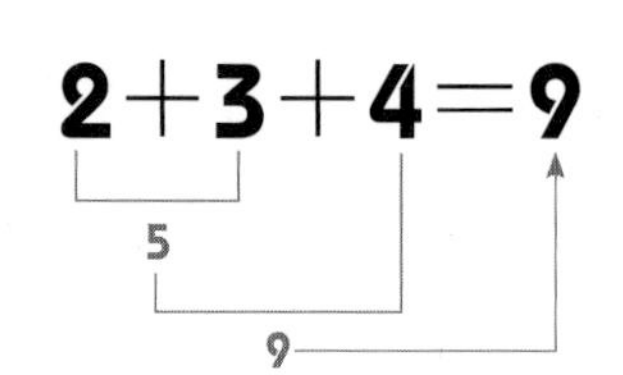

모두 몇 개인지 알아볼 때는 차례로 더해서 알아봐요.

모두 몇 개인지 구하세요.

❶

$5+2+1=\square$(개)

❷

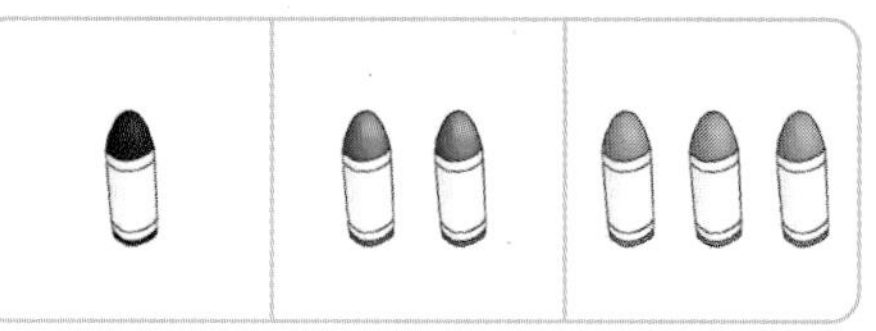

$1+2+3=\square$(개)

❸

$3+2+4=\square$(개)

❹

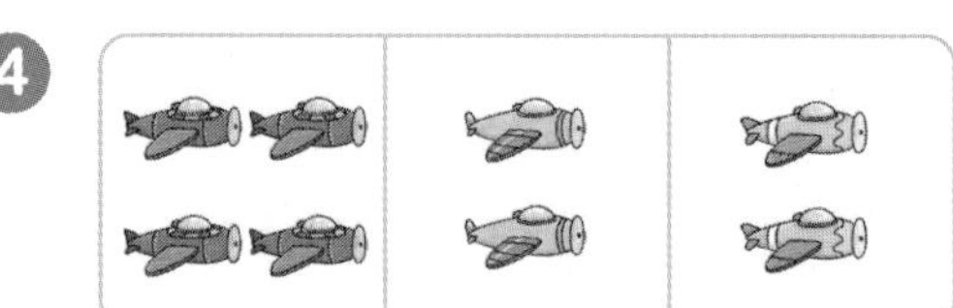

$4+2+2=\square$(개)

❺

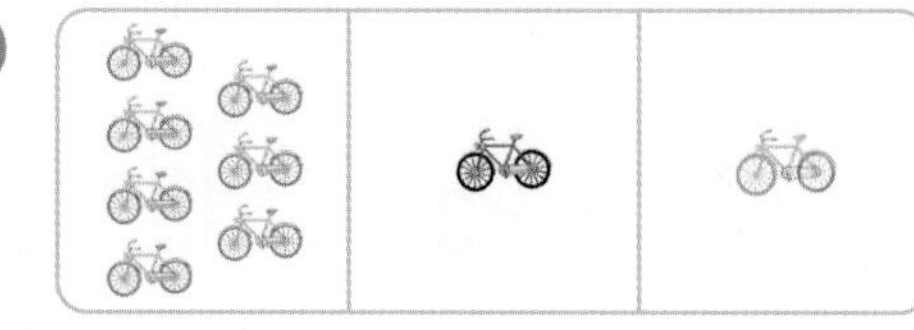

$7+1+1=\square$(개)

❻

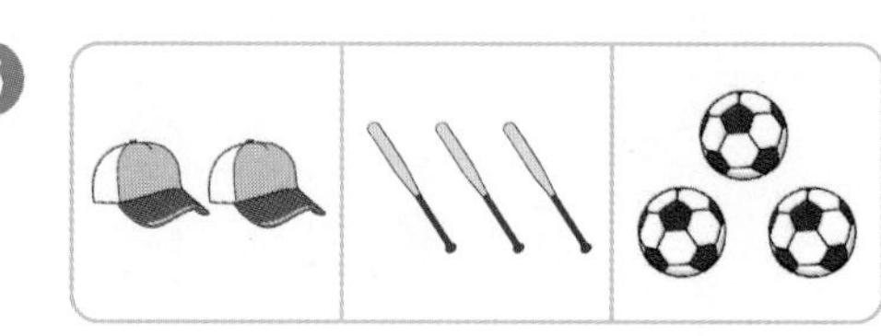

$2+3+3=\square$(개)

기초 계산 연습

맞은 개수 / 16개

▶ 정답과 해설 8쪽

계산해 보세요.

⑦ $5+1+2=\square$

$5+1=\square$

$\square+2=\square$

⑧ $6+2+1=\square$

$6+2=\square$

$\square+1=\square$

⑨ $3+1+5=\square$

$3+1=\square$

$\square+5=\square$

⑩ $1+2+4=\square$

$1+2=\square$

$\square+4=\square$

⑪ $2+5+0=\square$

⑫ $1+7+1=\square$

⑬ $2+4+3=\square$

⑭ $1+2+1=\square$

⑮ $3+2+3=\square$

⑯ $6+0+1=\square$

8 일차

세 수의 덧셈

세 수의 덧셈을 하여 알맞은 답에 색칠하세요.

1 2+4+3

7 9

2 5+1+2

9 8

3 3+1+5

9 8

4 4+2+1

7 6

빈 곳에 알맞은 수를 써넣으세요.

5 3 → +2 → +1 → □

6 7 → +1 → +0 → □

7

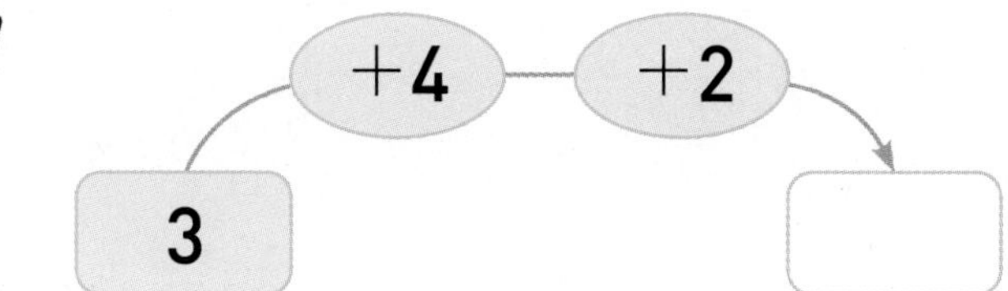

8

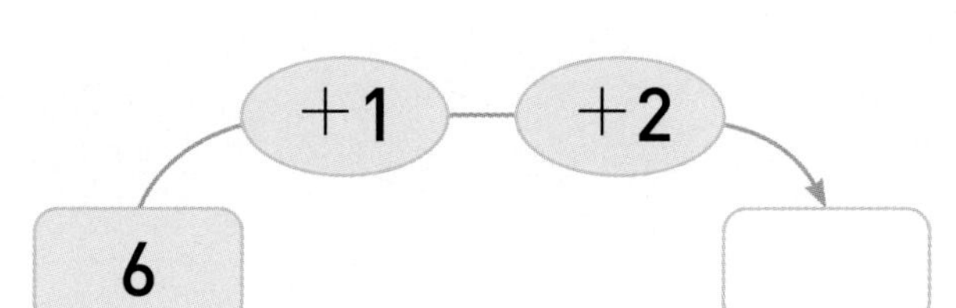

제한 시간 8분

플러스 계산 연습

맞은 개수 / 14개

▶ 정답과 해설 9쪽

생활 속 계산

 상자에 들어 있는 물건은 모두 몇 개인지 구하세요.

9

가위 1개가 들어 있어요.

2개를 넣은 후 6개를 더 넣었습니다.

$1+2+6=\square$(개)

10

클립 4개가 들어 있어요.

1개를 넣은 후 3개를 더 넣었습니다.

$4+1+3=\square$(개)

11

연필 3자루가 들어 있어요.

4자루를 넣은 후 1자루를 더 넣었습니다.

$3+4+\square=\square$(개)

12

풀 2개가 들어 있어요.

3개를 넣은 후 1개를 더 넣었습니다.

$2+3+\square=\square$(개)

문장 읽고 계산식 세우기

13 위인전 2권, 백과사전 2권과 동화책 3권이 있습니다. 책은 모두 몇 권?

식 $2+2+\square=\square$(권)

14 농구공 1개, 야구공 6개와 축구공 2개가 있습니다. 공은 모두 몇 개?

식 $1+6+\square=\square$(개)

SPEED 연산력 TEST

모으기를 해 보세요.

❶ 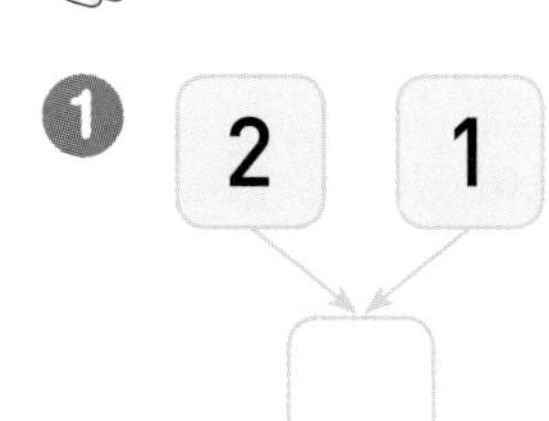

❷ 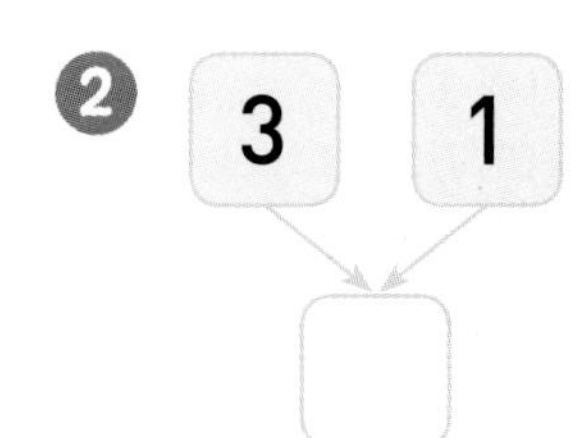

❸ 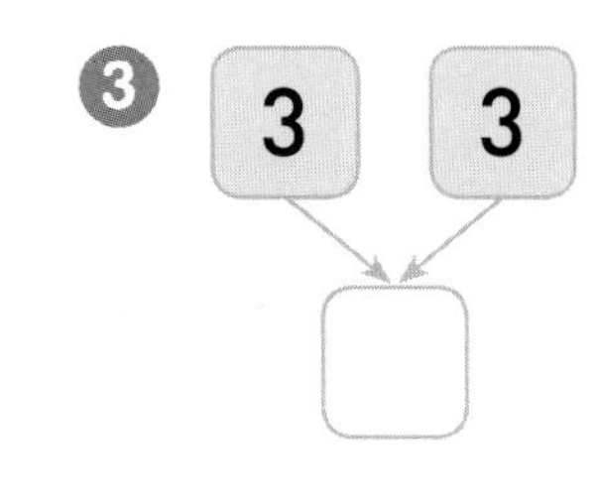

❹ 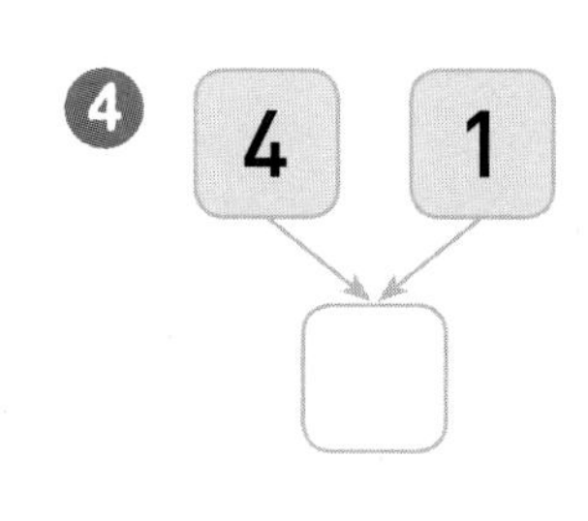

❺ 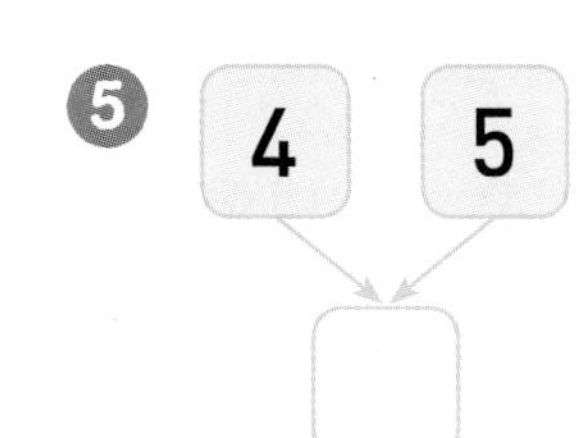

❻ 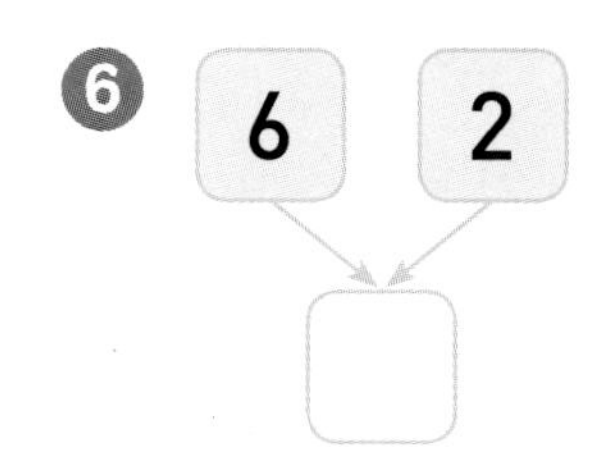

❼ 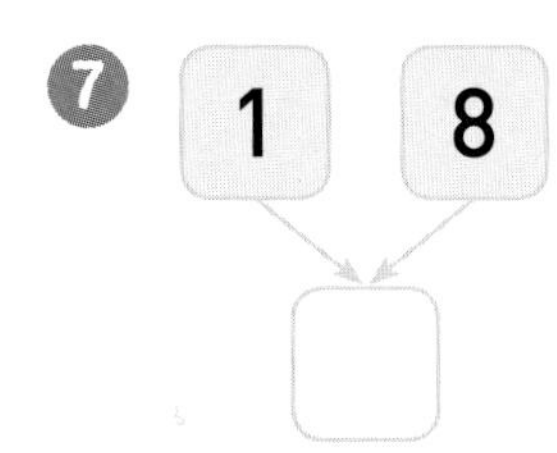

❽ 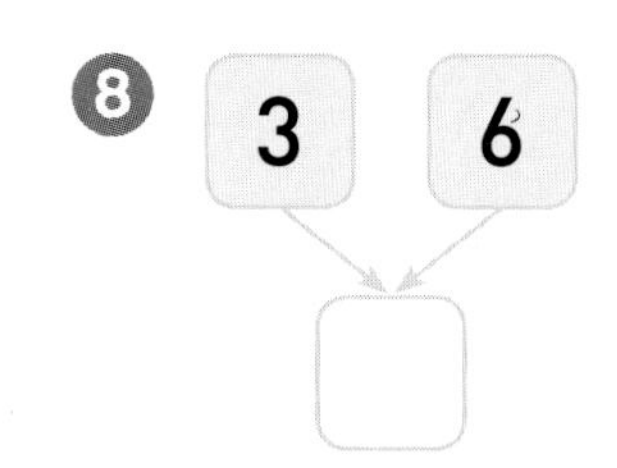

❾ 5 1

❿ 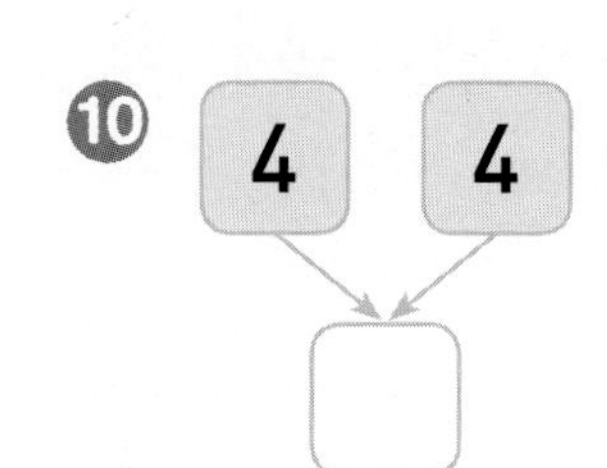

▶ 정답과 해설 9쪽

맞은 개수 / 20개

빈 곳에 알맞은 수를 써넣으세요.

⑪

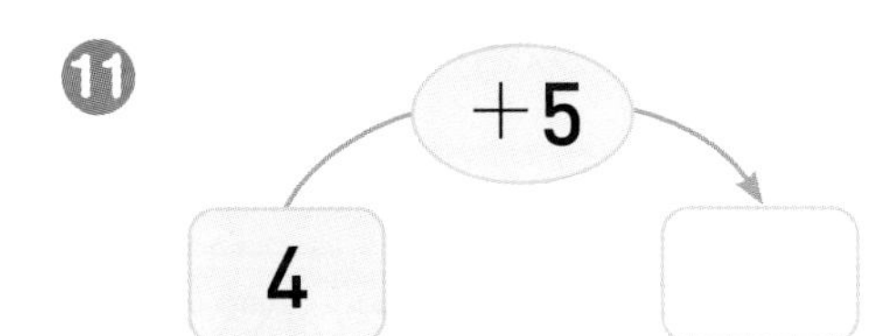

⑫

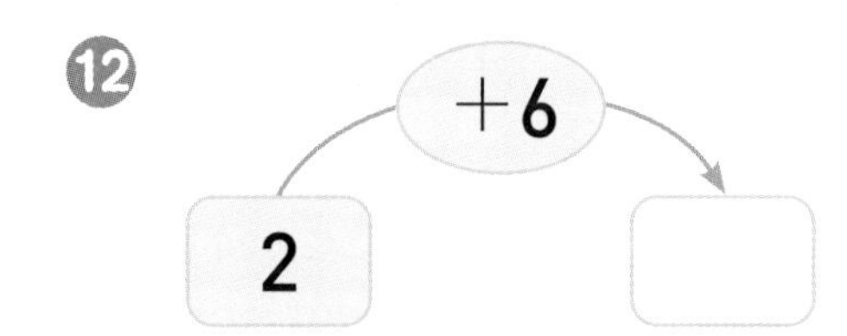

⑬

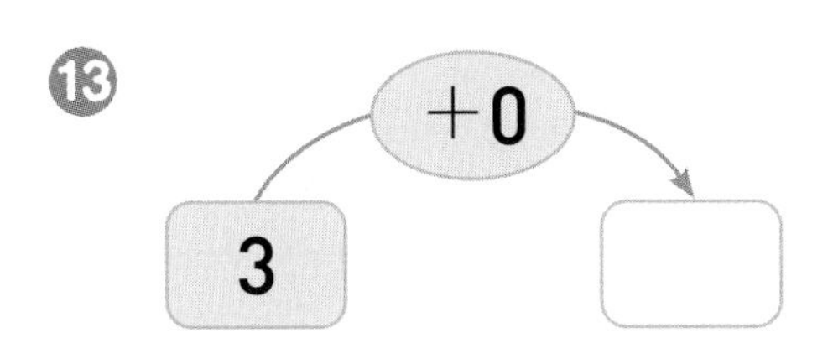

⑭

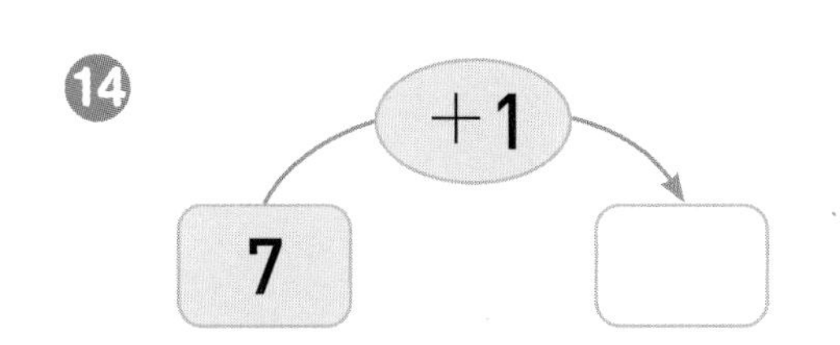

⑮

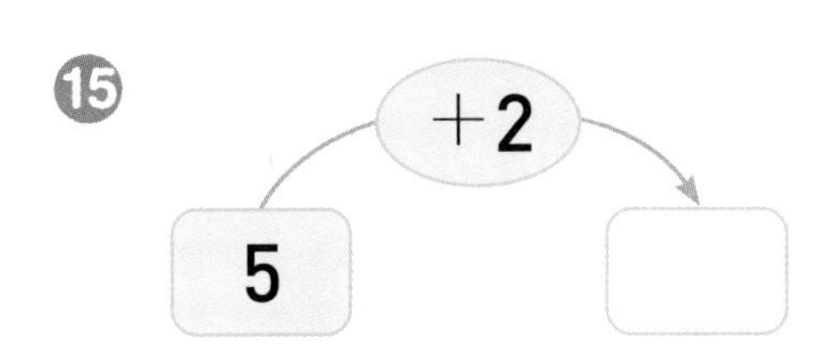

⑯

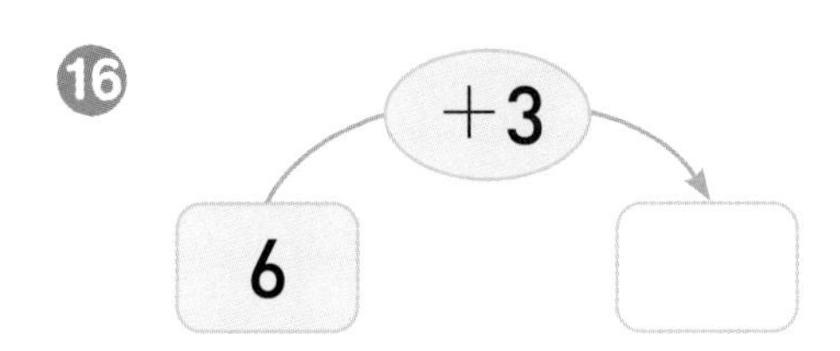

⑰

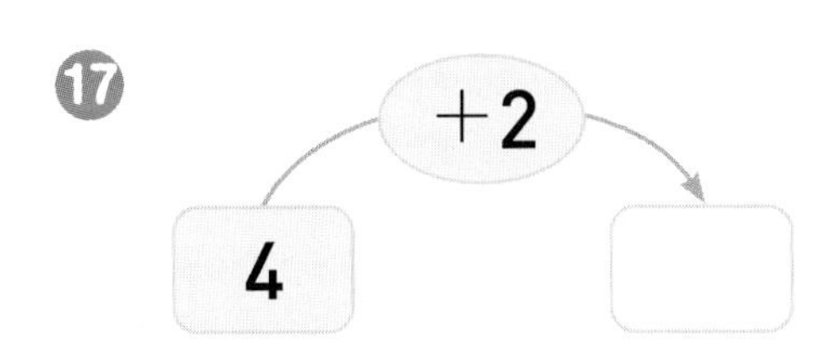

⑱

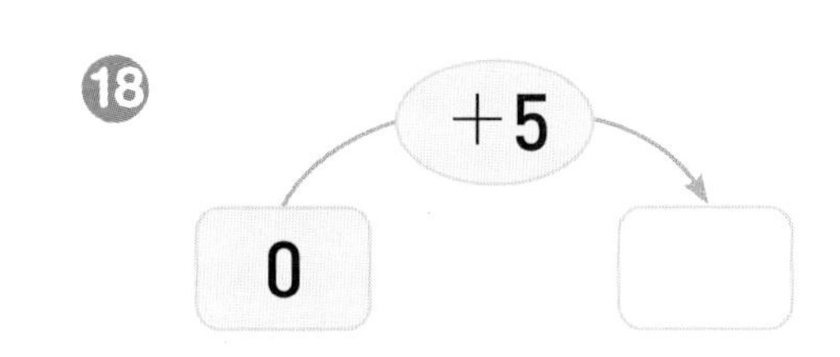

⑲

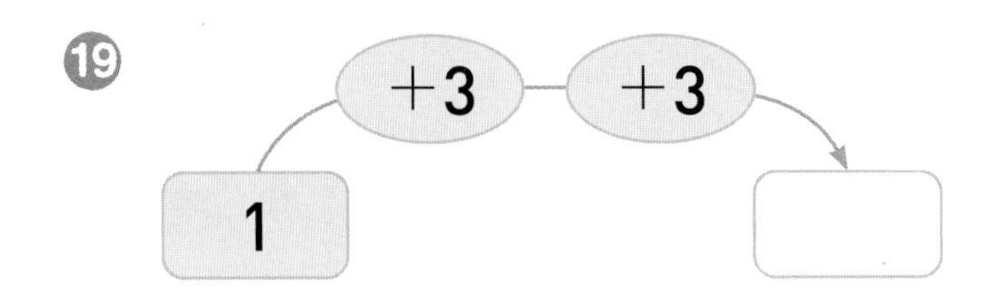

⑳

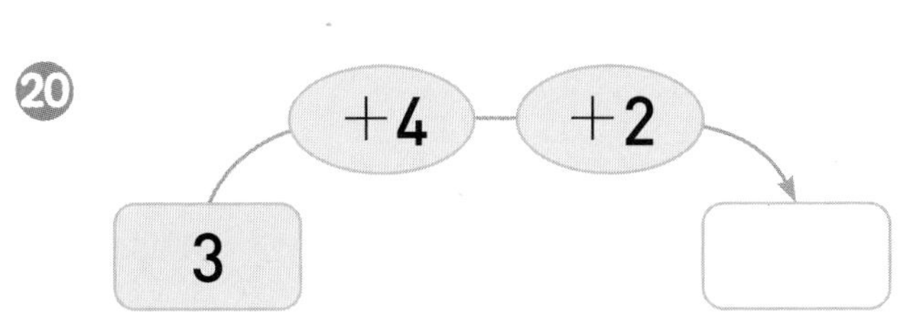

제한 시간 안에 정확하게
모두 풀었다면 여러분은 진정한 **계산왕!**

특강 문장제 문제 도전하기

1 $5+2=\square$ → 사과가 5개 수박이 2개가 있습니다. 사과와 수박은 모두 몇 개일까요?

이 덧셈식이 실생활에서 어떤 상황에 이용될까요?

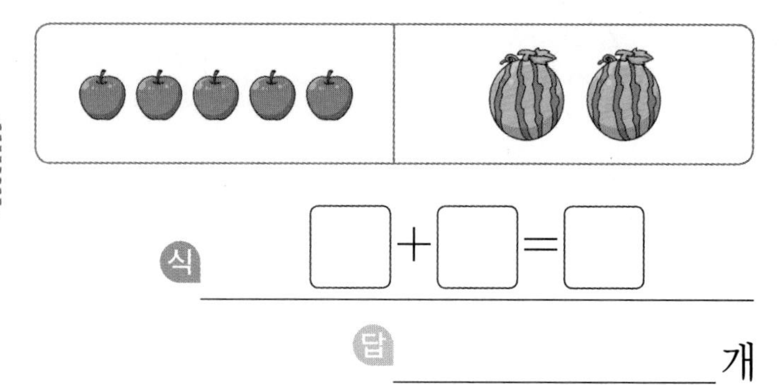

식 $\square+\square=\square$

답 ________ 개

2 $3+1=\square$ → 돼지가 3마리, 늑대가 1마리 있습니다. 돼지와 늑대는 모두 몇 마리일까요?

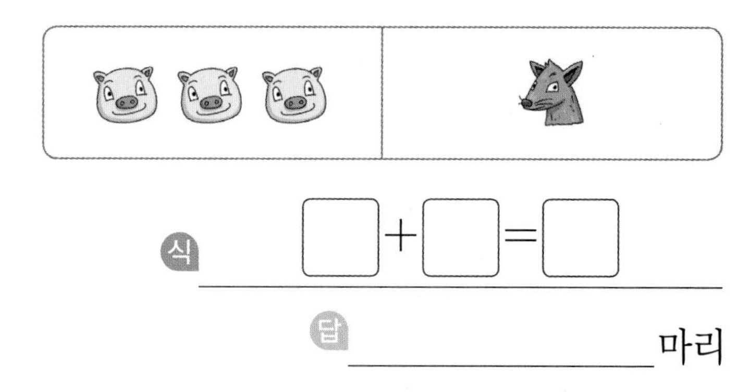

식 $\square+\square=\square$

답 ________ 마리

3 $6+3=\square$ → 토끼 인형이 6개, 펭귄 인형이 3개 있습니다. 토끼 인형과 펭귄 인형은 모두 몇 개일까요?

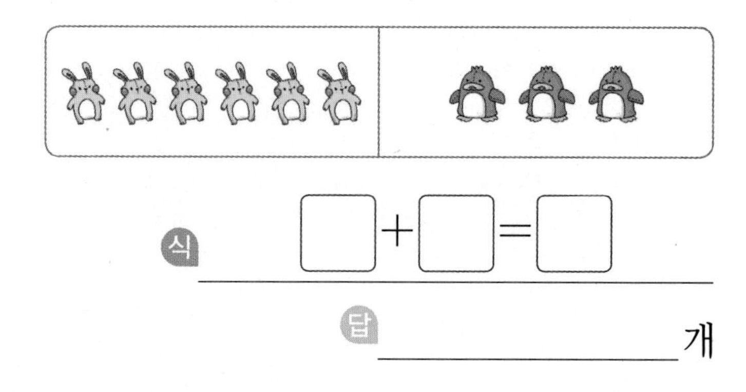

식 $\square+\square=\square$

답 ________ 개

▶ 정답과 해설 9쪽

문장을 읽고 알맞은 덧셈식을 세워 답을 구해 보자!

4 오늘 하루 축구공( ) 1개와 농구공( ) 3개를 팔았습니다.
오늘 하루 판매한 축구공과 농구공은 모두 몇 개일까요?

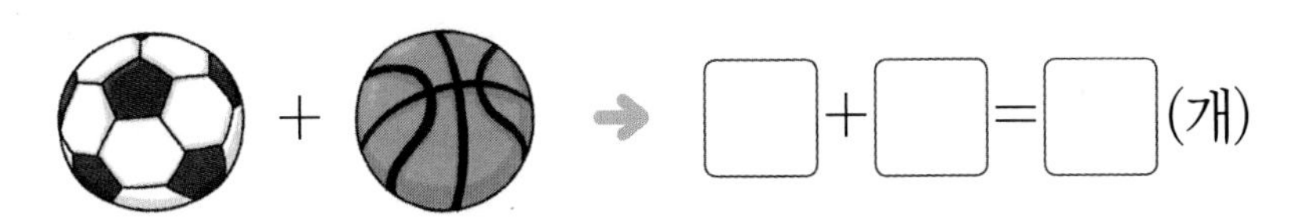

5 주차장에 트럭( ) 2대와 버스( ) 2대가 주차되어 있습니다.
주차되어 있는 트럭과 버스는 모두 몇 대일까요?

+ → □+□=□(대)

6 꽃밭에 잠자리( ) 6마리와 나비( ) 2마리가 있습니다.
잠자리와 나비는 모두 몇 마리일까요?

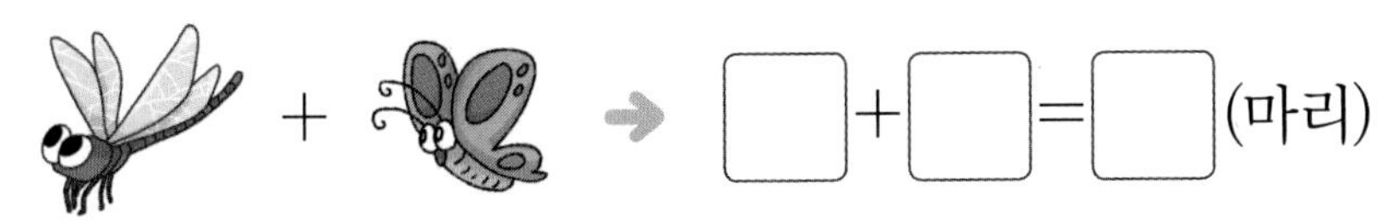

도둑을 찾아라!

 명탐정과 함께 주어진 사건 단서를 가지고 도둑의 이름을 구하세요.

① $2+1=\square$ ② $5+1=\square$ ③ $4+4=\square$

①, ②, ③의 계산 결과에 해당하는 글자를 표에서 찾아 차례로 쓰면 도둑의 이름을 알 수 있어.

1	아	4	사	7	이
2	삼	5	황	8	팡
3	루	6	유	9	정

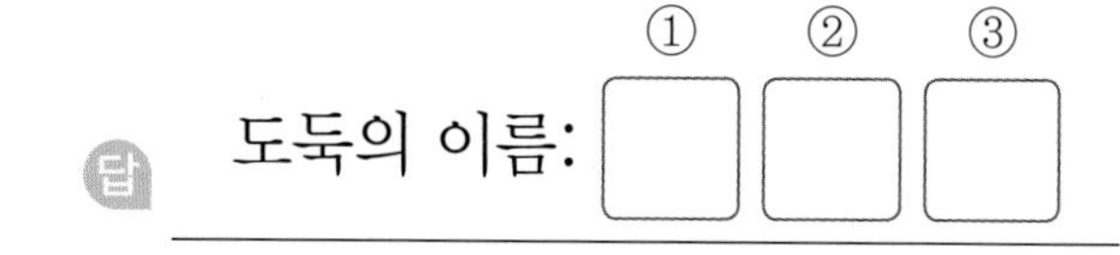

답 도둑의 이름: ① □ ② □ ③ □

▶정답과 해설 9쪽

보기 와 같이 합이 9가 되도록 두 수씩 선으로 이어 보세요.

9

2			4
	6		
	5	3	
7			

바르게 계산한 곳을 따라가며 선을 그어 보세요.

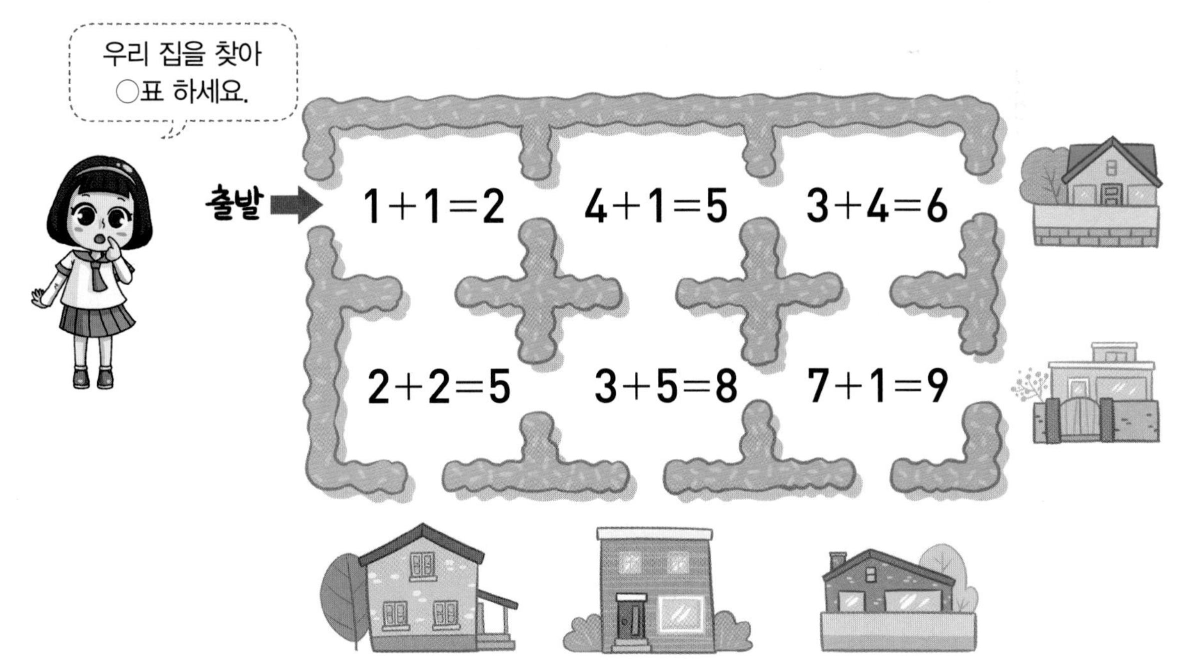

뺄셈

실생활에서 알아보는 재미있는 수학 이야기

 이번에 배울 내용을 알아볼까요?

- 1일차 2, 3, 4, 5 가르기
- 2일차 6, 7, 8, 9 가르기
- 3일차 뺄셈으로 나타내고 읽기
- 4일차 뺄셈(1)
- 5일차 뺄셈(2)
- 6일차 0 빼기
- 7일차 뺄셈식에서 □ 구하기
- 8일차 세 수의 뺄셈

1 일차

2, 3, 4, 5 가르기

이렇게 해결하자

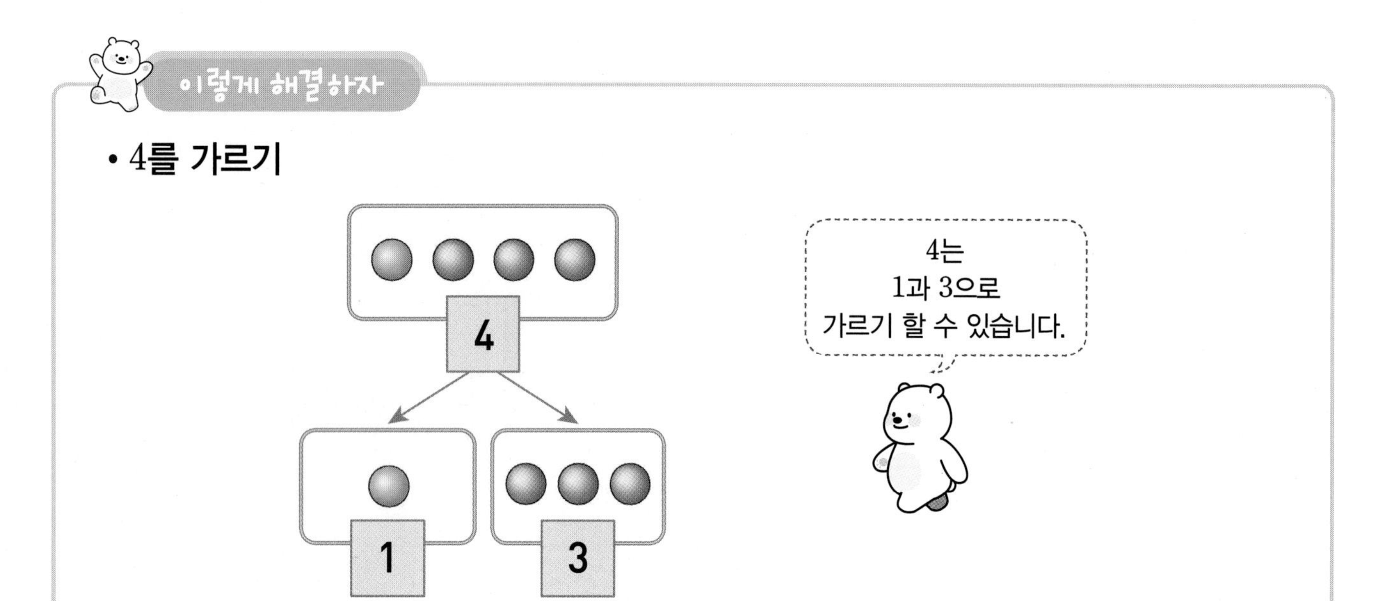

그림을 보고 빈 곳에 알맞은 수를 써넣으세요.

❶
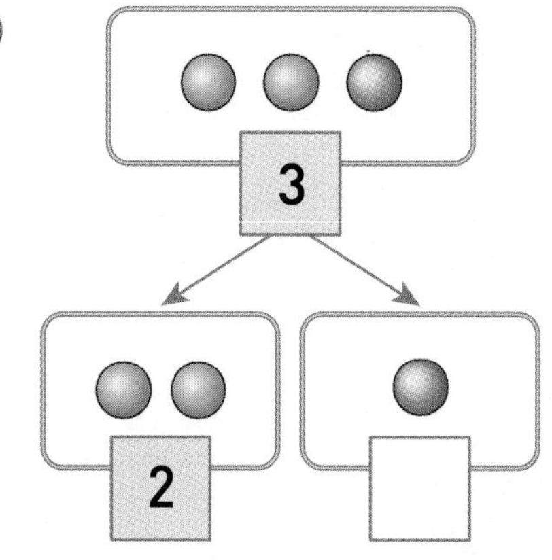

❷
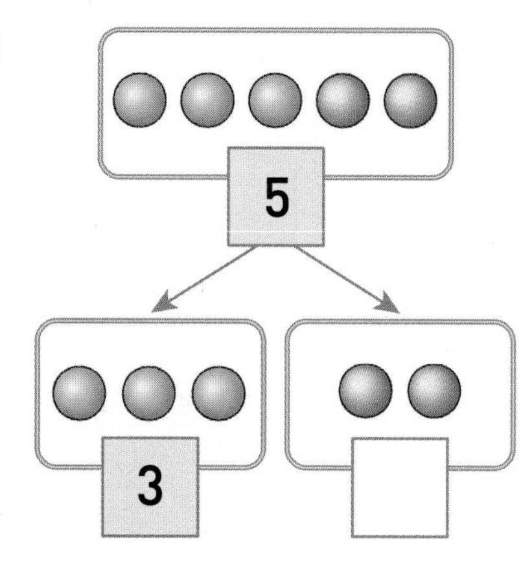

❸
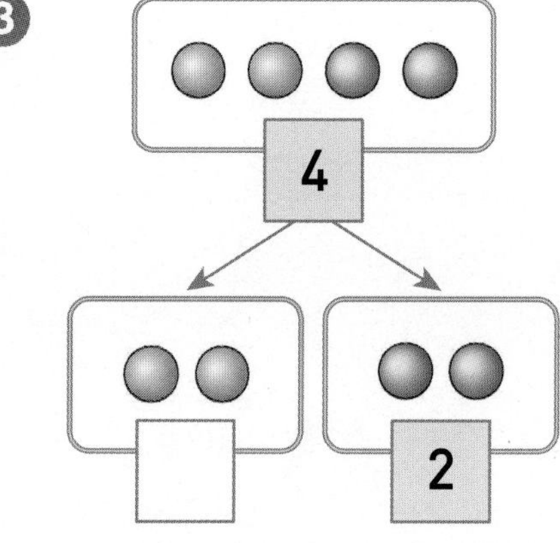

❹
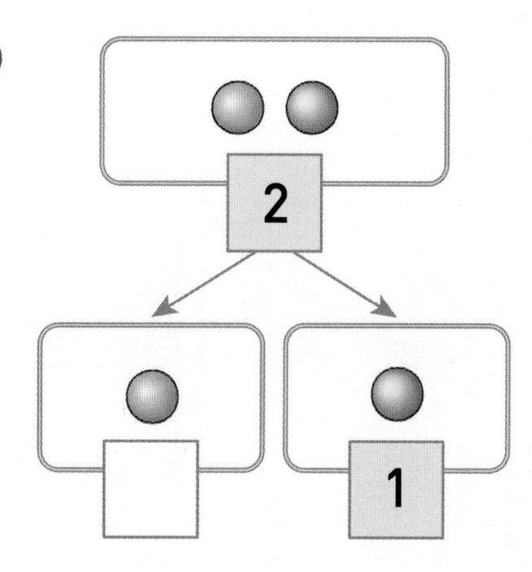

제한 시간 3분

기초 계산 연습

맞은 개수 / 14개

▶ 정답과 해설 10쪽

가르기를 해 보세요.

❺
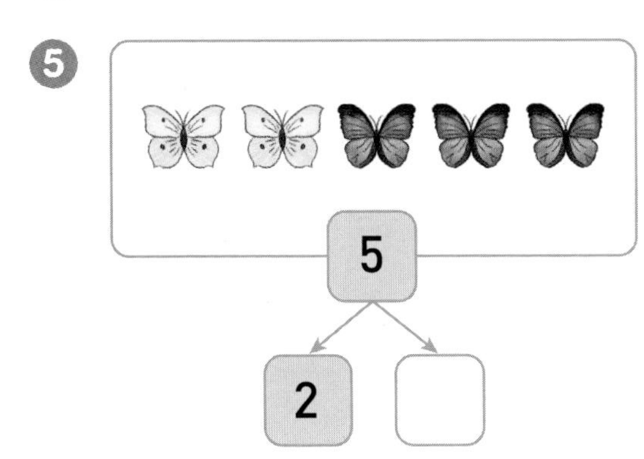

❻
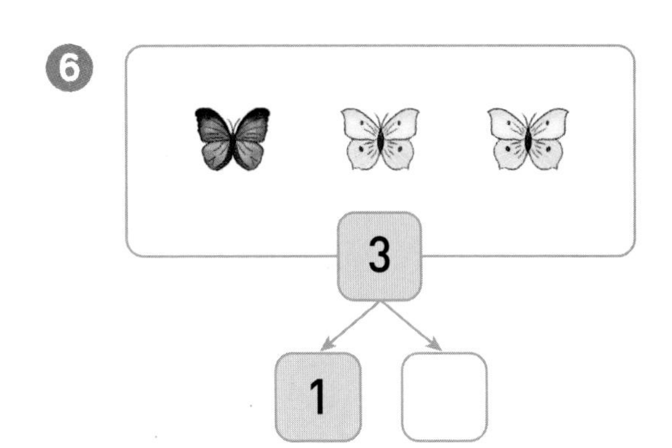

❼
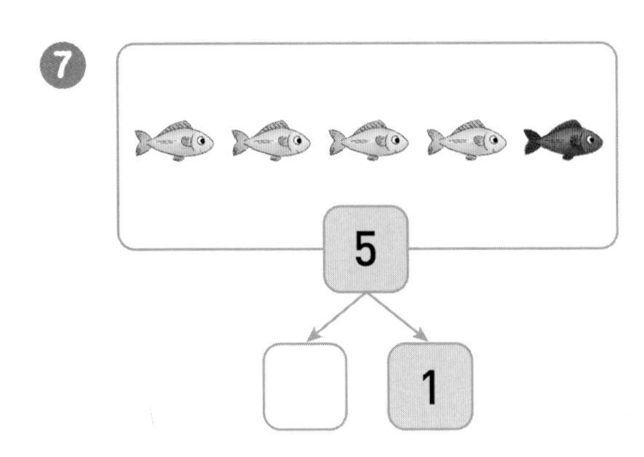

❽
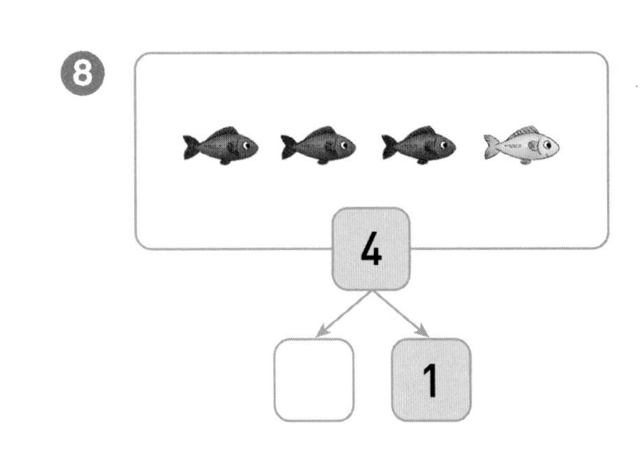

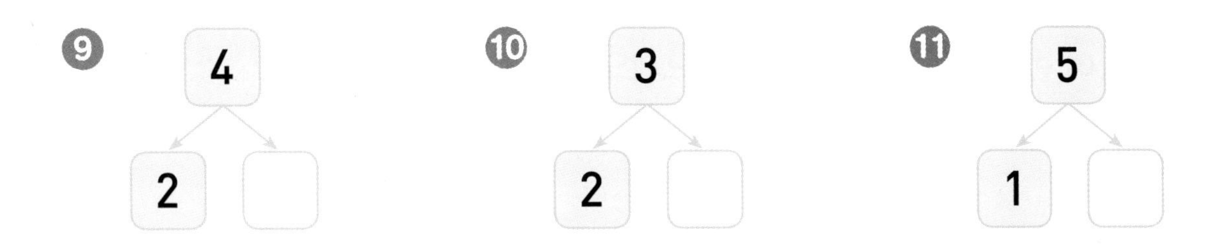

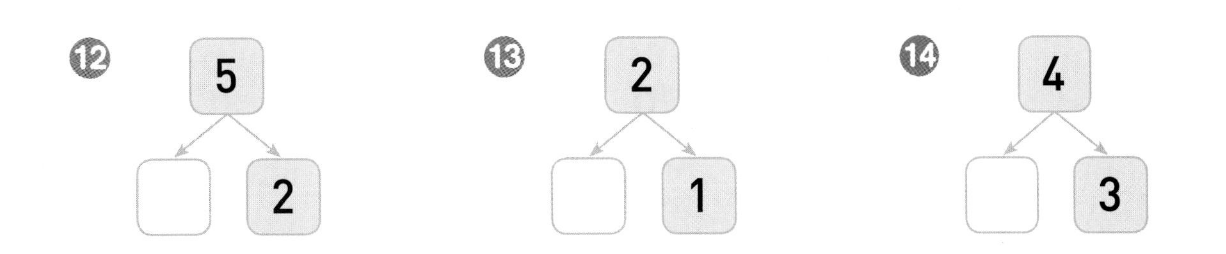

2, 3, 4, 5 가르기

수를 가르기 하려고 합니다. 빈 곳에 알맞은 수만큼 ○를 그려 보세요.

1

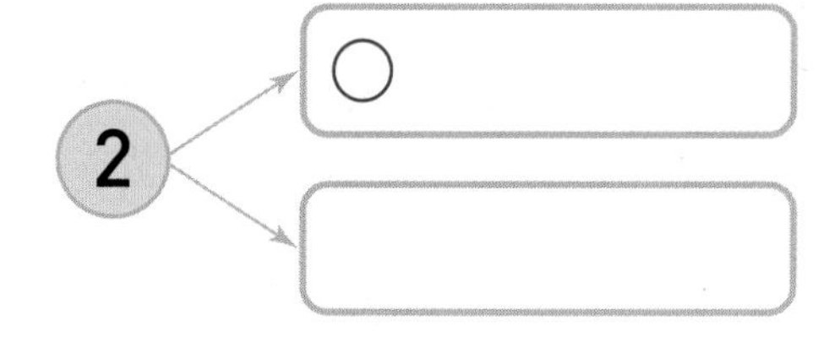

2

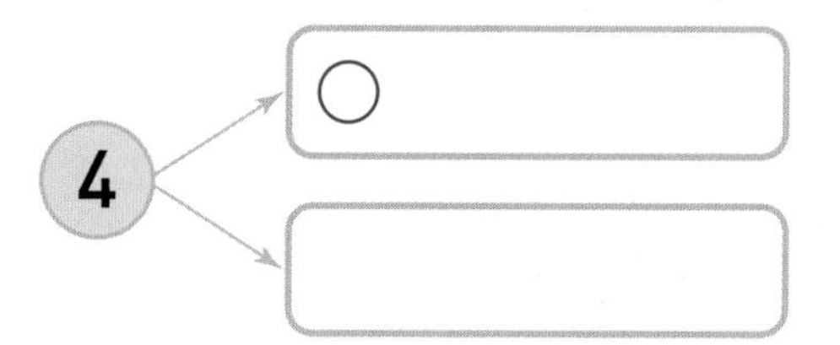

3

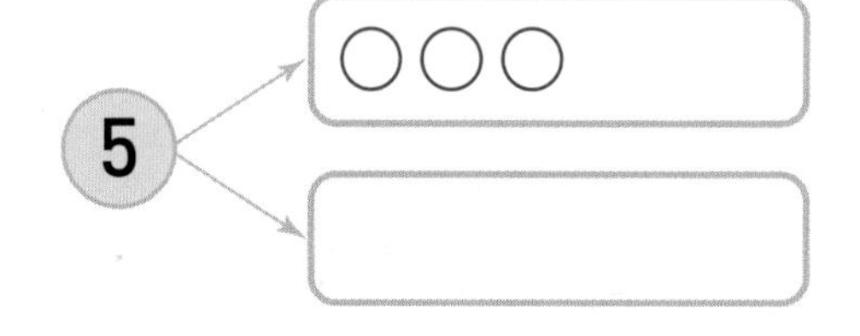

4

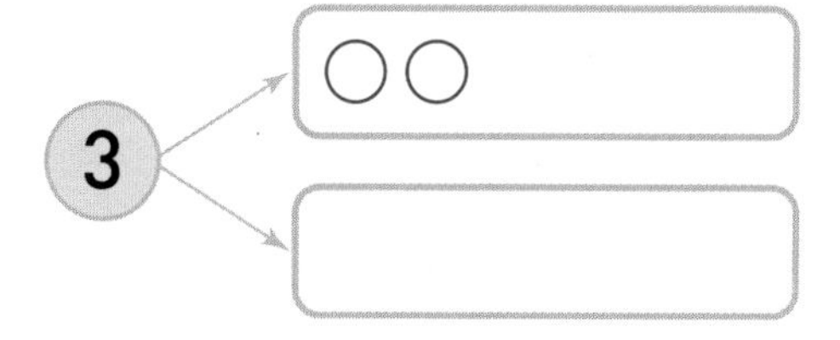

5

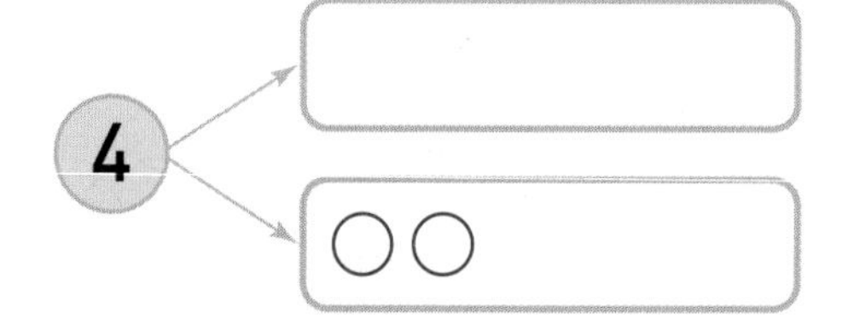

6

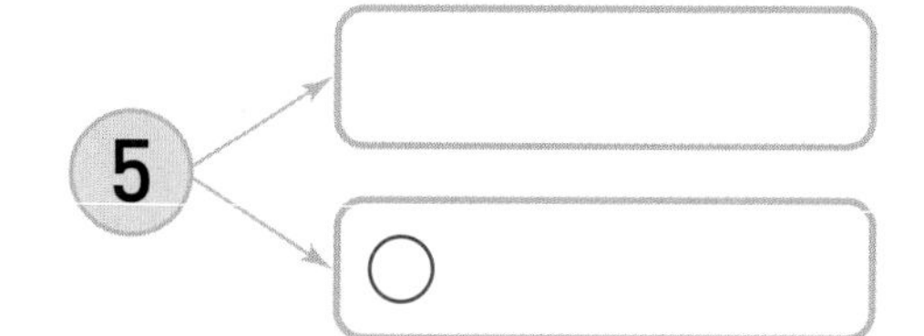

수를 가르기 하여 빈 곳에 알맞은 수를 써넣으세요.

7

3	
	2

8

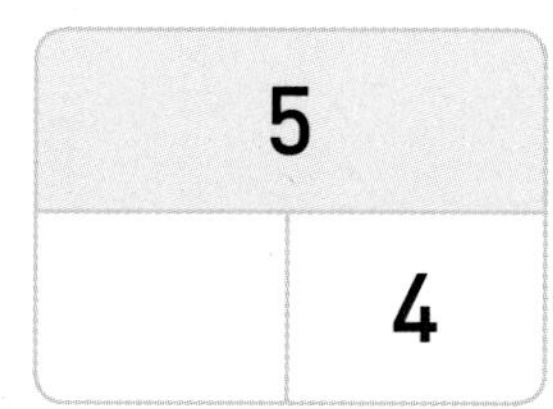

5	
	4

9

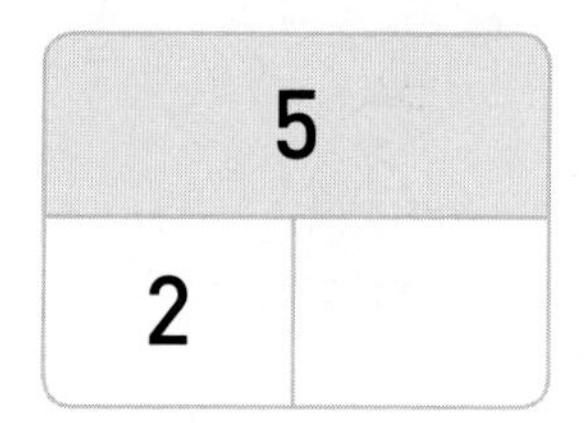

5	
2	

10

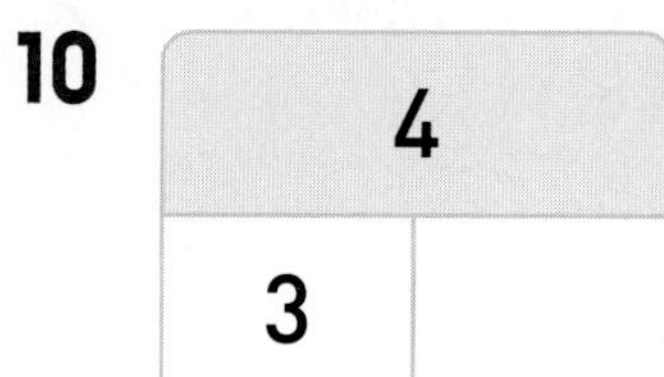

4	
3	

제한 시간 5분

플러스 계산 연습

맞은 개수 / 18개

▶ 정답과 해설 10쪽

생활 속 문제

진경이와 동생은 쿠키 5개를 나누어 가지려고 합니다. 동생이 가지게 되는 쿠키만큼 접시에 ○표 하세요.

11

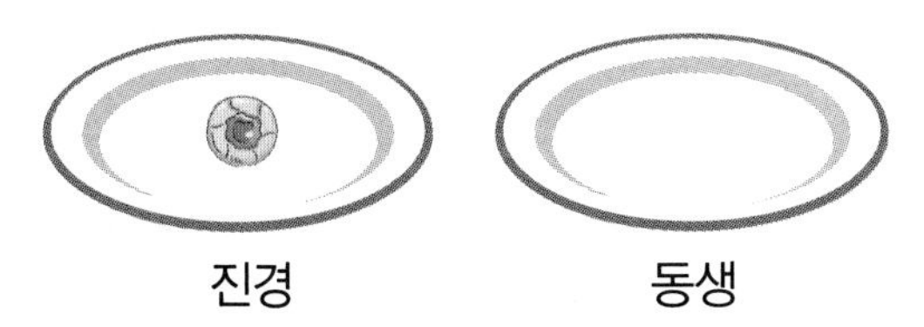

12

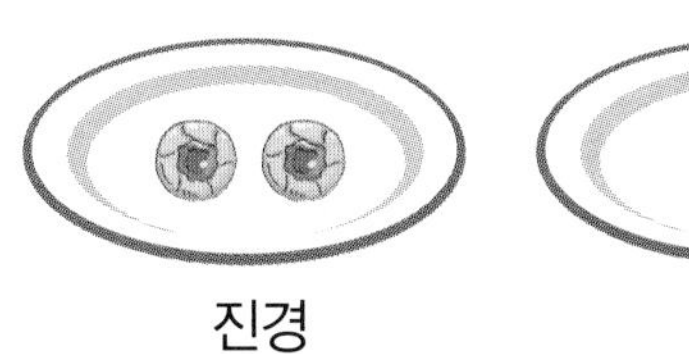

13

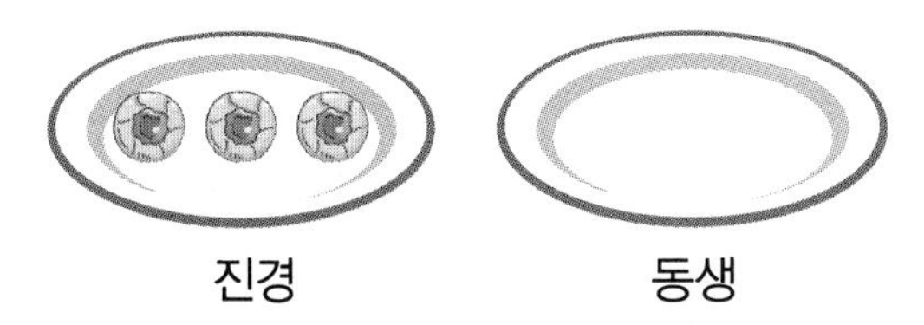

14

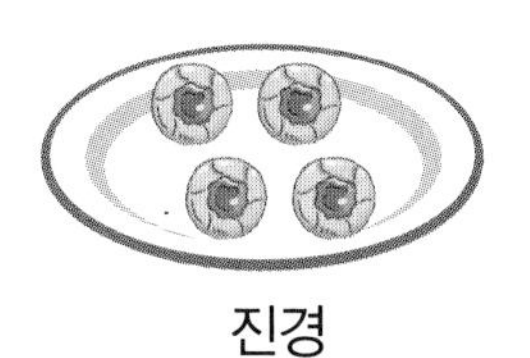

문장 읽고 문제 해결하기

15 사과 4개를 1개와 몇 개로 가르기 하면?

4

1 □

16 색연필 5자루를 3자루와 몇 자루로 가르기 하면?

5

3 □

17 구슬 3개를 1개와 몇 개로 가르기 하면?

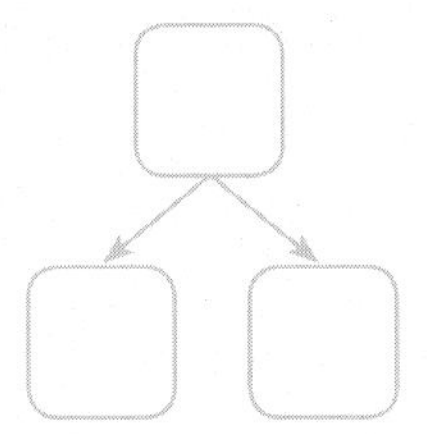

18 사탕 4개를 2개와 몇 개로 가르기 하면?

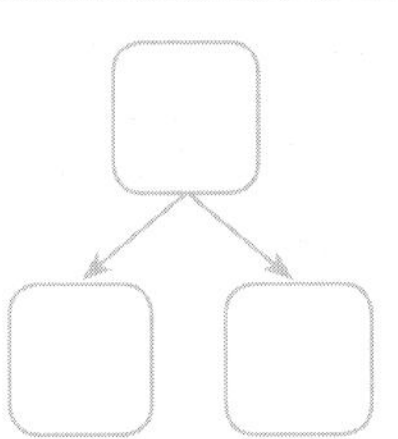

3 뺄셈

2 일차

6, 7, 8, 9 가르기

이렇게 해결하자

• 7을 가르기

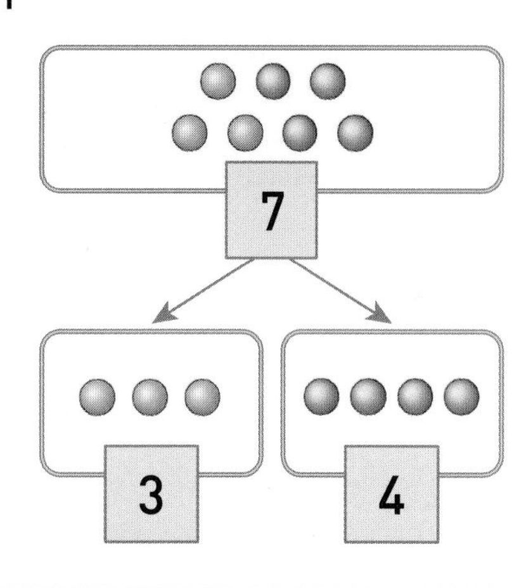

7은
3과 4로
가르기 할 수 있습니다.

그림을 보고 빈 곳에 알맞은 수를 써넣으세요.

1
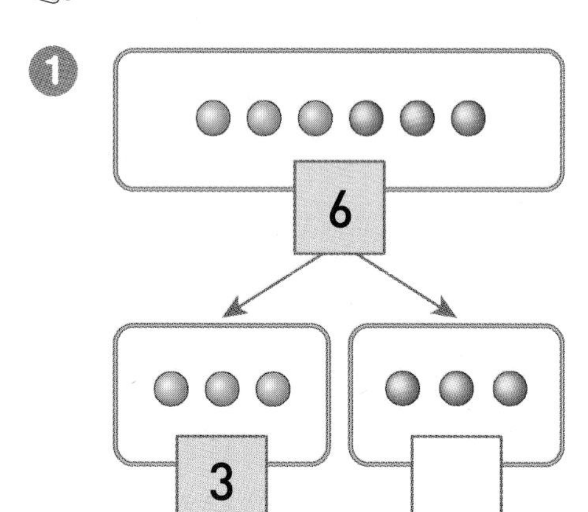

2
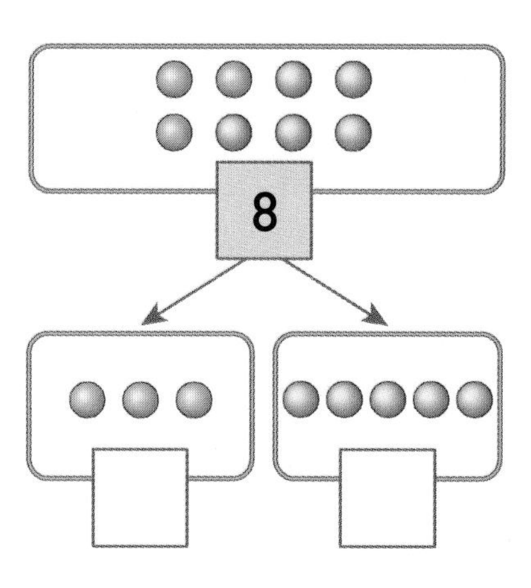

3
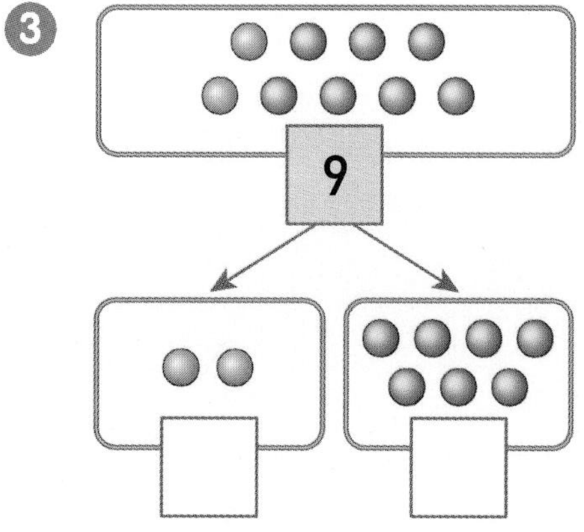

4
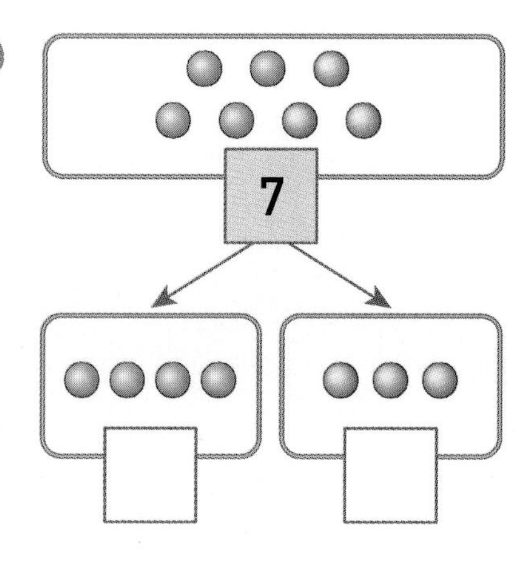

기초 계산 연습

맞은 개수 / 14개

▶ 정답과 해설 10쪽

가르기를 해 보세요.

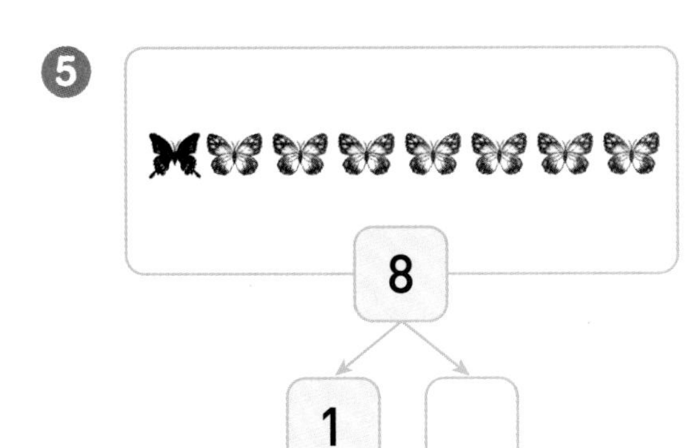

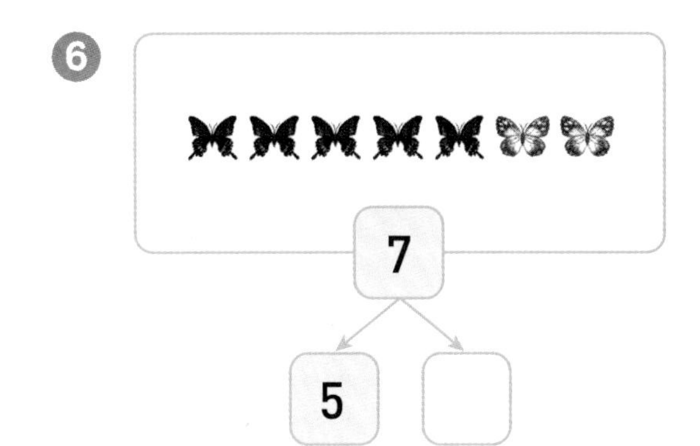

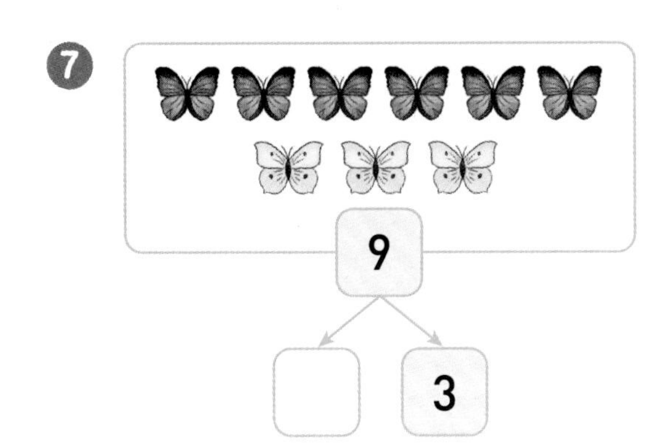

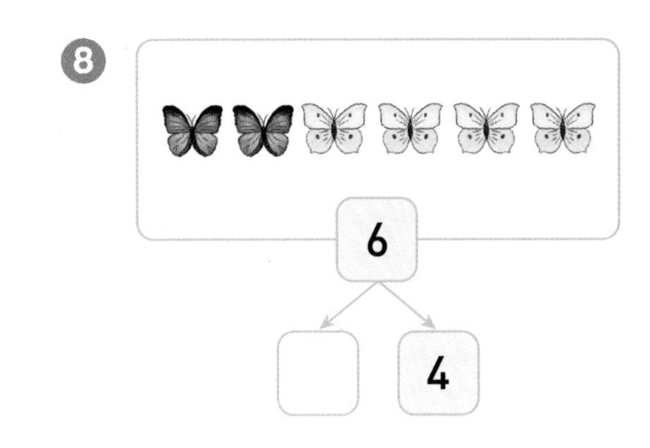

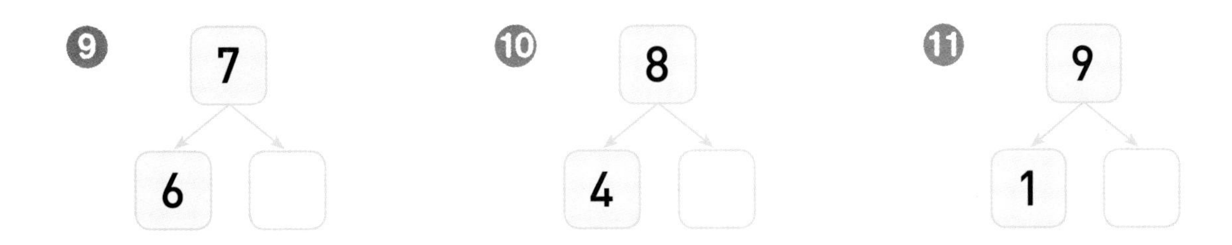

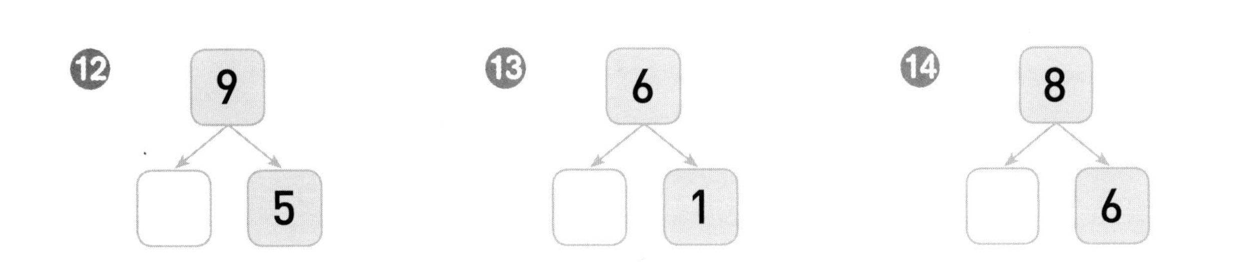

2 일차

6, 7, 8, 9 가르기

수를 가르기 하여 빈 곳에 알맞은 수를 써넣으세요.

1

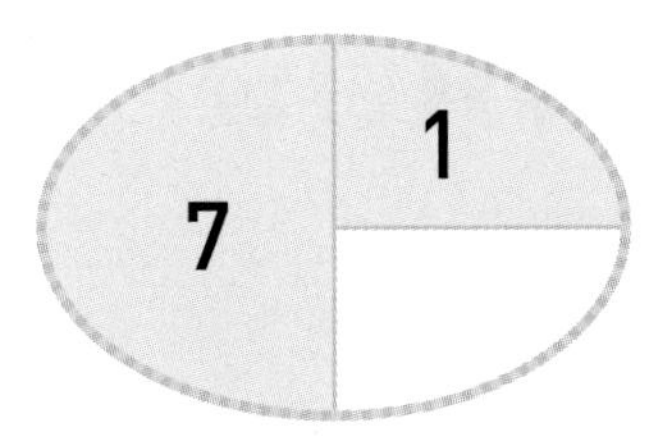

2

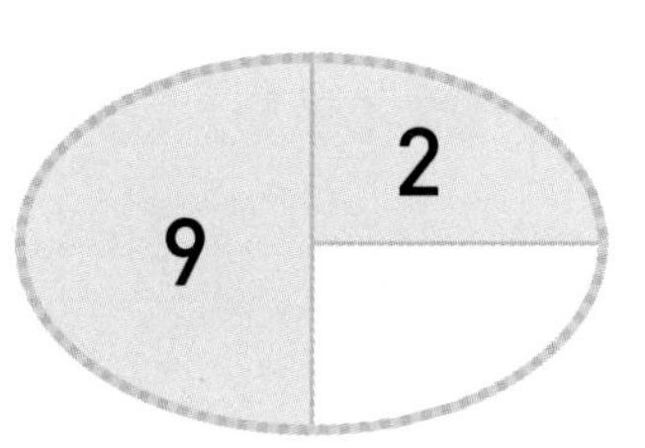

3

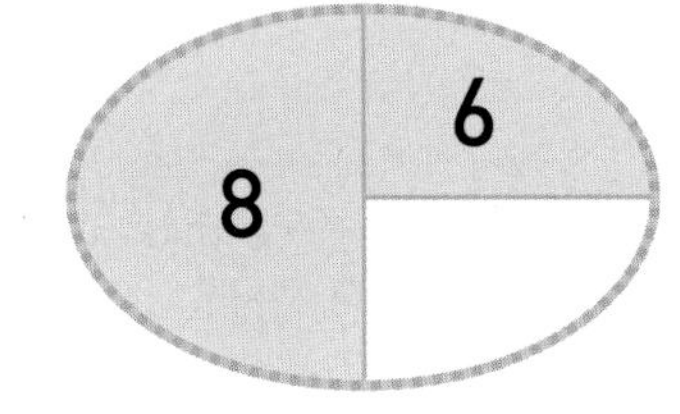

4

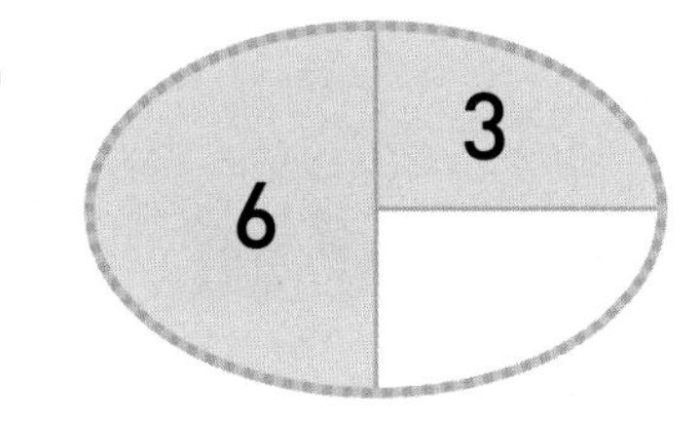

5

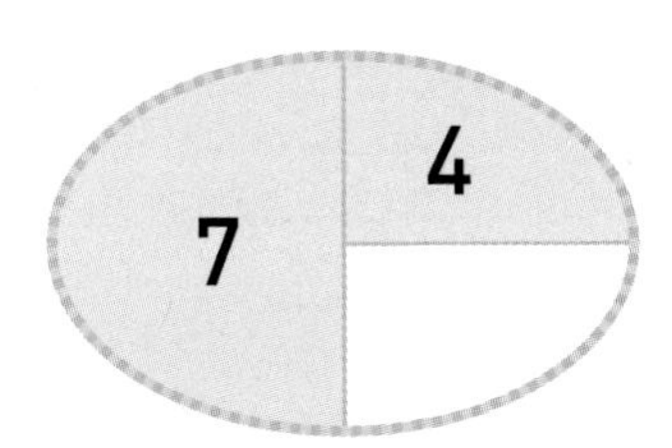

6

8
5

주어진 수를 두 수로 가르기 하여 빈 곳에 알맞은 수를 써넣으세요.

7

9	
3	
5	
8	

8

6	
1	
4	
5	

9

7	
1	
3	
5	

제한 시간 5분

플러스 계산 연습

맞은 개수 / 17개

▶ 정답과 해설 10쪽

생활 속 문제

주어진 구슬을 양손에 나누어 가졌습니다. 오른손에 있는 구슬은 몇 개인지 구하세요.

10 구슬 8개

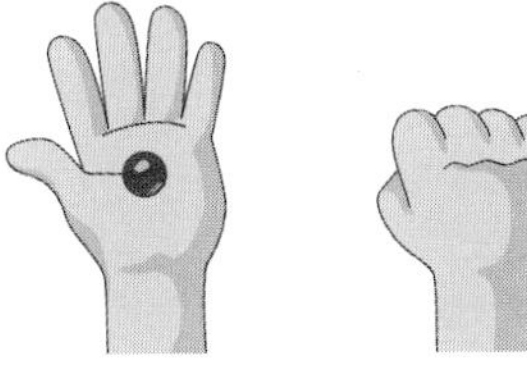

□개

11 구슬 7개

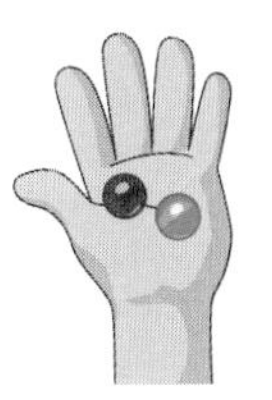

□개

12 구슬 9개

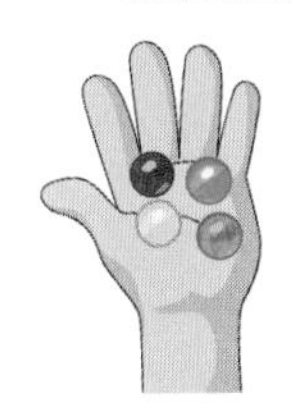

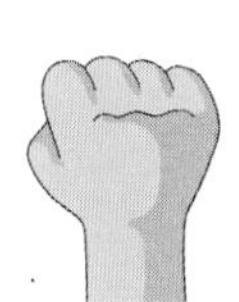

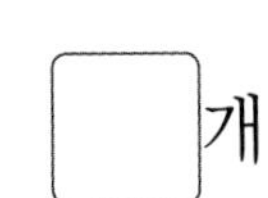

□개

13 구슬 6개

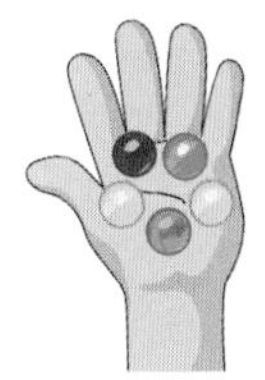

□개

문장 읽고 문제 해결하기

14 클립 7개를 6개와 몇 개로 가르기 하면?

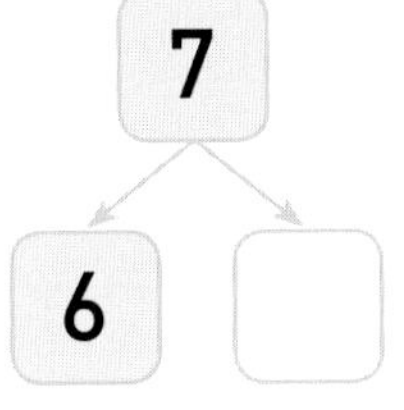

15 지우개 9개를 6개와 몇 개로 가르기 하면?

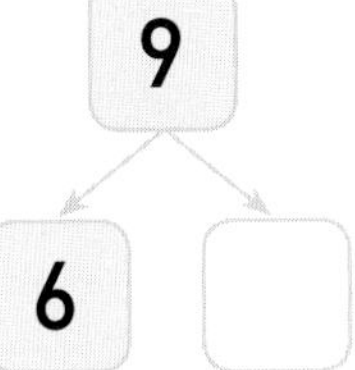

16 가위 8개를 4개와 몇 개로 가르기 하면?

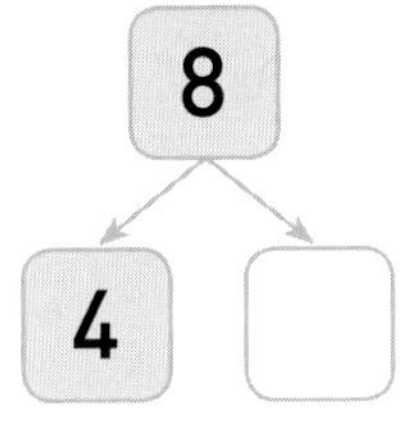

17 필통 6개를 2개와 몇 개로 가르기 하면?

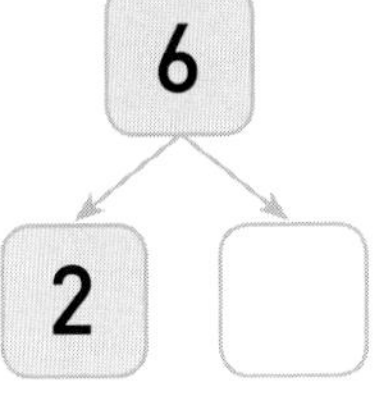

3 일차

빼기로 나타내고 읽기

이렇게 해결하자

쓰기 $7-2=5$

읽기 7 빼기 2는 5와 같습니다.
7과 2의 차는 5입니다.

빼기는 −로 같다는 =로 나타내요.

그림을 보고 알맞은 뺄셈식을 만들어 보세요.

❶

$8-2=\square$

❷

$5-3=\square$

❸

$6-5=\square$

❹

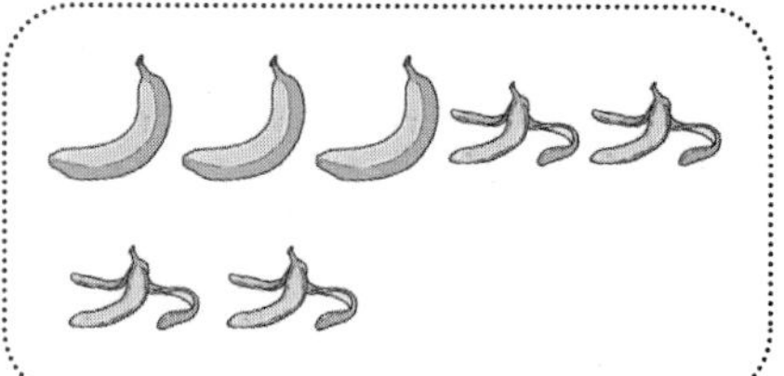

$7-4=\square$

❺

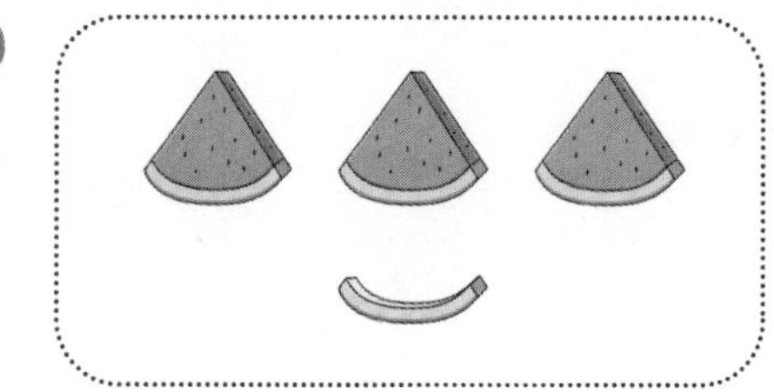

$4-1=\square$

❻

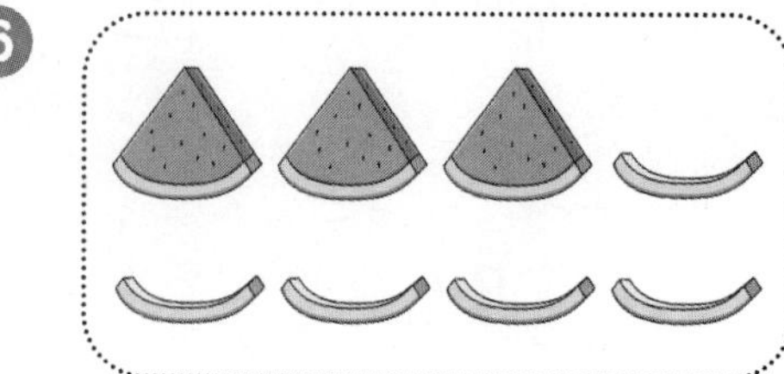

$8-5=\square$

제한 시간 5분

기초 계산 연습

맞은 개수 / 14개

▶ 정답과 해설 11쪽

7

$4-2=\square$

8

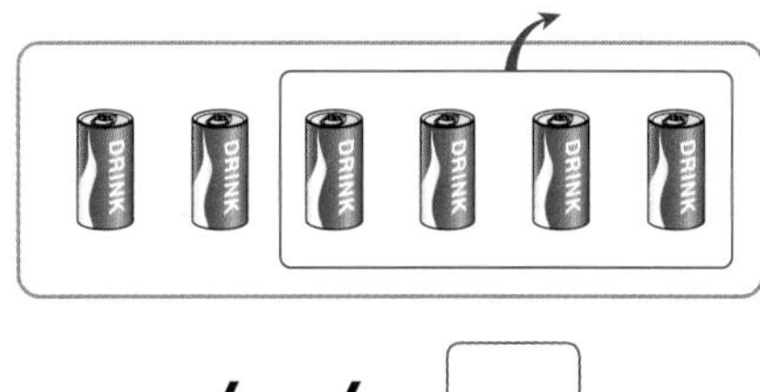

$6-4=\square$

9

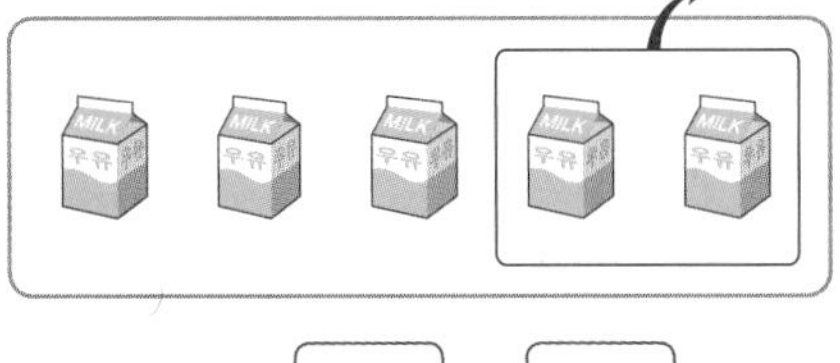

$5-\square=\square$

10

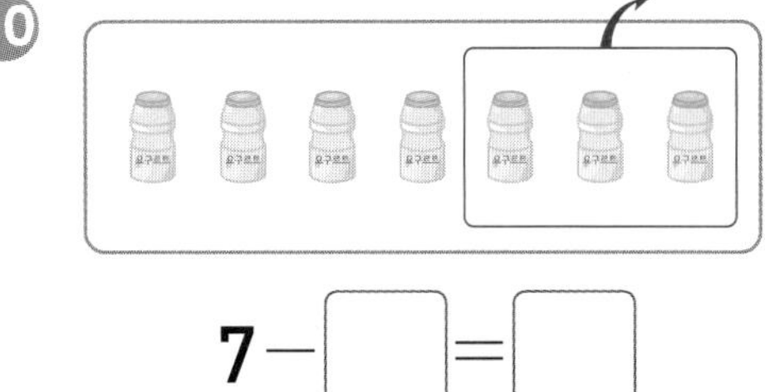

$7-\square=\square$

빼기 뺄셈식을 읽어 보세요.

11 $3-2=1$

- 3 빼기 2는 □과 같습니다.
- 3과 □의 차는 1입니다.

12 $5-3=2$

- 5 빼기 □은 2와 같습니다.
- 5와 3의 차는 □입니다.

13 $7-2=5$

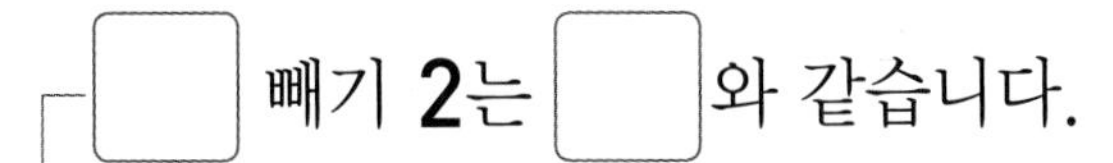

- □ 빼기 2는 □와 같습니다.
- 7과 □의 차는 □입니다.

14 $9-6=3$

- 9 빼기 □은 □과 같습니다.
- □와 6의 차는 □입니다.

뺄셈으로 나타내고 읽기

1 알맞은 것끼리 선으로 이어 보세요.

- $4-2=2$
- $5-2=3$
- $5-1=4$

보기 와 같이 그림에 알맞은 뺄셈식을 쓰고 두 가지 방법으로 읽어 보세요.

보기

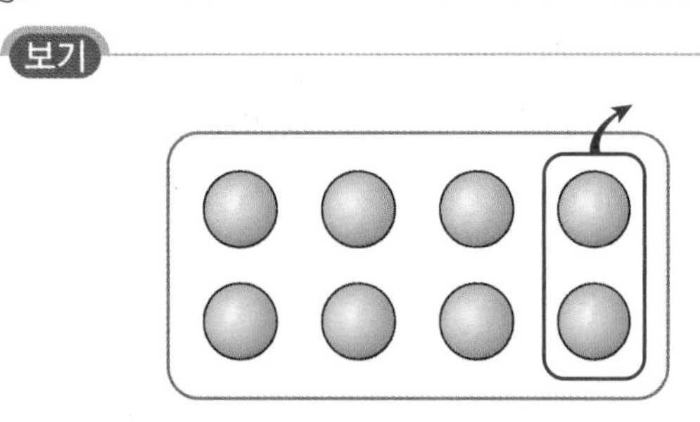

쓰기 $8-2=6$

읽기 8 빼기 2는 6과 같습니다.

8과 2의 차는 6입니다.

2

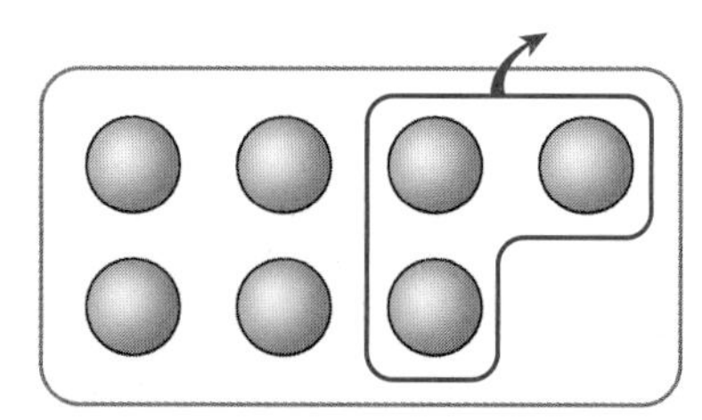

쓰기 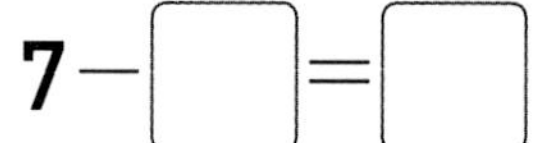

7－□＝□

읽기

3

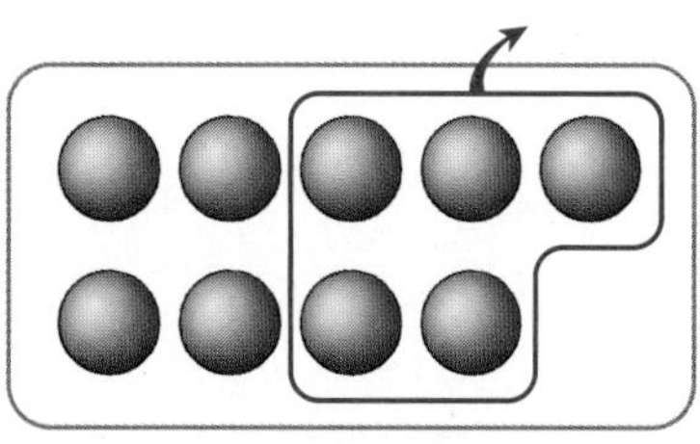

쓰기 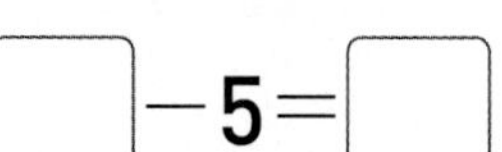

□－5＝□

읽기

4

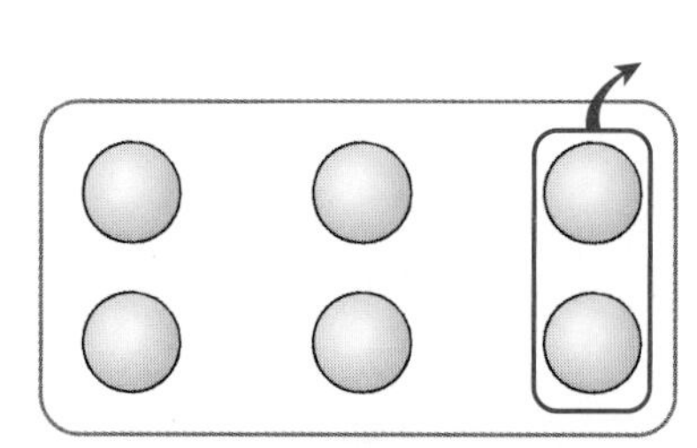

쓰기 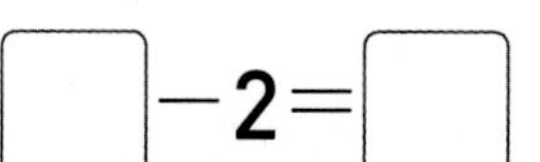

□－2＝□

읽기

플러스 계산 연습

맞은 개수 / 12개

▶ 정답과 해설 11쪽

생활 속 계산

나뭇가지에 도토리가 다음과 같이 달려 있습니다. 다람쥐가 먹고 남은 도토리는 몇 개인지 뺄셈식으로 나타내어 보세요.

5

다람쥐가 도토리를 2개 먹었습니다.

4 − 2 = ☐

6

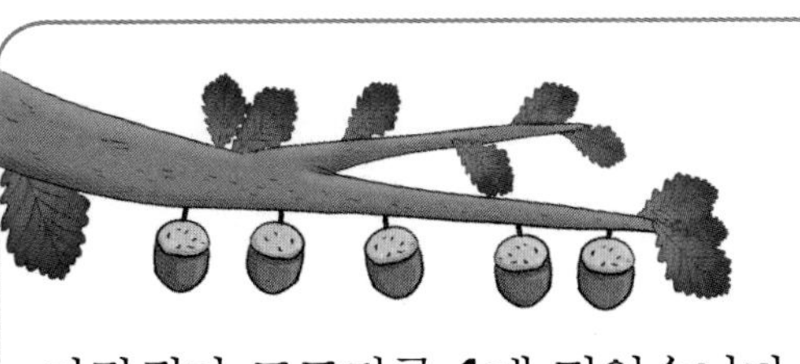

다람쥐가 도토리를 1개 먹었습니다.

5 − 1 = ☐

7

다람쥐가 도토리를 3개 먹었습니다.

6 − ☐ = ☐

8

다람쥐가 도토리를 5개 먹었습니다.

8 − ☐ = ☐

문장 읽고 계산식 세우기

9

5 빼기 2는 3과 같습니다.

식 5 − ☐ = ☐

10

7 빼기 1은 6과 같습니다.

식 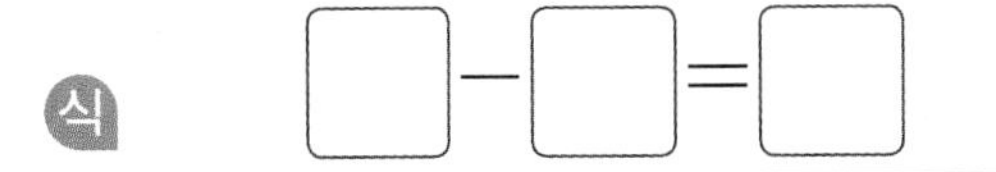

☐ − ☐ = ☐

11

4와 3의 차는 1입니다.

식 4 − ☐ = ☐

12

9와 7의 차는 2입니다.

식 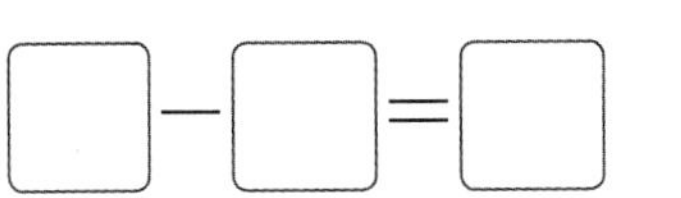

☐ − ☐ = ☐

뺄셈(1)

이렇게 해결하자

• 그림을 그려 뺄셈하기

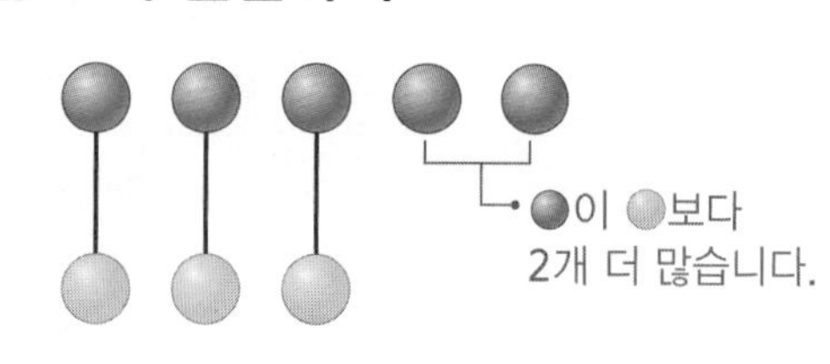

→ $5-3=2$

초록 구슬 5개와 노란 구슬 3개를 하나씩 짝 지어 보면 초록 구슬 2개가 남아요.

구슬을 하나씩 짝 지어 보고 알맞은 뺄셈식을 만들어 보세요.

❶ $6-4=\square$

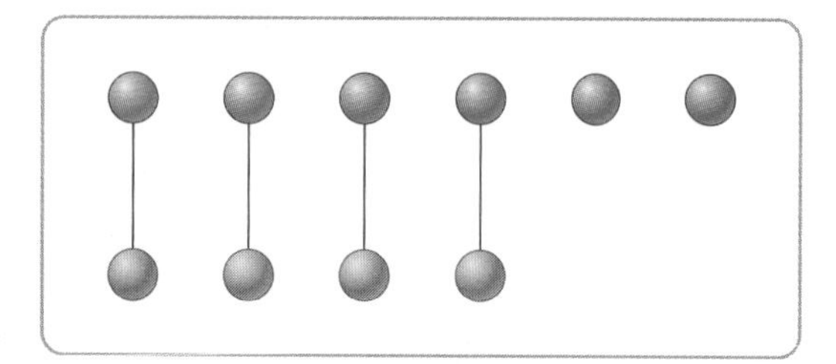

❷ $9-6=\square$

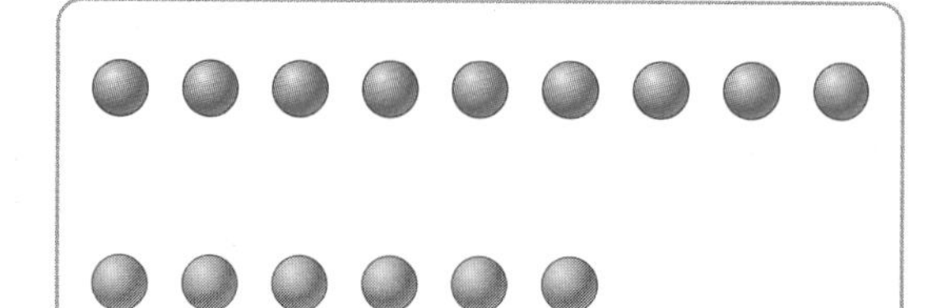

❸ $8-4=\square$

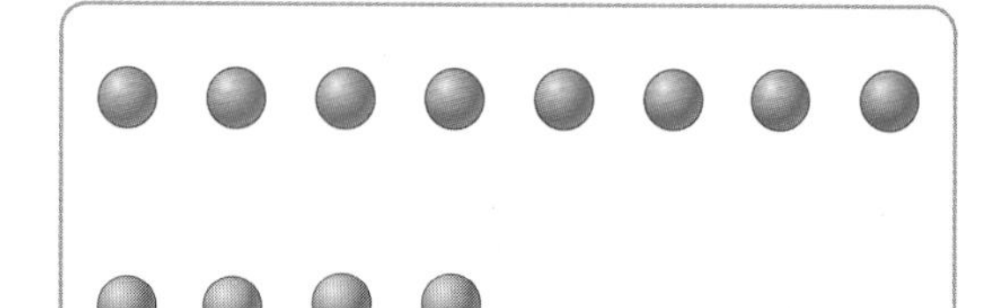

❹ $4-2=\square$

❺ $7-5=\square$

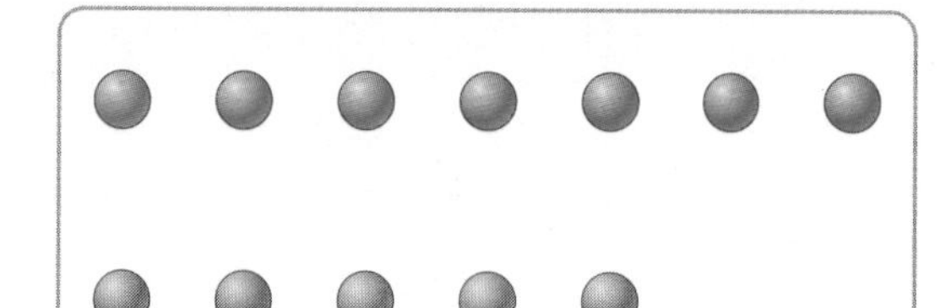

❻ $5-1=\square$

기초 계산 연습

맞은 개수 / 19개

▶ 정답과 해설 11쪽

❼ $8-6=\square$

❽ $6-1=\square$

❾ $6-2=\square$

❿ $7-3=\square$

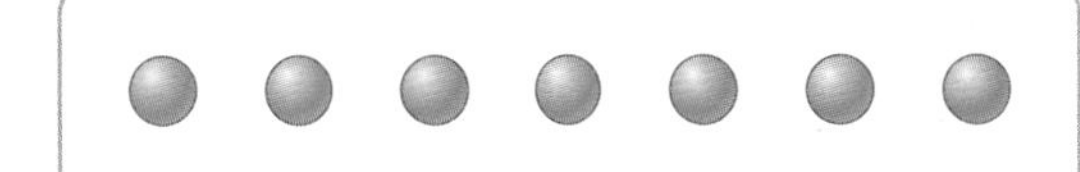

뺄셈을 해 보세요.

⓫ $5-3=\square$

⓬ $7-1=\square$

⓭ $4-2=\square$

⓮ $9-4=\square$

⓯ $6-3=\square$

⓰ $8-7=\square$

⓱ $7-6=\square$

⓲ $5-4=\square$

⓳ $9-2=\square$

4 일차

뺄셈(1)

빼지는 수만큼 /를 그려 뺄셈을 해 보세요.

1
$$\begin{array}{r} 7 \\ -\ 4 \\ \hline \square \end{array}$$

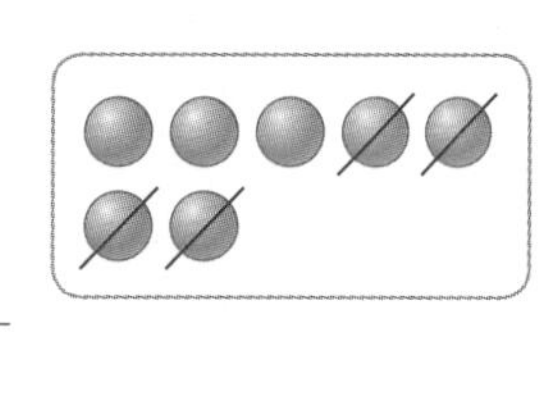

2
$$\begin{array}{r} 5 \\ -\ 2 \\ \hline \square \end{array}$$

3
$$\begin{array}{r} 6 \\ -\ 4 \\ \hline \square \end{array}$$

4
$$\begin{array}{r} 8 \\ -\ 5 \\ \hline \square \end{array}$$

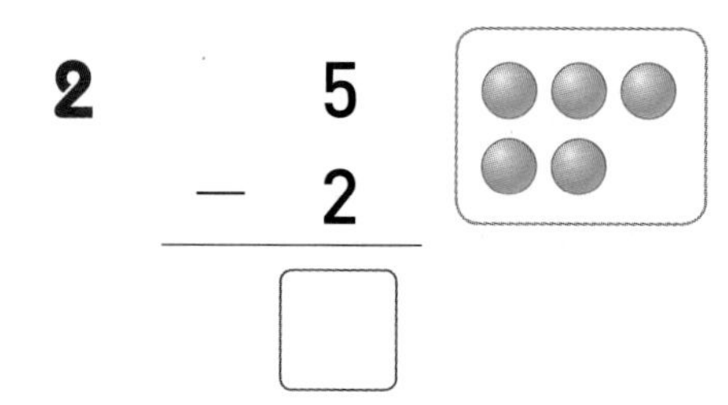

빈 곳에 알맞은 수를 써넣으세요.

5 7

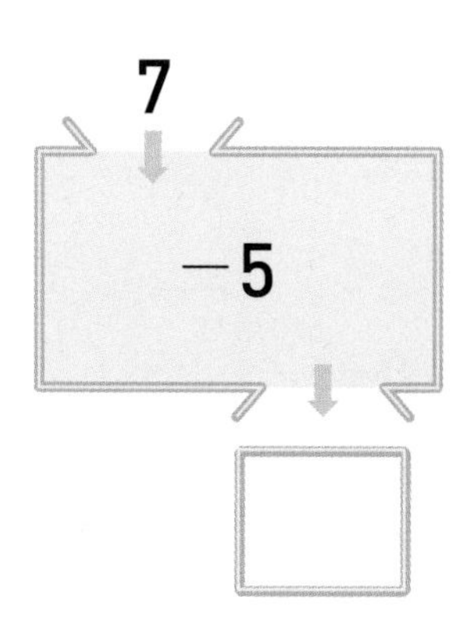

6 6

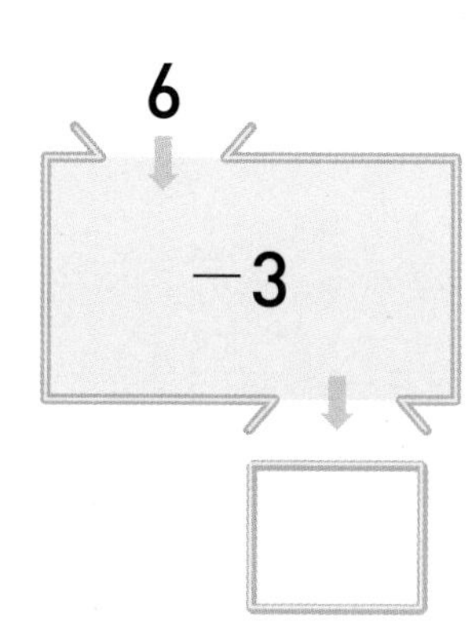

7 5

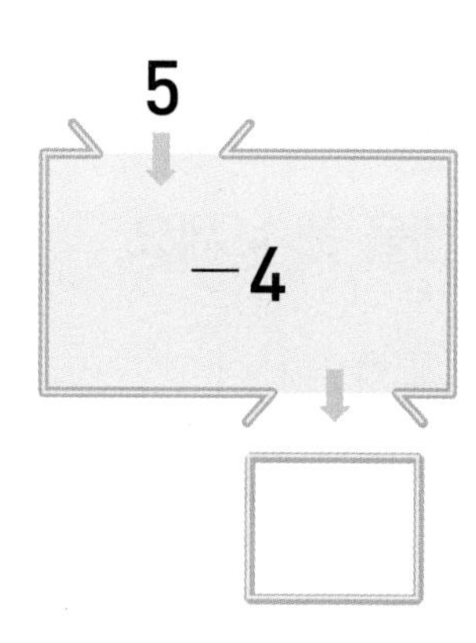

8 8

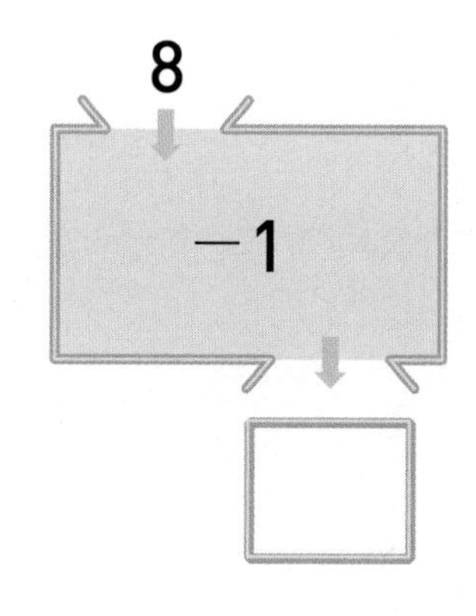

9 9

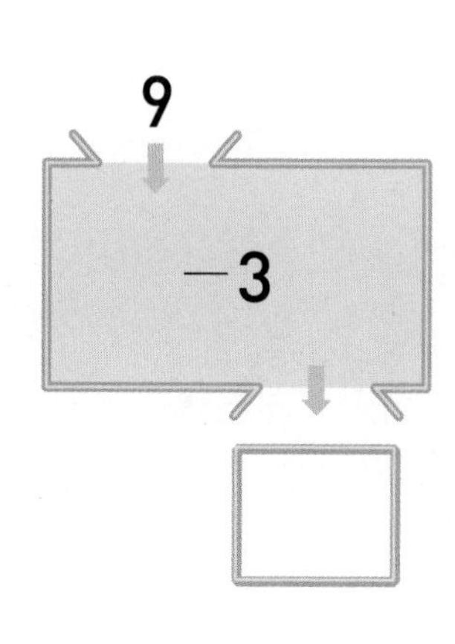

10 7

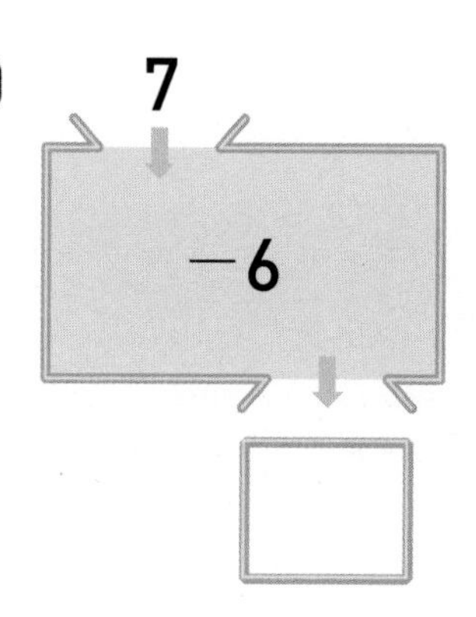

3 뺄셈

제한 시간 8분

플러스 계산 연습

맞은 개수 / 16개

▶ 정답과 해설 12쪽

생활 속 계산

남는 자동차의 수는 몇 대인지 구하세요.

11

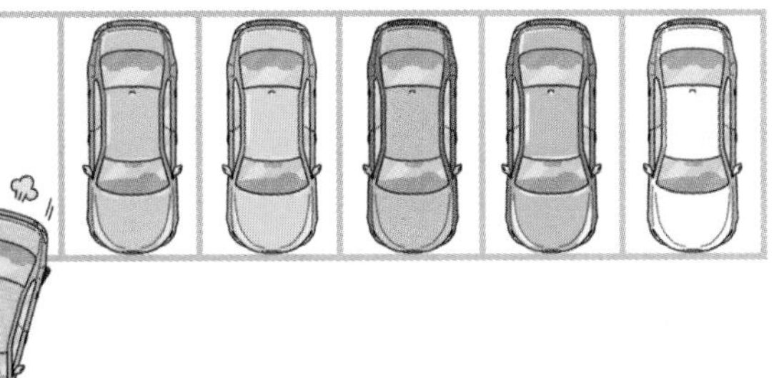

$8-3=$ ☐ (대)

12

$7-3=$ ☐ (대)

문장 읽고 계산식 세우기

13 고구마 5개 중 2개를 먹었다면 남은 고구마는 몇 개?

식 $5-2=$ ☐ (개)

14 감자 7개 중 4개를 먹었다면 남은 감자는 몇 개?

식 $7-$ ☐ $=$ ☐ (개)

15 풍선 4개 중 1개가 날아갔다면 남은 풍선은 몇 개?

식 ☐ $-$ ☐ $=$ ☐ (개)

16 구슬 8개 중 친구에게 6개를 주었다면 남은 구슬은 몇 개?

식 ☐ $-$ ☐ $=$ ☐ (개)

5 일차

뺄셈(2)

이렇게 해결하자

• 가르기를 이용하여 뺄셈하기

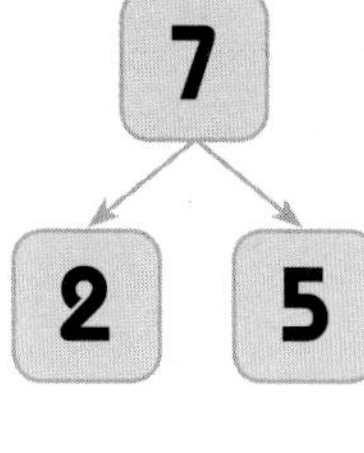

➔ $7-2=5$

7은 2와 5로
가르기 할 수 있으므로
7−2=5예요.

가르기를 하여 뺄셈을 해 보세요.

❶ 4 → 3, □
$4-3=$ □

❷ 6 → 2, □
$6-2=$ □

❸ 9 → 3, □
$9-3=$ □

❹ 7 → 3, □
$7-3=$ □

❺ 8 → 2, □
$8-2=$ □

❻ 6 → 3, □
$6-3=$ □

❼ 9 → 2, □
$9-2=$ □

❽ 7 → 6, □
$7-6=$ □

❾ 8 → 6, □

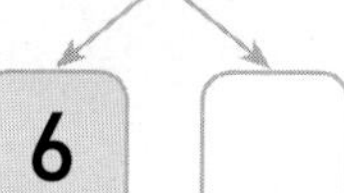

$8-6=$ □

기초 계산 연습

맞은 개수 / 24개

▶ 정답과 해설 12쪽

⑩ 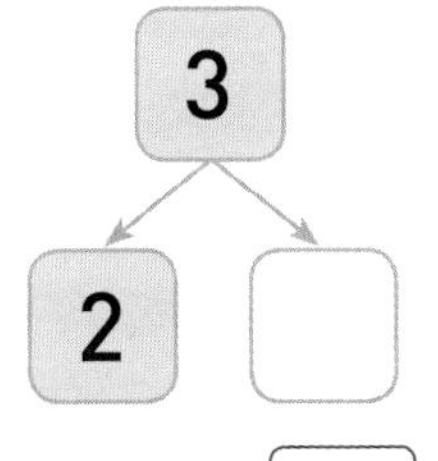

$3-2=$ □

⑪ 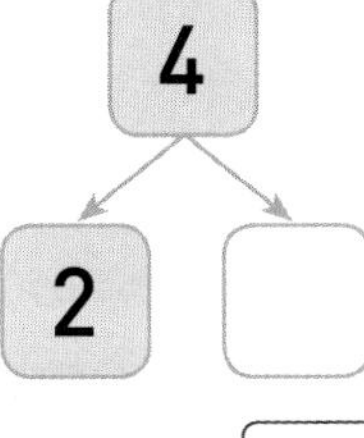

$4-2=$ □

⑫ 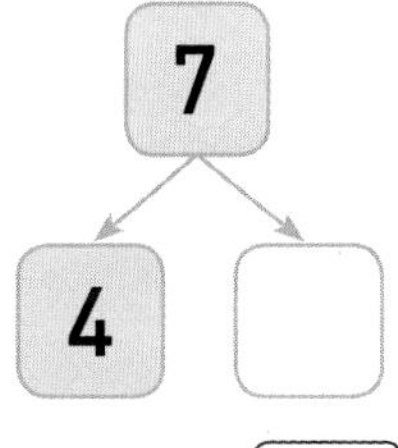

$7-4=$ □

⑬ 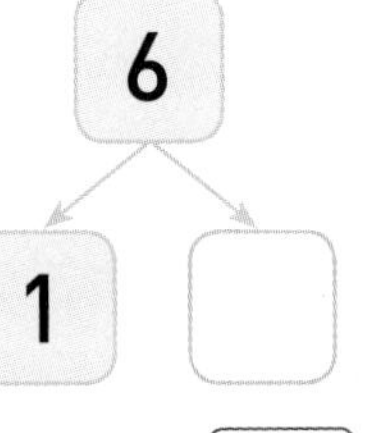

$6-1=$ □

⑭ 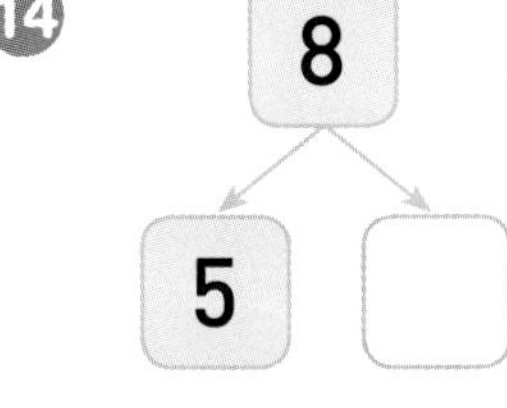

$8-5=$ □

⑮ 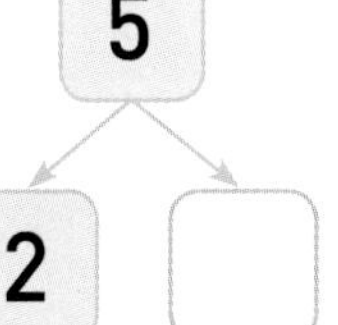

$5-2=$ □

빼셈을 해 보세요.

⑯ $5-1=$ □

⑰ $6-5=$ □

⑱ $9-6=$ □

⑲ $7-2=$ □

⑳ $8-4=$ □

㉑ $5-3=$ □

㉒ $9-4=$ □

㉓ $4-1=$ □

㉔ $7-5=$ □

5 일차

뺄셈(2)

가르기를 하여 뺄셈을 해 보세요.

1

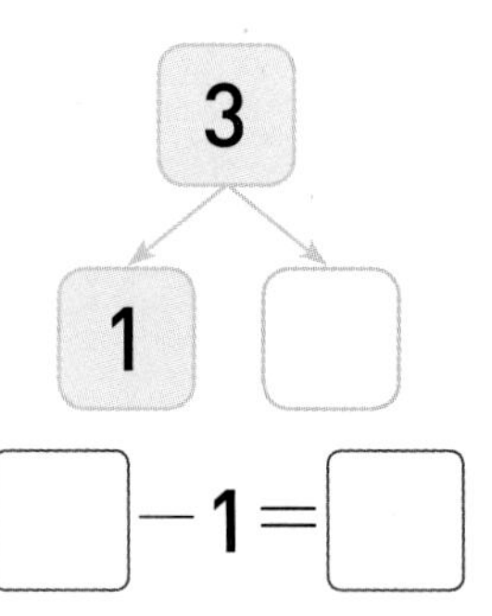

$\square - 1 = \square$

2

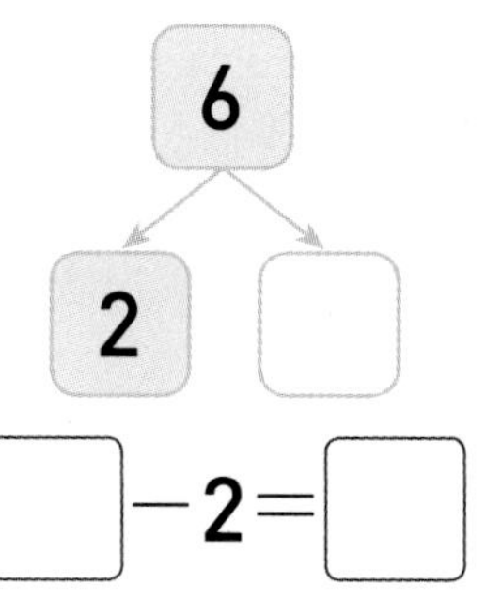

$\square - 2 = \square$

3

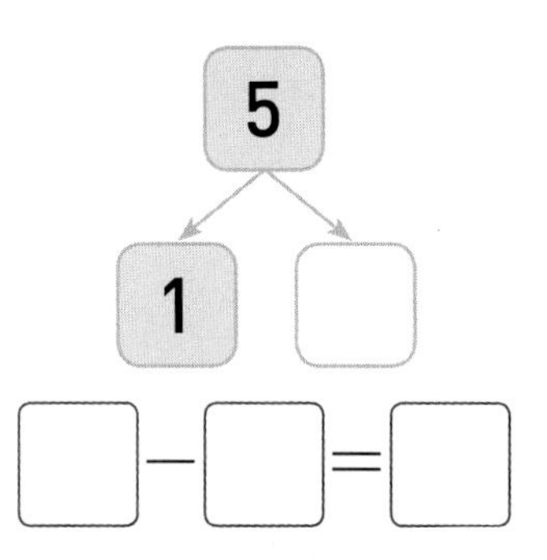

4

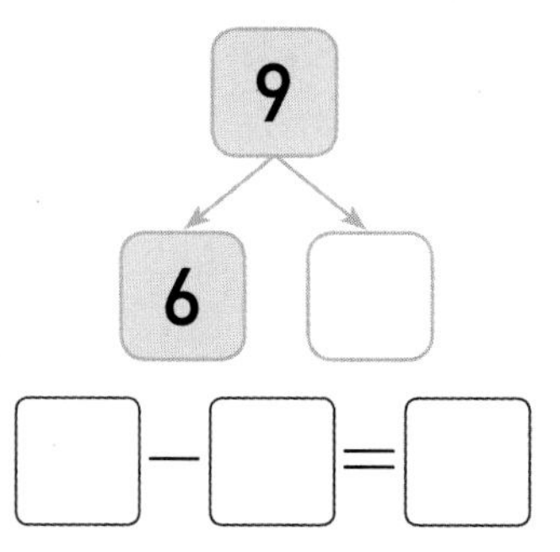

빈 곳에 알맞은 수를 써넣으세요.

5

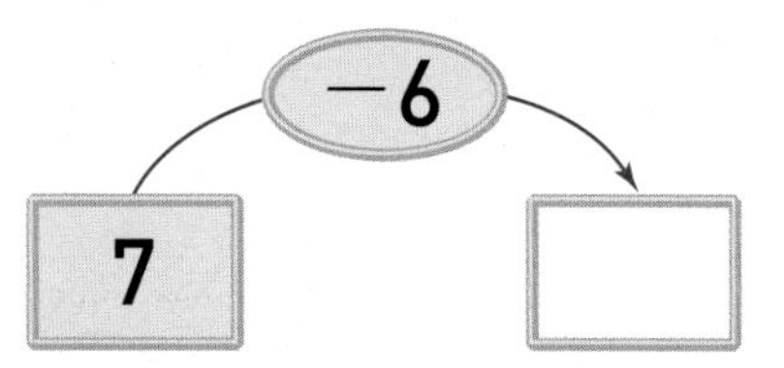

6

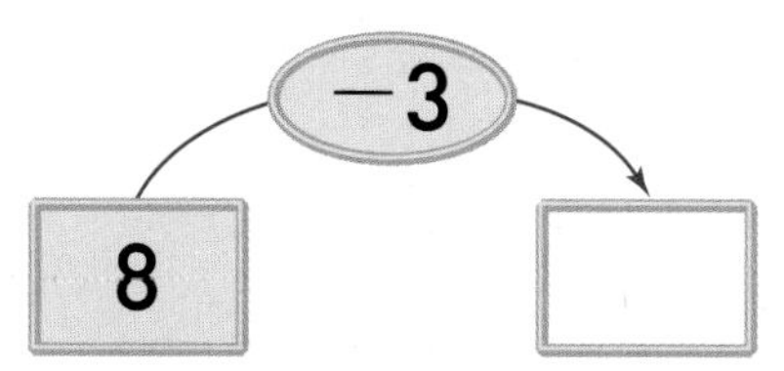

7

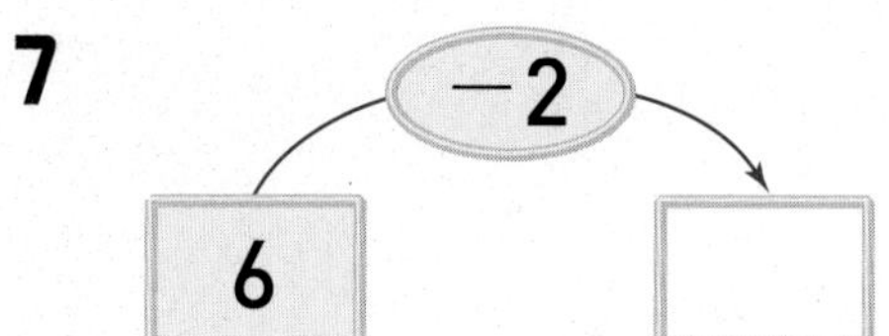

8

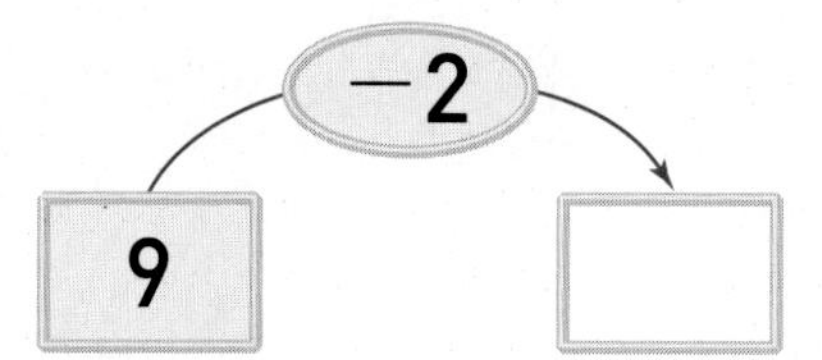

플러스 계산 연습

▶ 정답과 해설 12쪽

생활 속 계산

 두 물건의 개수의 차를 구하세요.

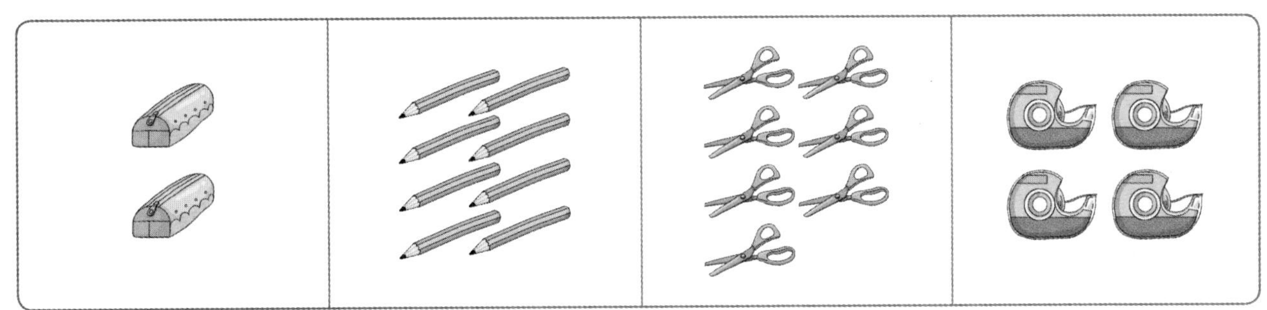

9 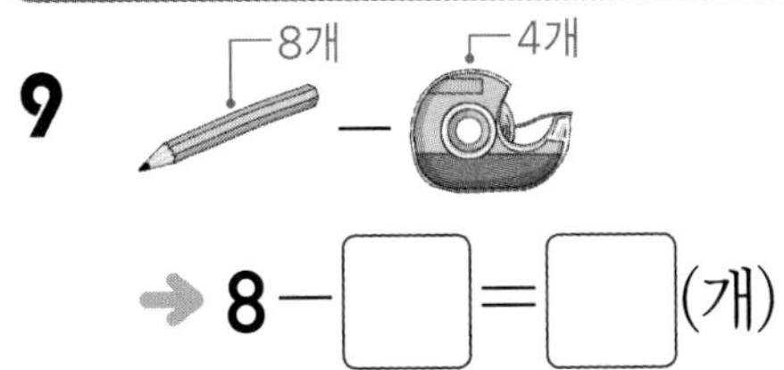

➜ 8 − □ = □(개)

10 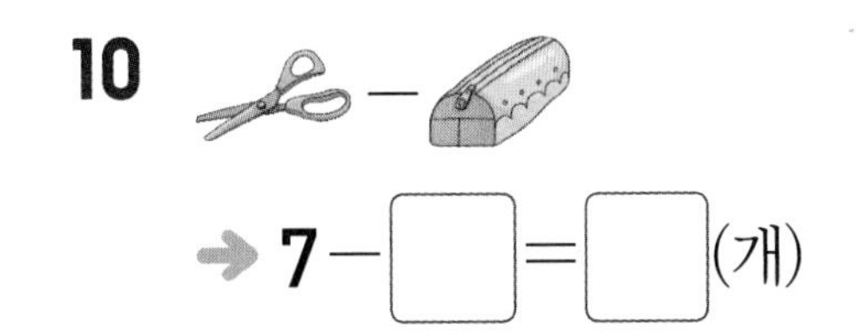

➜ 7 − □ = □(개)

11 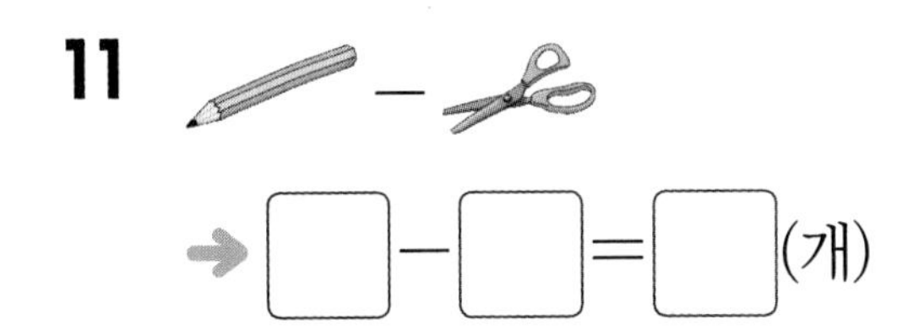

➜ □ − □ = □(개)

12 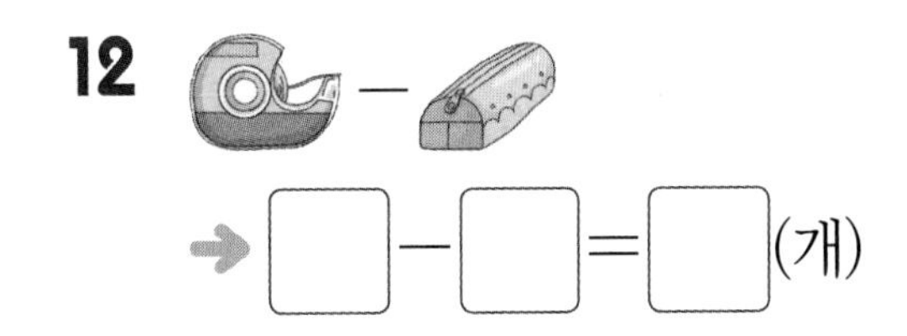

➜ □ − □ = □(개)

문장 읽고 계산식 세우기

13 구슬 7개 중 친구에게 5개를 주었다면 남은 구슬은 몇 개?

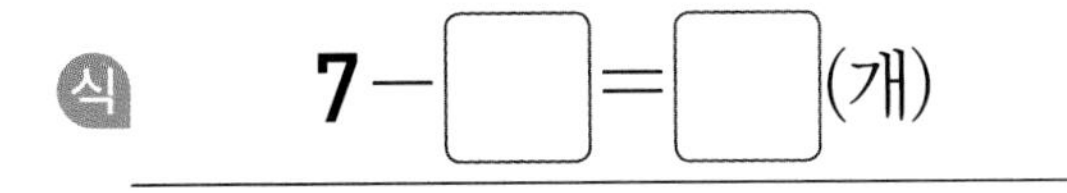

식 7 − □ = □(개)

14 햄버거 4개 중 친구에게 1개를 주었다면 남은 햄버거는 몇 개?

식 4 − □ = □(개)

15 우유 3컵 중 1컵을 마셨다면 남은 우유는 몇 컵?

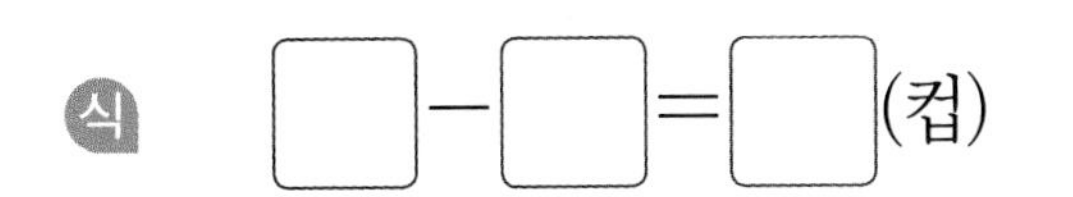

식 □ − □ = □(컵)

16 핫도그 6개 중 3개를 먹었다면 남은 핫도그는 몇 개?

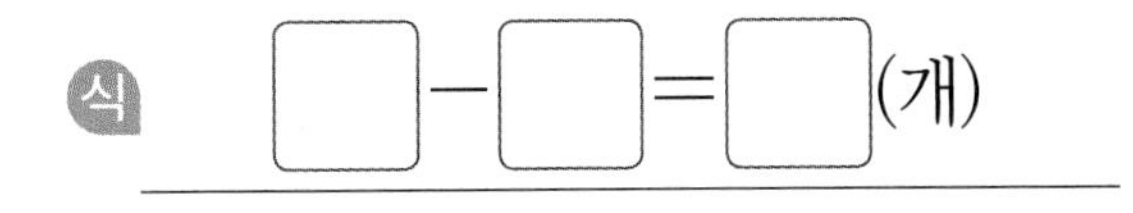

식 □ − □ = □(개)

3 뺄셈

6 일차

0 빼기

이렇게 해결하자

$2-0=2$ $4-4=0$

어떤 수에서 0을 빼면 어떤 수가 되고,
어떤 수에서 그 수 전체를 빼면 0이 돼요.

그림을 보고 뺄셈을 해 보세요.

❶

$4-0=\square$

❷

$2-2=\square$

❸

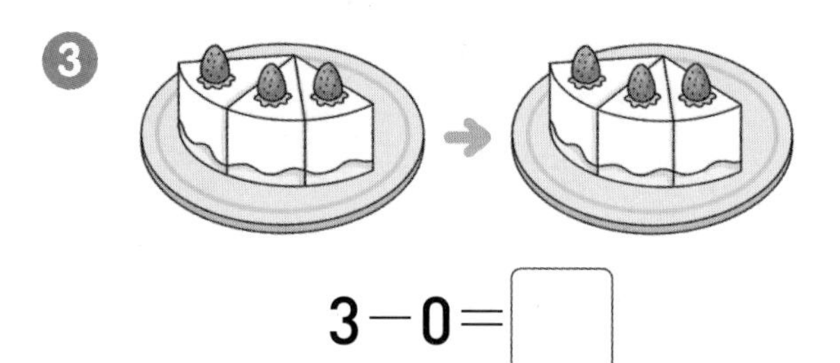

$3-0=\square$

❹

$6-6=\square$

❺

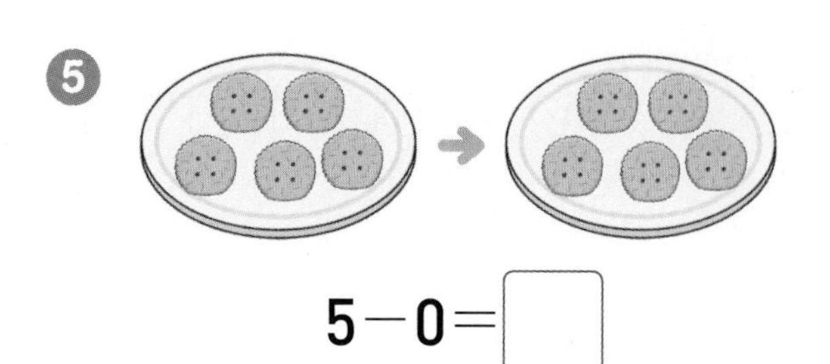

$5-0=\square$

❻

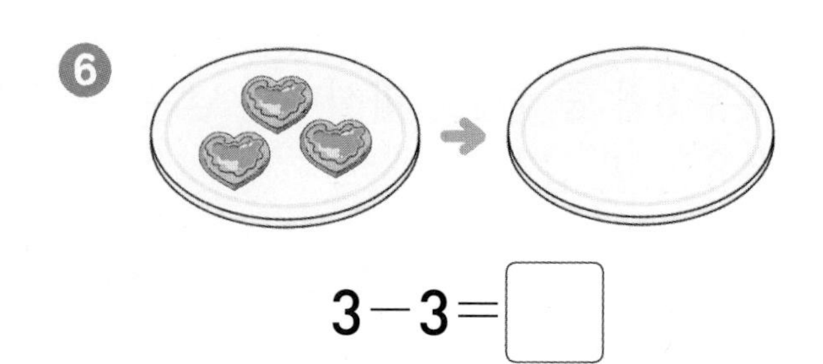

$3-3=\square$

기초 계산 연습

맞은 개수 / 18개

▶ 정답과 해설 12쪽

펼친 손가락의 수만큼 빼는 뺄셈을 해 보세요.

❼ 1 −

1 − 0 = □

❽ 5 −

5 − 5 = □

❾ 5 −

5 − □ = □

❿ 6 −

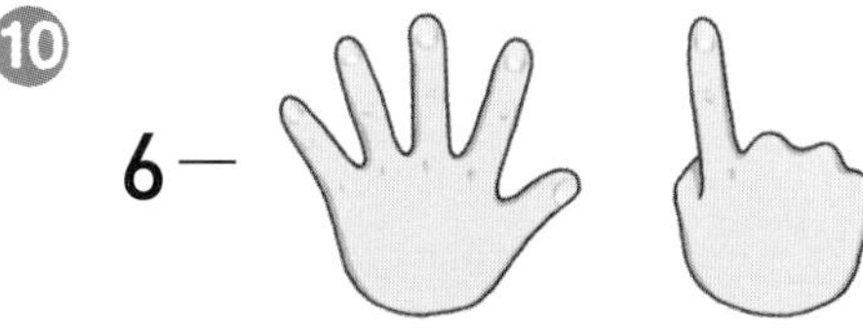

6 − □ = □

⓫ 7 −

7 − □ = □

⓬ 2 −

2 − □ = □

뺄셈을 해 보세요.

⓭ 6 − 0 = □

⓮ 5 − 5 = □

⓯ 4 − 0 = □

⓰ 8 − 8 = □

⓱ 2 − 0 = □

⓲ 9 − 0 = □

0 빼기

동전의 수를 뺄셈으로 구하세요.

1

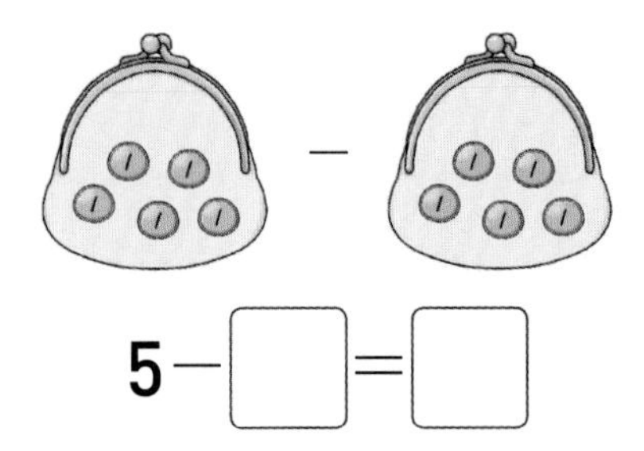

5 − □ = □

2

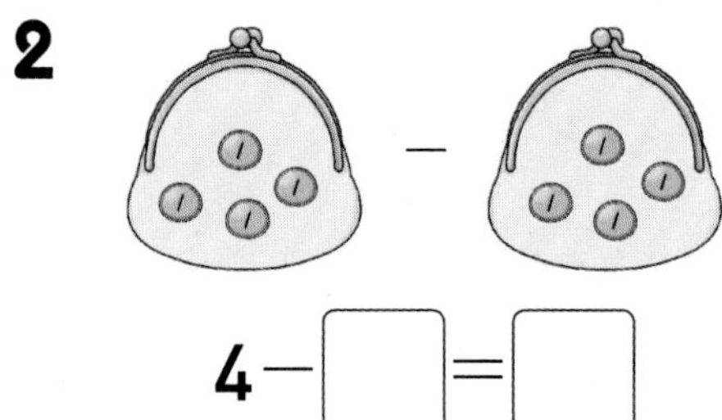

4 − □ = □

3

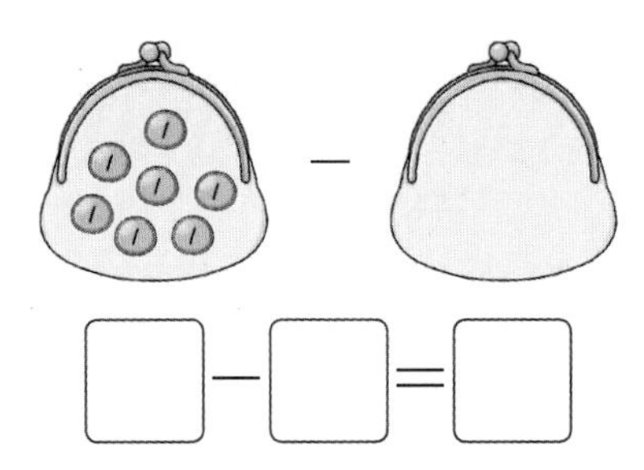

□ − □ = □

4

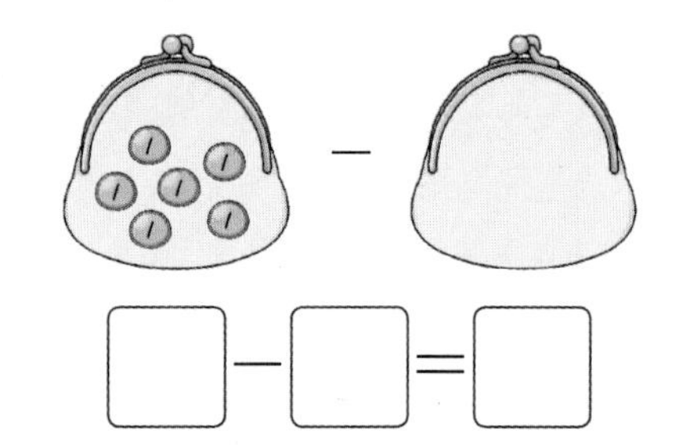

□ − □ = □

빈 곳에 알맞은 수를 써넣으세요.

5

6

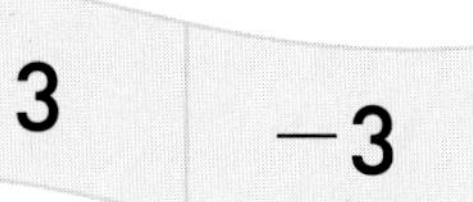

7

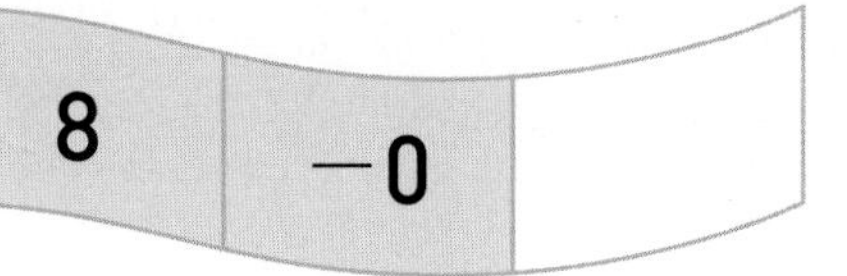

8

플러스 계산 연습

맞은 개수 / 14개

▶ 정답과 해설 13쪽

생활 속 계산

두 채소의 개수의 차를 구하세요.

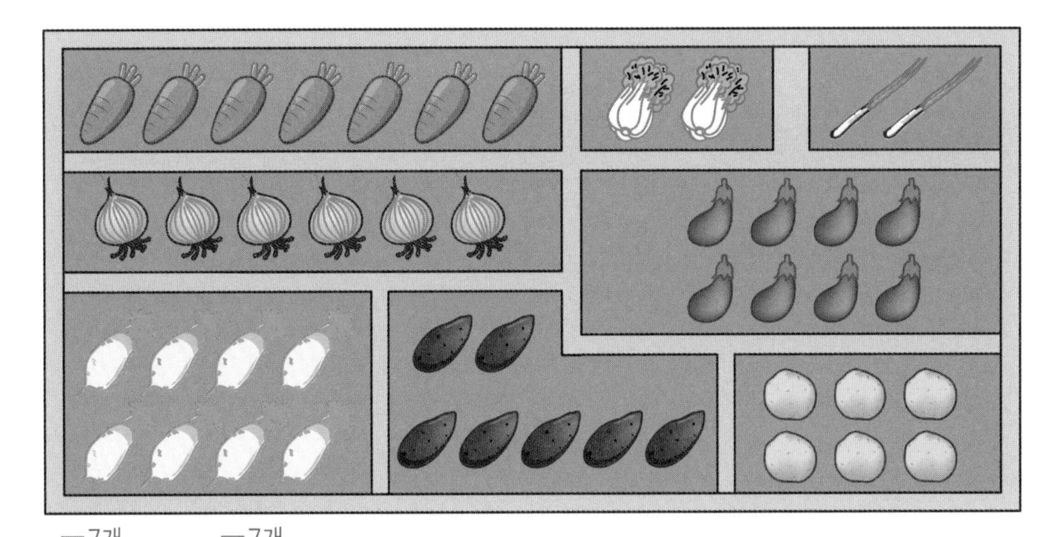

9

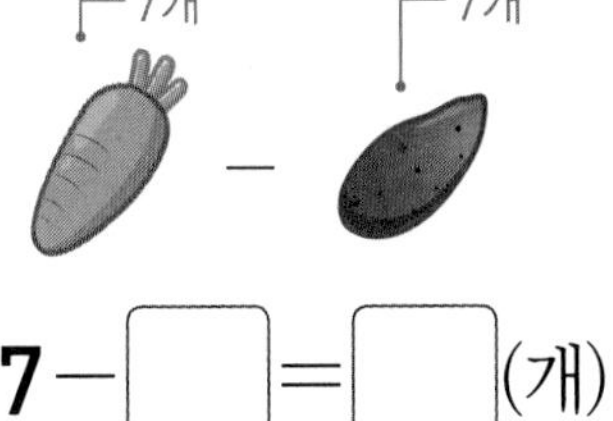

➔ 7 − ☐ = ☐ (개)

10

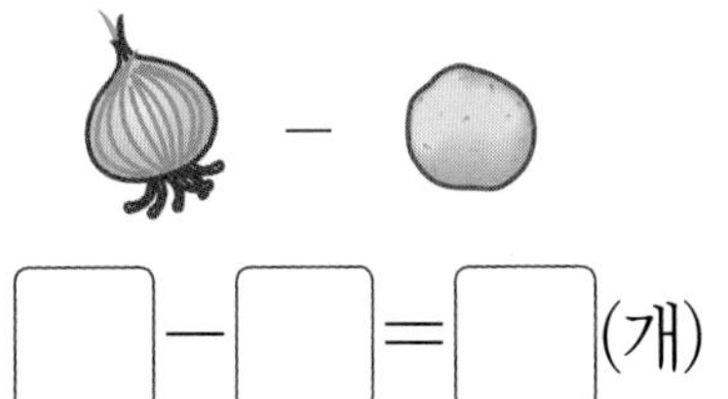

➔ ☐ − ☐ = ☐ (개)

11

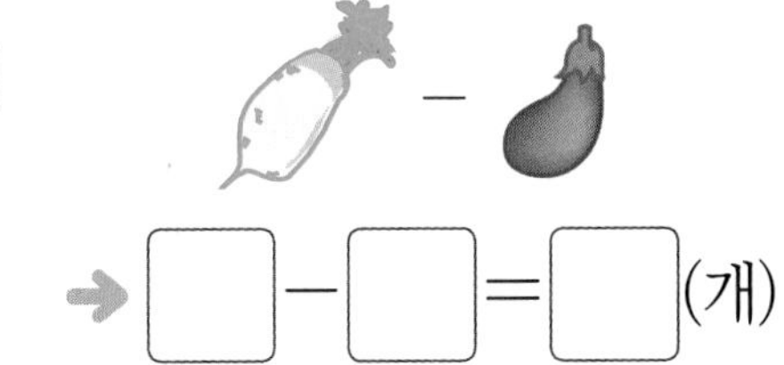

➔ ☐ − ☐ = ☐ (개)

12

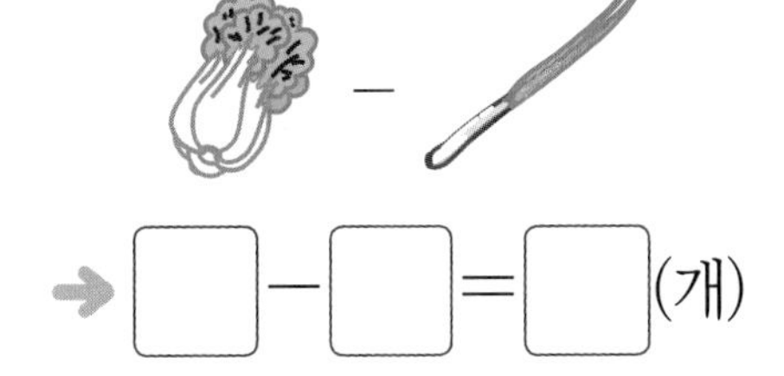

➔ ☐ − ☐ = ☐ (개)

문장 읽고 계산식 세우기

13 옥수수 4개 중 하나도 먹지 않았다면 남은 옥수수는 몇 개?

식 4 − ☐ = ☐ (개)

14 참외 3개 중 3개를 먹었다면 남은 참외는 몇 개?

식 ☐ − ☐ = ☐ (개)

7 일차

빼셈식에서 □ 구하기

이렇게 해결하자

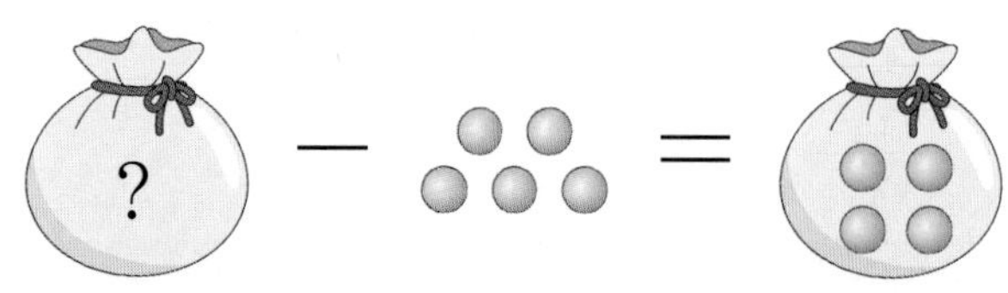

9 − 5 = 4

처음 구슬의 수 / 빼낸 구슬의 수 / 남은 구슬의 수

어떤 수에서 5를 빼면 4가 되는지 생각해 봐요.

처음 구슬의 수를 구하세요.

❶

□ − 4 = 3

❷

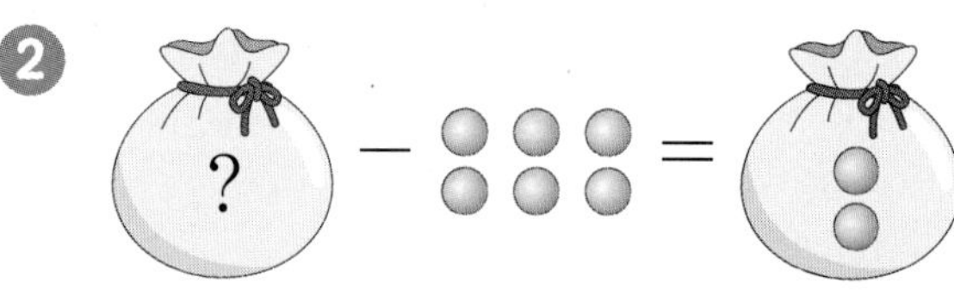

□ − 6 = 2

❸

□ − 2 = 5

❹

□ − 3 = 6

❺

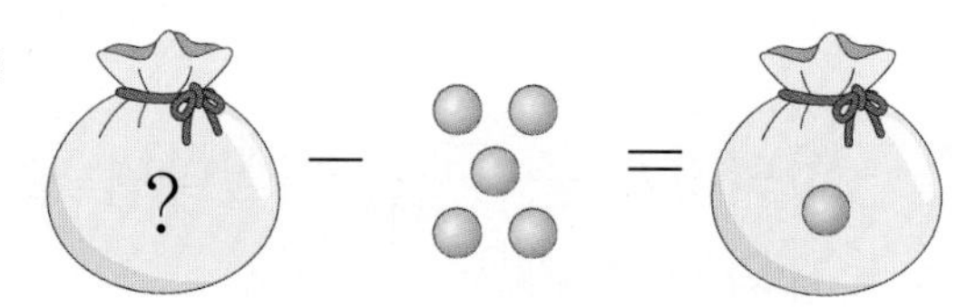

□ − 5 = 1

❻

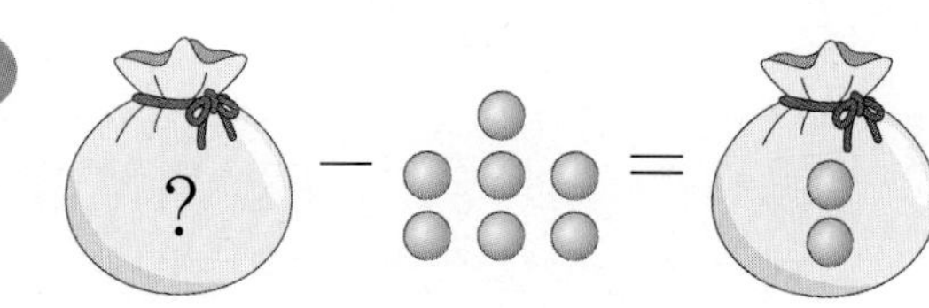

□ − 7 = 2

기초 계산 연습

맞은 개수 / 14개

▶ 정답과 해설 13쪽

깨진 달걀의 수를 구하세요.

❼ − ? =

$8-\square=5$

❽ − ? =

$7-\square=5$

❾ − ? =

$2-\square=1$

❿ − ? =

$9-\square=2$

⓫ − ? =

$3-\square=3$

⓬ − ? =

$6-\square=1$

⓭ − ? =

$5-\square=4$

⓮ − ? =

$5-\square=0$

7 일차

빼셈식에서 □ 구하기

□ 안에 알맞은 수를 써넣으세요.

1 □$-3=5$

2 $6-$□$=2$

3 □$-6=1$

4 $9-$□$=0$

5 □$-3=4$

6 $2-$□$=2$

7
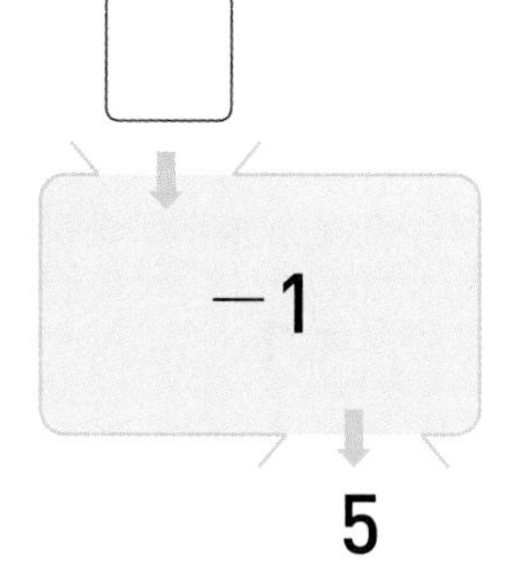

8
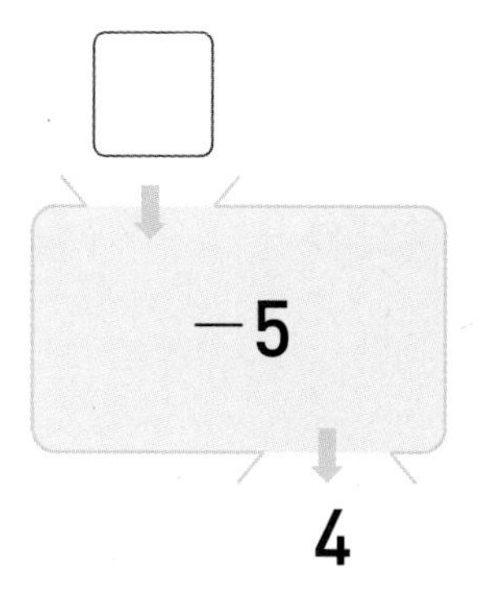

9
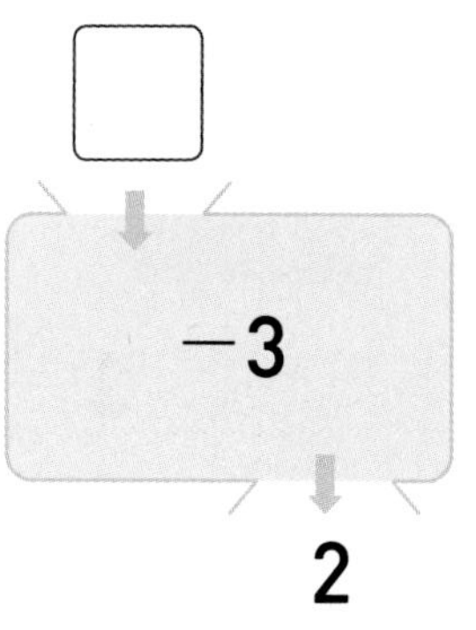

10
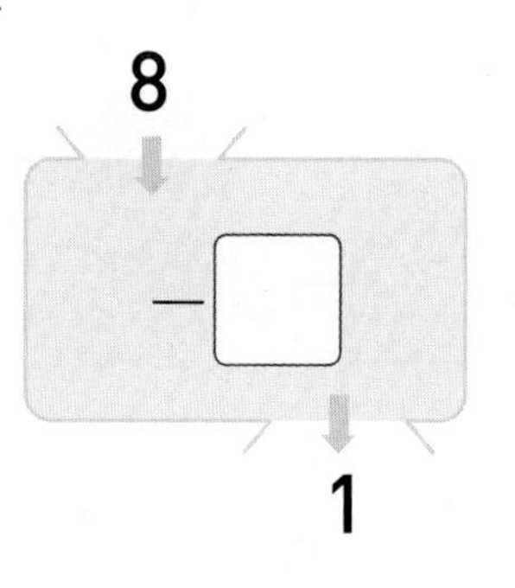

11
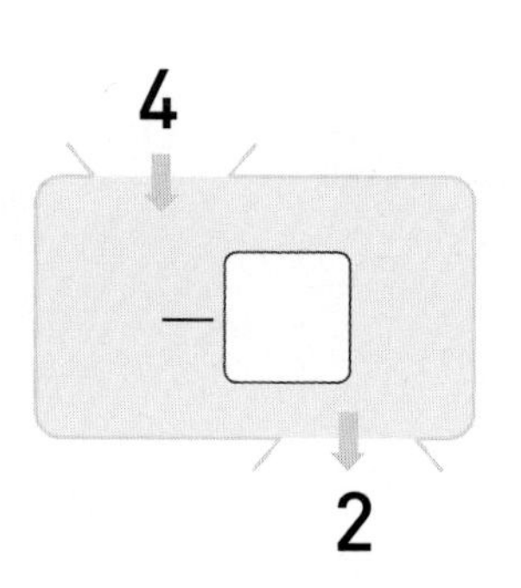

12
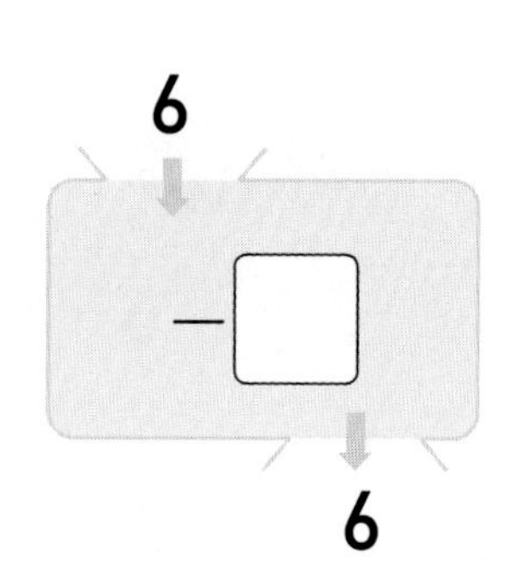

제한 시간 10분

플러스 계산 연습

맞은 개수 / 18개

▶ 정답과 해설 13쪽

생활 속 계산

친구들이 먹은 초콜릿의 수를 구하세요.

13

$8-\square=5$

먹은 초콜릿 수

14

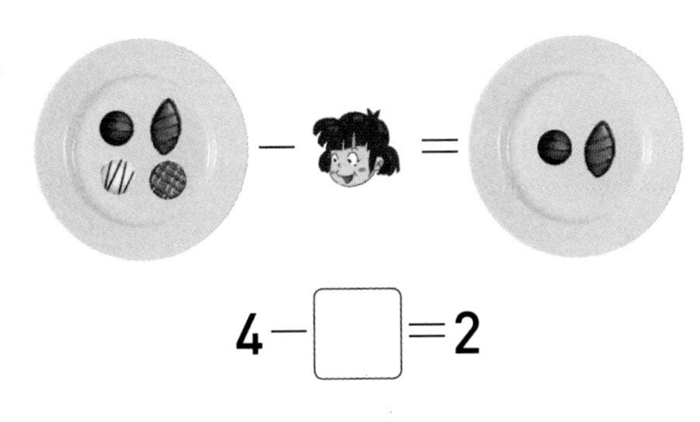

$4-\square=2$

15

$3-\square=0$

16

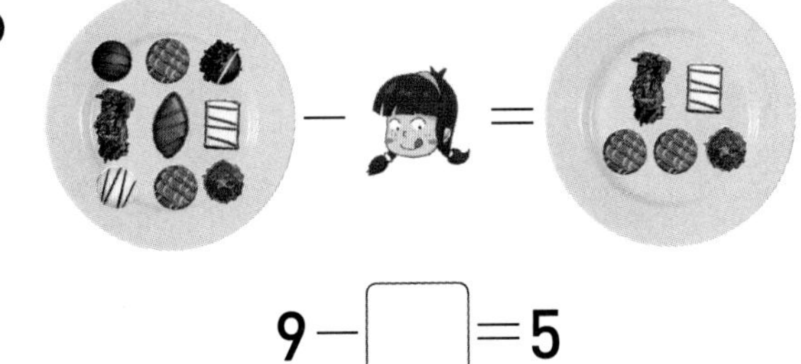

$9-\square=5$

문장 읽고 계산식 세우기

문장을 읽고 ▲를 사용하여 식을 완성하고 답을 구하세요.

17 키위 9개 중 ▲개를 먹었더니 2개가 남았다면 먹은 키위는 몇 개?

식 9−▲=2

답 ▲=$\square$

18 도넛 ▲개 중 2개를 먹어서 3개가 남았다면 처음에 있던 도넛은 몇 개?

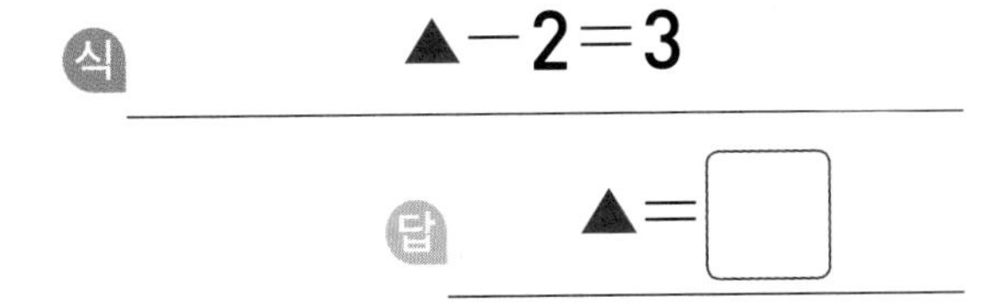

식 ▲−2=3

답 ▲=$\square$

8 일차

세 수의 뺄셈

이렇게 해결하자

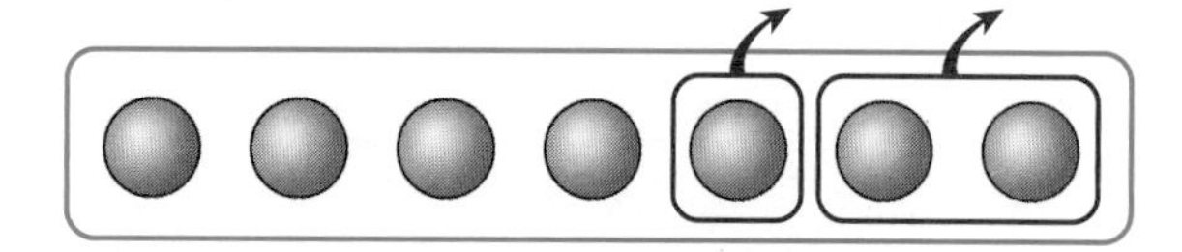

$7-2-1=4$

5

4

덜어 내고 덜어 냈으므로 빼고 빼면 돼요.

남은 구슬의 수를 구하세요.

❶

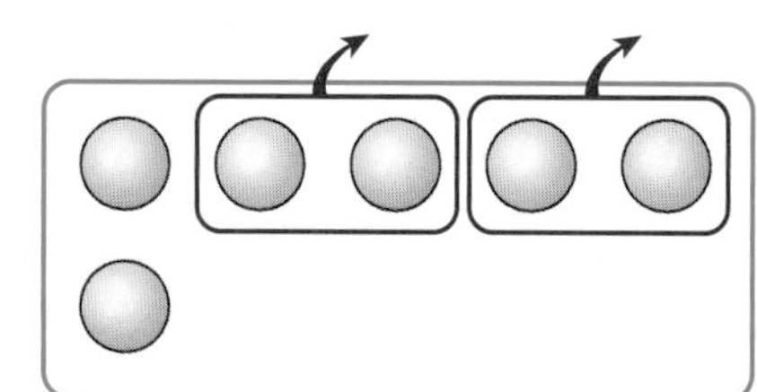

$6-2-2=\square$

❷

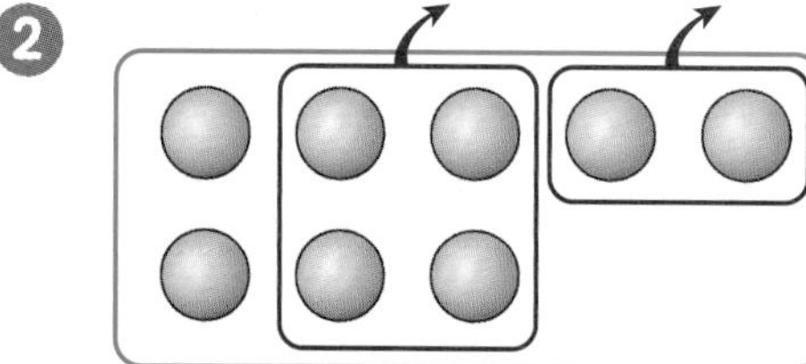

$8-2-4=\square$

❸

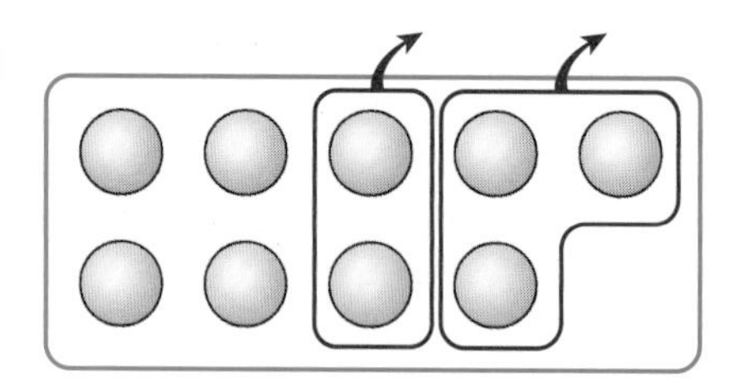

$9-3-2=\square$

❹

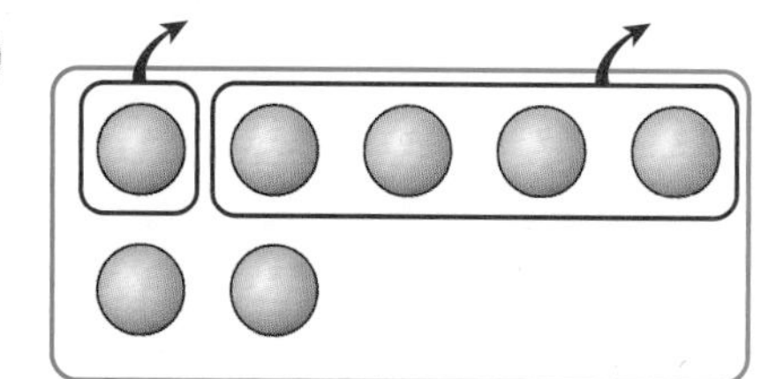

$7-4-1=\square$

❺

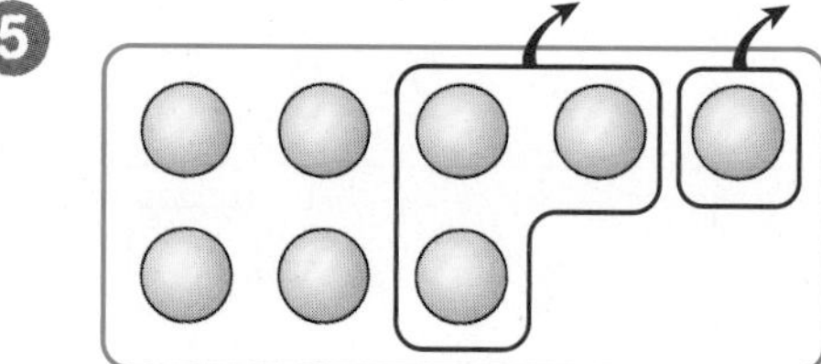

$8-1-3=\square$

❻

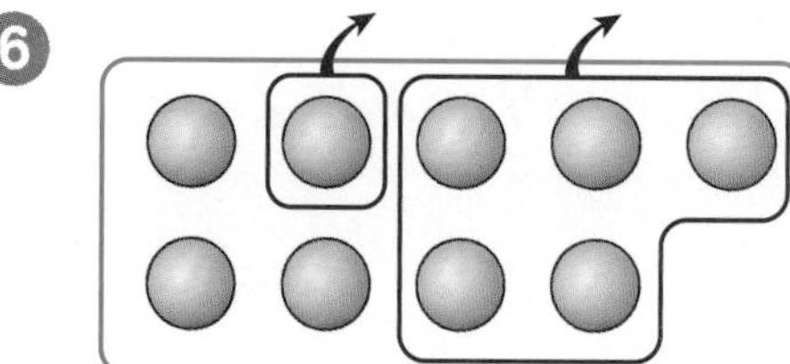

$9-5-1=\square$

제한 시간 7분

기초 계산 연습

맞은 개수 / 18개

▶ 정답과 해설 13쪽

계산해 보세요.

⑦ $9-2-4=\square$

$9-2=\square$

$\square-4=\square$

⑧ $8-3-2=\square$

$8-3=\square$

$\square-2=\square$

⑨ $4-1-1=\square$

$4-1=\square$

$\square-1=\square$

⑩ $7-1-3=\square$

$7-1=\square$

$\square-3=\square$

⑪ $6-3-1=\square$

⑫ $5-2-3=\square$

⑬ $7-2-2=\square$

⑭ $8-1-3=\square$

⑮ $9-3-2=\square$

⑯ $6-2-1=\square$

⑰ $4-1-2=\square$

⑱ $8-3-3=\square$

8 일차

세 수의 뺄셈

세 수의 뺄셈을 하여 알맞은 답에 색칠하세요.

1 $7-4-1$

5　2

2 $6-1-2$

4　3

3 $8-3-5$

0　1

4 $8-2-4$

2　4

빈 곳에 알맞은 수를 써넣으세요.

5

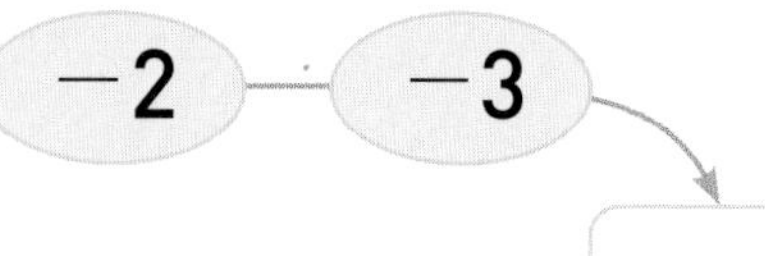

6

7

7

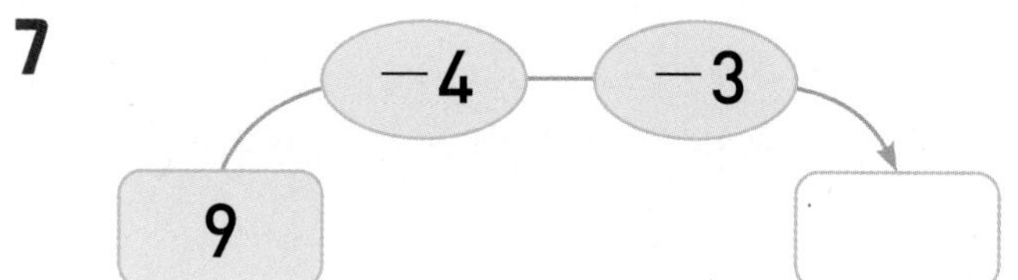

8

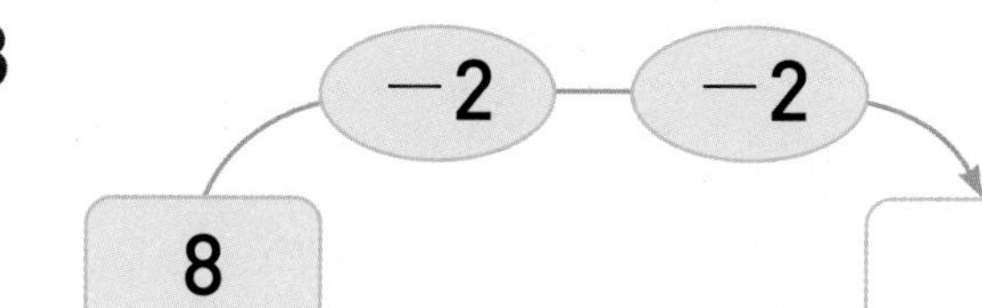

플러스 계산 연습

맞은 개수 / 14개

▶ 정답과 해설 14쪽

생활 속 계산

상자에 남은 물건은 몇 개인지 구하세요.

9

가위 6개가 들어 있어요.

2개를 꺼낸 후 2개를 더 꺼냈습니다.

$6-2-2=\square$(개)

10

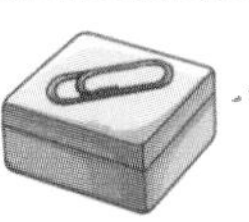

클립 9개가 들어 있어요.

5개를 꺼낸 후 3개를 더 꺼냈습니다.

$9-5-3=\square$(개)

11

연필 8자루가 들어 있어요.

4자루를 꺼낸 후 3자루를 더 꺼냈습니다.

$8-4-\square=\square$(개)

12

풀 7개가 들어 있어요.

1개를 꺼낸 후 2개를 더 꺼냈습니다.

$7-1-\square=\square$(개)

문장 읽고 계산식 세우기

13

사과 8개가 있습니다. 아침에 2개를 먹고, 저녁에 4개를 먹었습니다. 남은 사과 수는?

식 $8-2-\square=\square$(개)

14

모자 7개가 있습니다. 동생에게 3개, 형에게 3개를 주었습니다. 남은 모자 수는?

식 $7-3-\square=\square$(개)

SPEED 연산력 TEST

가르기를 해 보세요.

❶
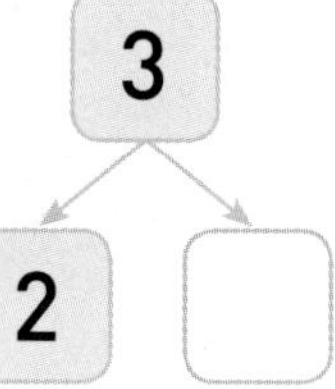

❷
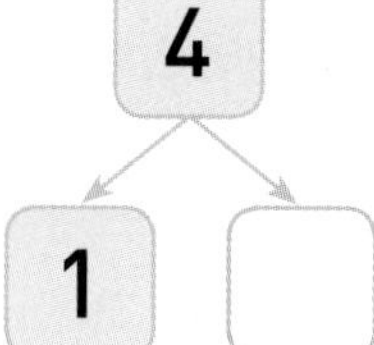

❸
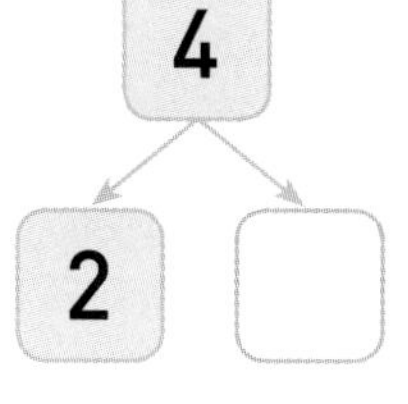

❹
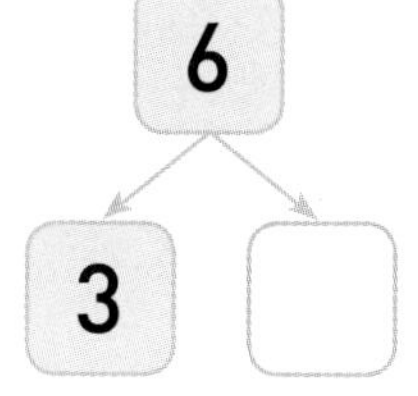

❺
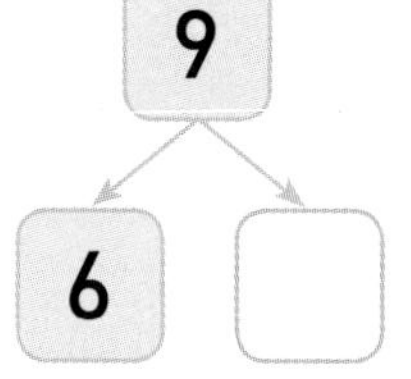

❻
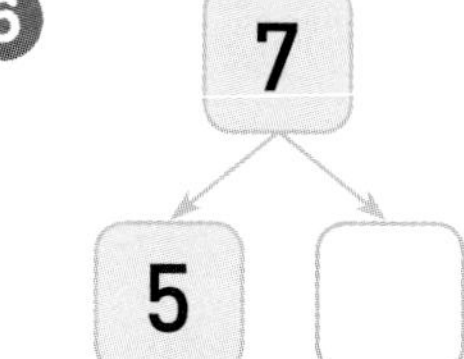

❼
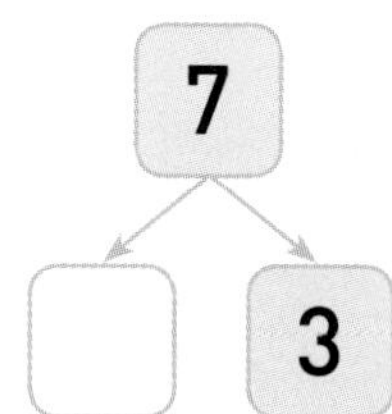

❽
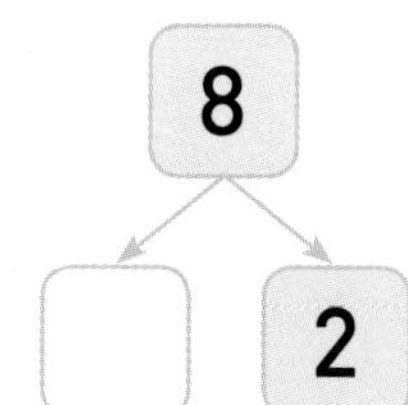

❾
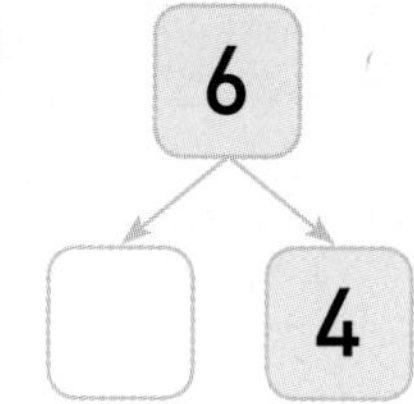

❿
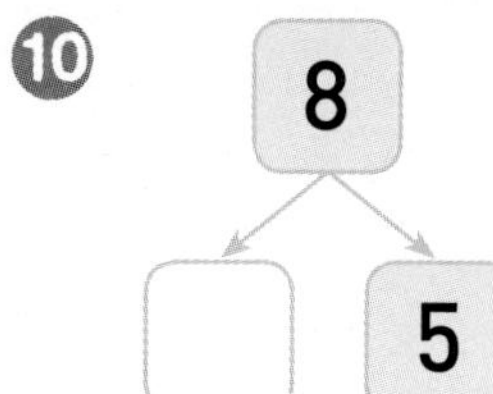

▶ 정답과 해설 14쪽

빈 곳에 알맞은 수를 써넣으세요.

⑪
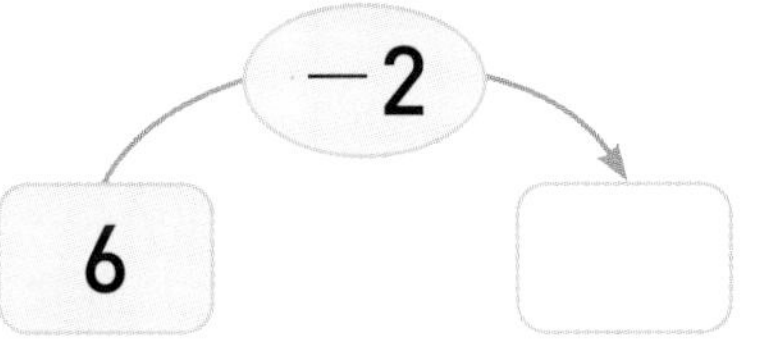

⑫
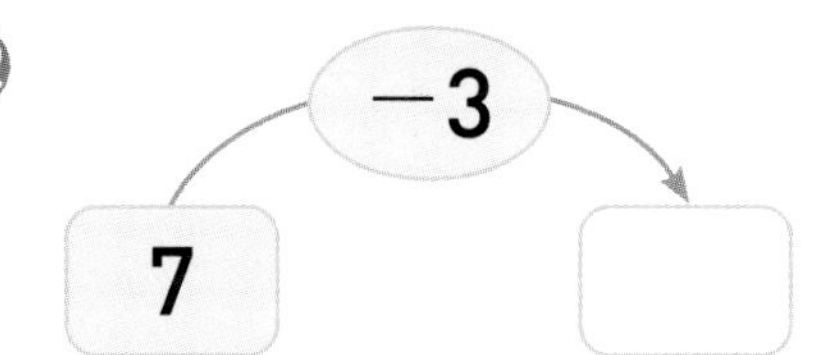

⑬
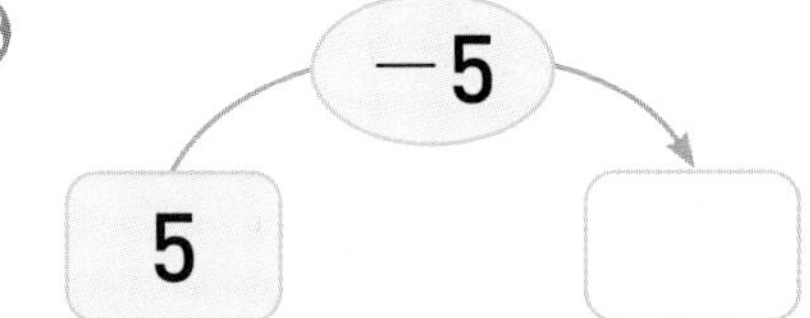

⑭
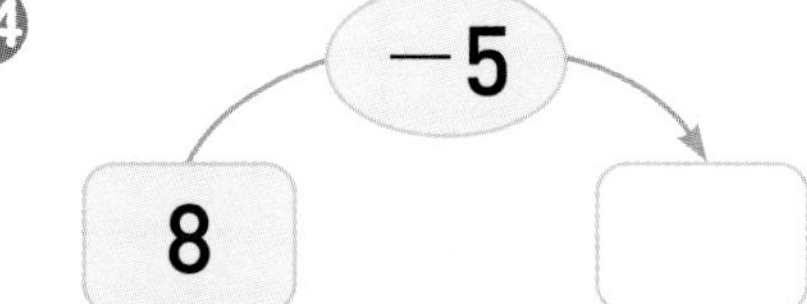

⑮
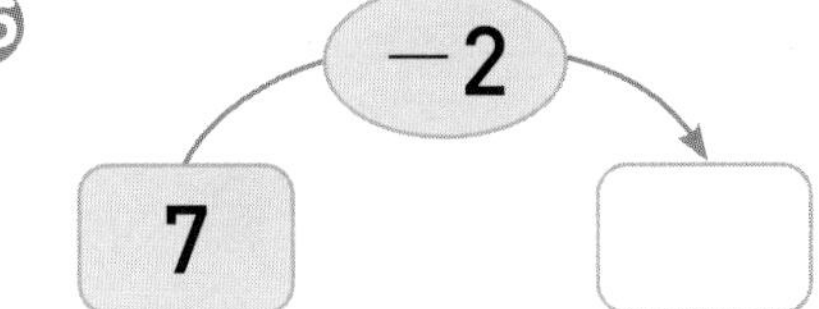

⑯
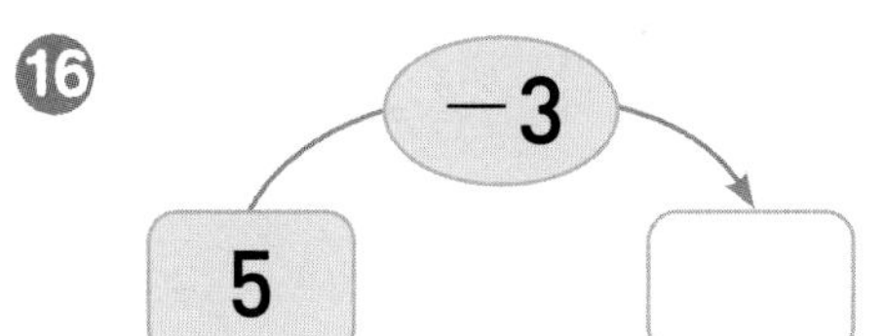

⑰
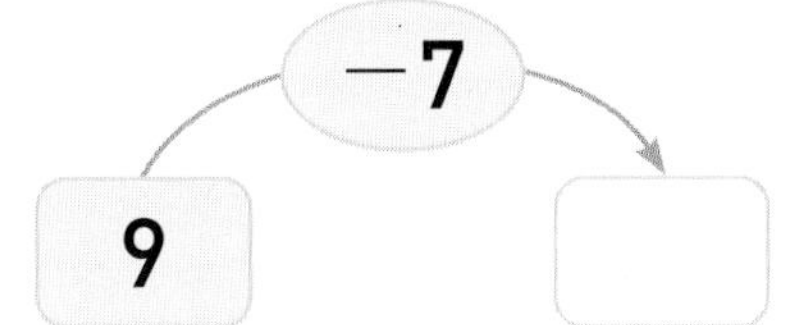

⑱
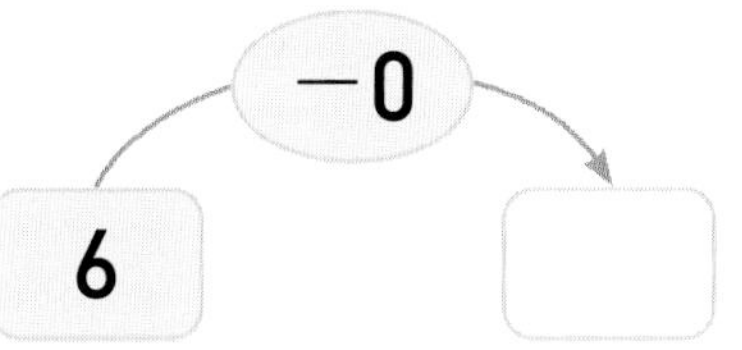

⑲
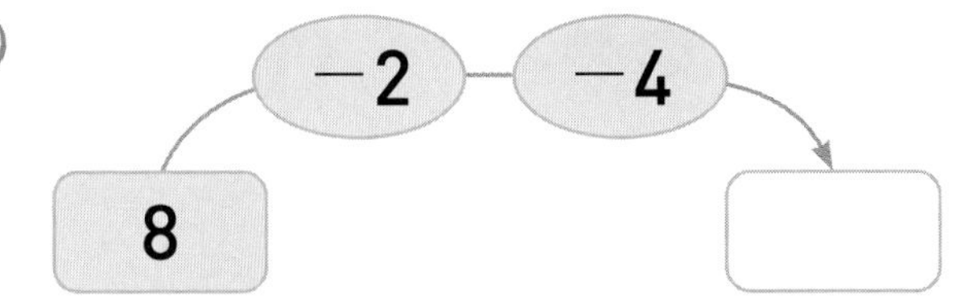

⑳
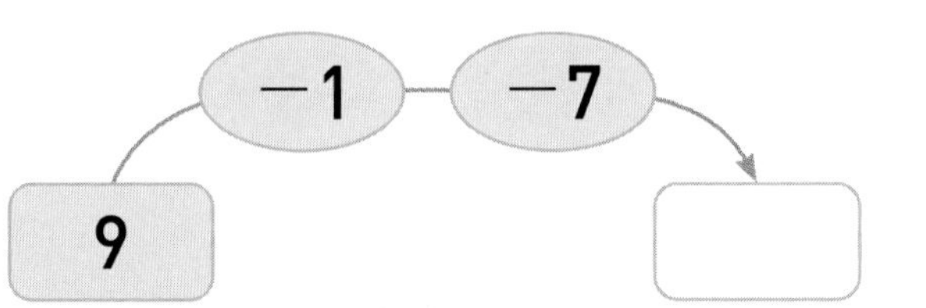

제한 시간 안에 정확하게
모두 풀었다면 여러분은 진정한 **계산왕!**

특강

문장제 문제 도전하기

1 $5-2=\square$ → 사과가 5개, 수박이 2개 있습니다. 사과는 수박보다 몇 개 더 많을까요?

이 뺄셈식이 실생활에서 어떤 상황에 이용될까요?

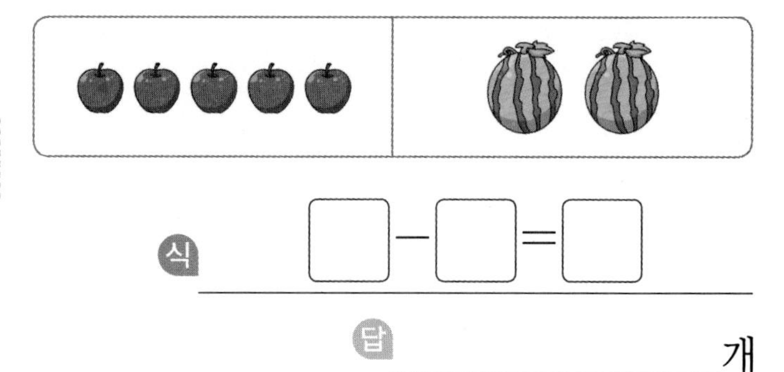

식 $\square-\square=\square$

답 ________ 개

2 $3-1=\square$ → 돼지가 3마리, 늑대가 1마리 있습니다. 돼지는 늑대보다 몇 마리 더 많을까요?

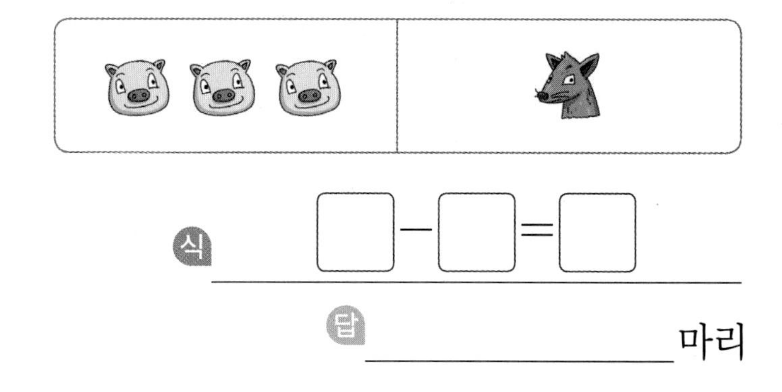

식 $\square-\square=\square$

답 ________ 마리

3 $6-3=\square$ → 토끼 인형이 6개, 펭귄 인형이 3개 있습니다. 토끼 인형은 펭귄 인형보다 몇 개 더 많을까요?

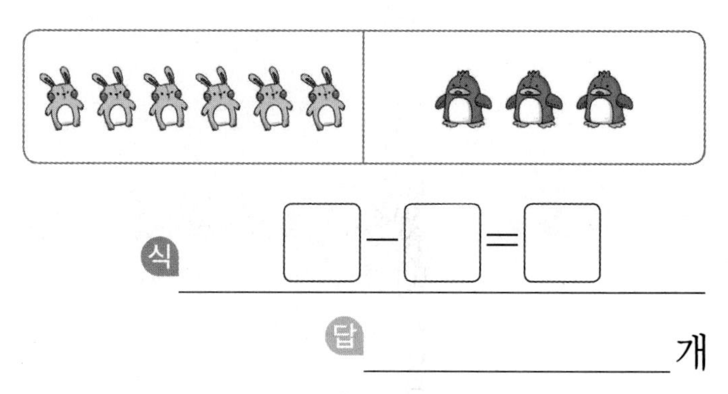

식 $\square-\square=\square$

답 ________ 개

▶ 정답과 해설 14쪽

문장을 읽고 알맞은 뺄셈식을 세워 답을 구해 보자!

4 오늘 하루 축구공( ) **4**개와 농구공( ) **1**개를 팔았습니다.
오늘 하루 축구공은 농구공보다 몇 개 더 많이 팔았을까요?

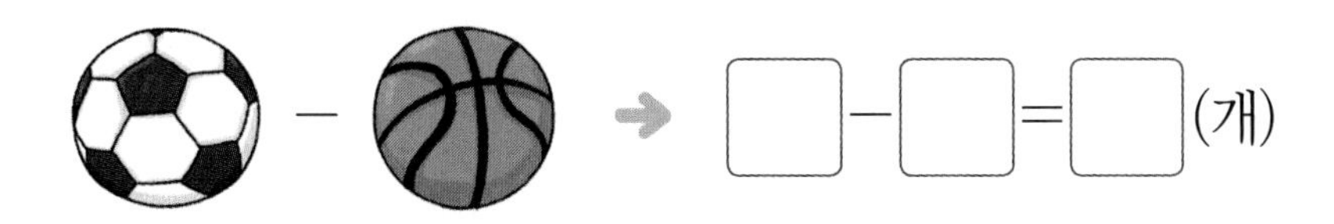

5 주차장에 트럭 ( ) **9**대와 버스( ) **6**대가 주차되어 있습니다.
주차되어 있는 트럭은 버스보다 몇 대 더 많을까요?

− ➔ □−□=□(대)

6 꽃밭에 잠자리 ( )가 **6**마리, 나비( )가 **2**마리 있습니다.
잠자리는 나비보다 몇 마리 더 많을까요?

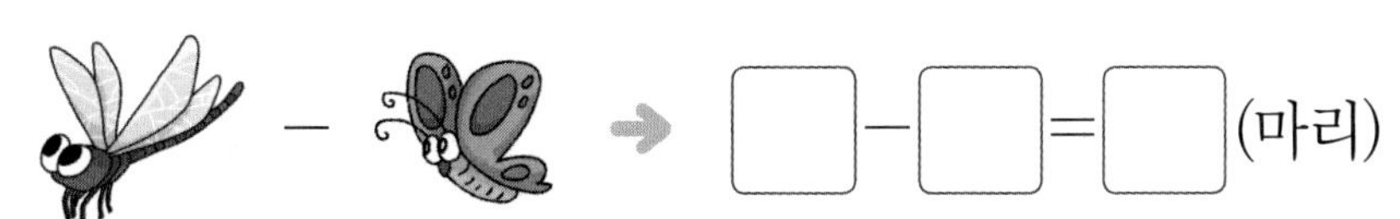

특강 창의·융합·코딩·도전하기

꼬마 김밥 만들기

간식으로 꼬마 김밥을 만들려고 합니다.

재료(3인분): 밥 3공기, 김 3장, 오이 1개, 당근 2개, 햄 6줄, 단무지 3줄, 소금 약간, 참기름 약간, 식초 약간

① 밥에 소금, 참기름, 식초를 넣고 살살 버무립니다.

② 오이, 당근은 껍질을 벗기고 적당한 길이로 토막 낸 다음 채 썹니다.

③ 햄과 단무지도 적당한 길이로 잘라 둡니다.

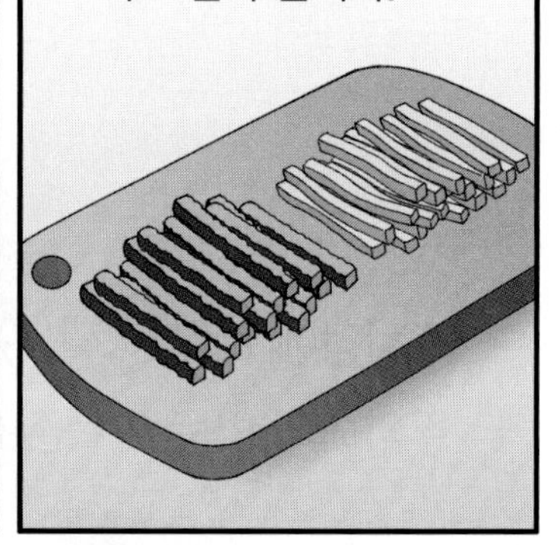

④ 김은 살짝 구워 반으로 자르고 다시 3조각으로 자릅니다.

⑤ 김에 밥을 얇게 펼쳐서 깔고, 준비한 오이와 당근, 햄, 단무지를 얹어 돌돌 맙니다.

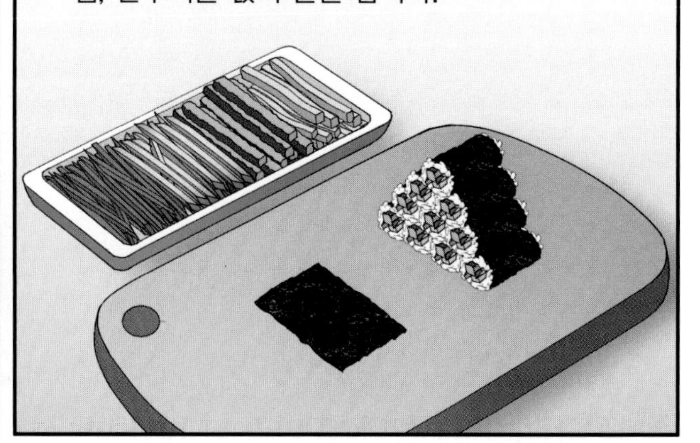

김 8장, 오이 3개, 당근 2개, 햄 9줄을 가지고 3인분의 김밥을 만들었어. 김밥을 만들고 남은 김과 햄의 수를 각각 식을 쓰고 읽어 볼까?

김  $8-3=\square$ 

햄  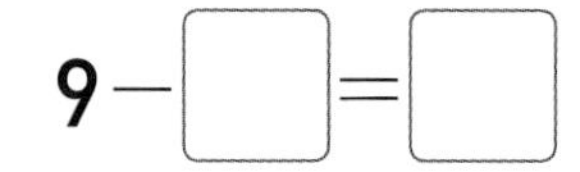 

▶ 정답과 해설 14쪽

문장을 읽고 알맞은 뺄셈식을 세워 답을 구해 보자!

4 오늘 하루 축구공(⚽) 4개와 농구공(🏀) 1개를 팔았습니다.
오늘 하루 축구공은 농구공보다 몇 개 더 많이 팔았을까요?

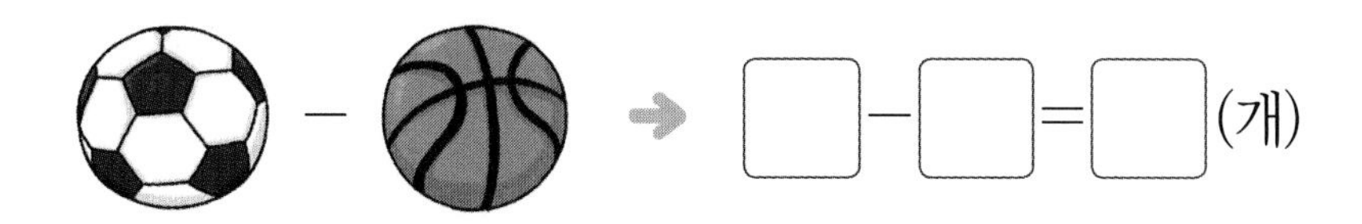

□－□＝□(개)

5 주차장에 트럭 (🚚) 9대와 버스(🚌) 6대가 주차되어 있습니다.
주차되어 있는 트럭은 버스보다 몇 대 더 많을까요?

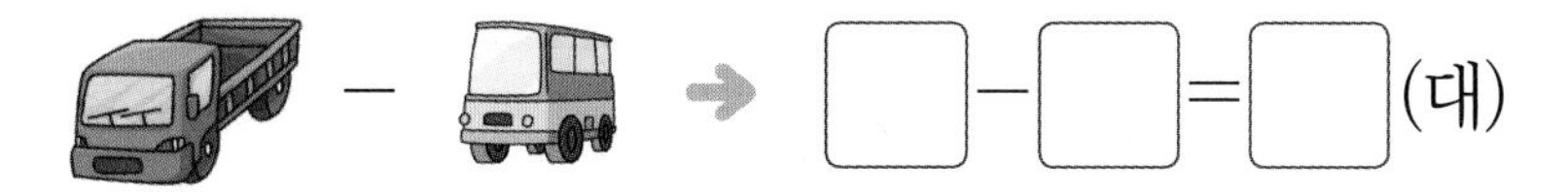

□－□＝□(대)

6 꽃밭에 잠자리 (🦋)가 6마리, 나비(🦋)가 2마리 있습니다.
잠자리는 나비보다 몇 마리 더 많을까요?

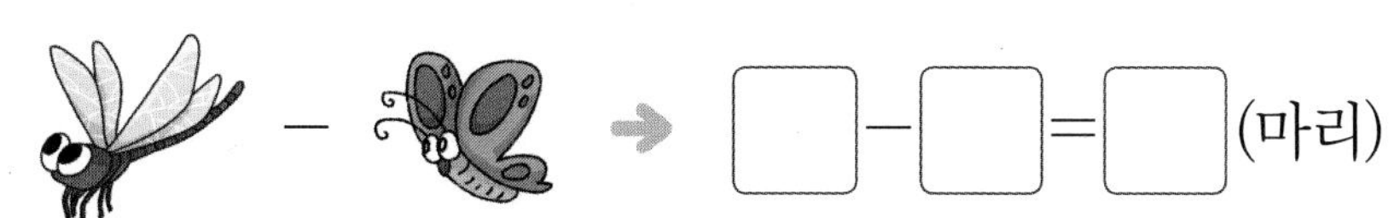

□－□＝□(마리)

특강 창의·융합·코딩·도전하기

꼬마 김밥 만들기

간식으로 꼬마 김밥을 만들려고 합니다.

재료(3인분): 밥 3공기, 김 3장, 오이 1개, 당근 2개, 햄 6줄, 단무지 3줄, 소금 약간,
참기름 약간, 식초 약간

① 밥에 소금, 참기름, 식초를 넣고 살살 버무립니다.

② 오이, 당근은 껍질을 벗기고 적당한 길이로 토막 낸 다음 채 썹니다.

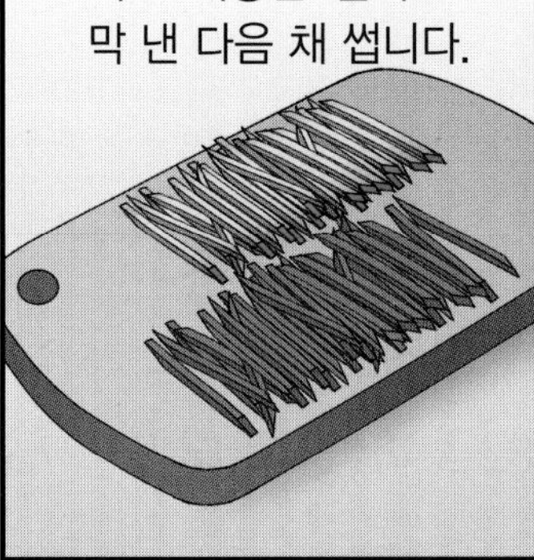

③ 햄과 단무지도 적당한 길이로 잘라 둡니다.

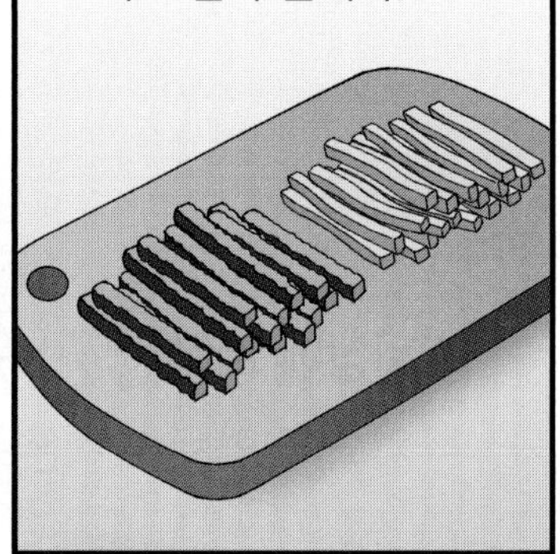

④ 김은 살짝 구워 반으로 자르고 다시 3조각으로 자릅니다.

⑤ 김에 밥을 얇게 펼쳐서 깔고, 준비한 오이와 당근, 햄, 단무지를 얹어 돌돌 맙니다.

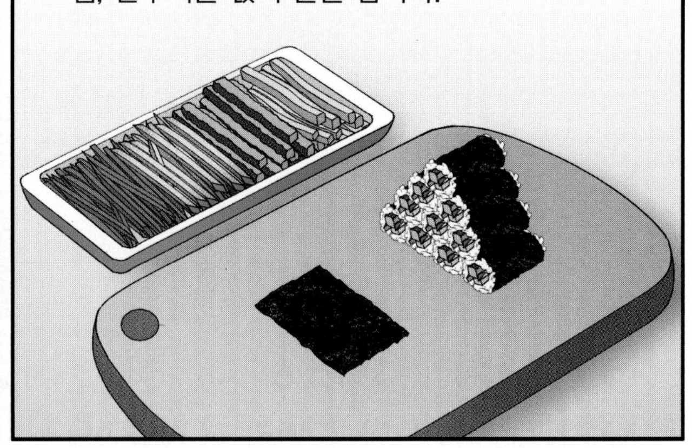

김 8장, 오이 3개, 당근 2개, 햄 9줄을 가지고 3인분의 김밥을 만들었어.
김밥을 만들고 남은 김과 햄의 수를 각각 식을 쓰고 읽어 볼까?

 김  쓰기 $8-3=\square$  읽기

햄  쓰기 $9-\square=\square$  읽기

▶정답과 해설 14쪽

보기 와 같이 로봇이 명령에 따라 움직이는 길에 있는 수 카드를 줍습니다. 로봇이 주운 카드의 두 수의 차를 구하세요.

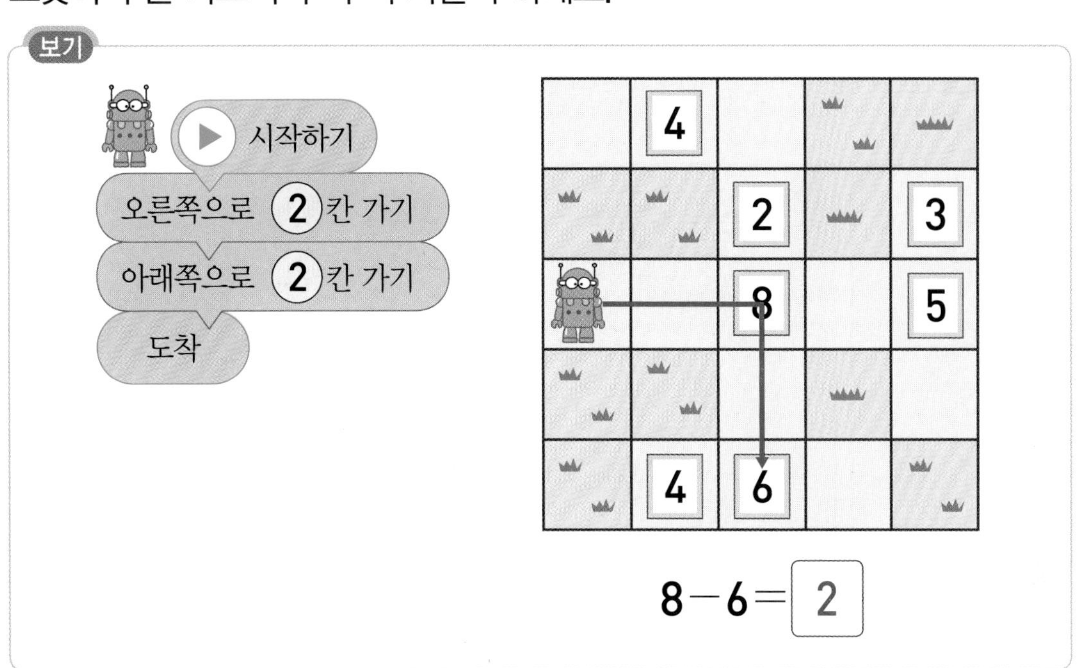

시작하기

위쪽으로 2칸 가기

오른쪽으로 3칸 가기

도착

				6
4				
	3			2
		1		
9	(로봇)		7	

$3-\square=\square$

3 뺄셈

50까지의 수

실생활에서 알아보는 재미있는 수학 이야기

이번에 배울 내용을 알아볼까요?

1일차 10 알아보기
2일차 십몇 알아보기
3일차 ~ 4일차 모으기, 가르기
5일차 20, 30, 40, 50 알아보기
6일차 ~ 7일차 몇십몇 알아보기
8일차 수의 순서
9일차 1만큼 더 작은 수, 1만큼 더 큰 수
10일차 수의 크기 비교

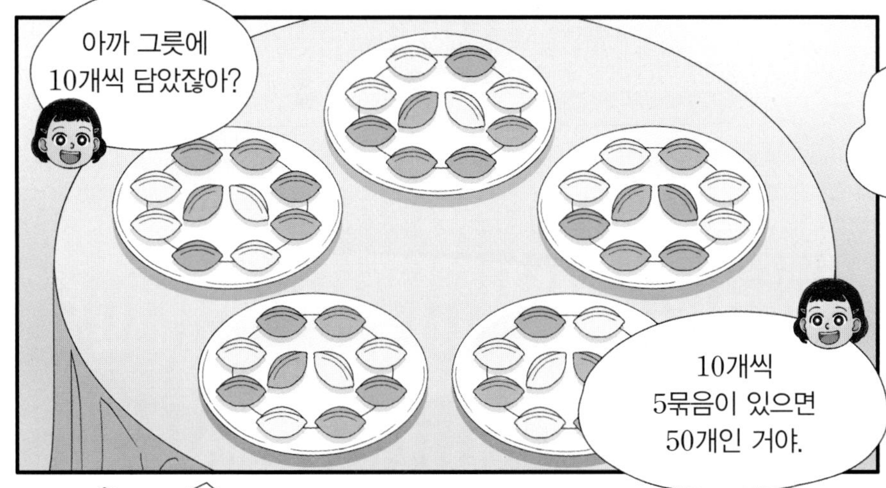

1 일차

10 알아보기

그림을 보고 모으기를 해 보세요.

❶ 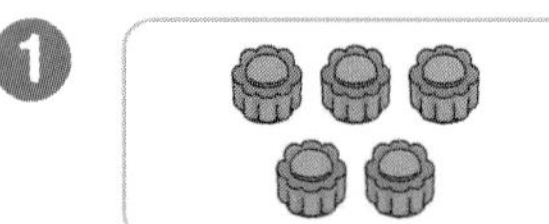

5 5

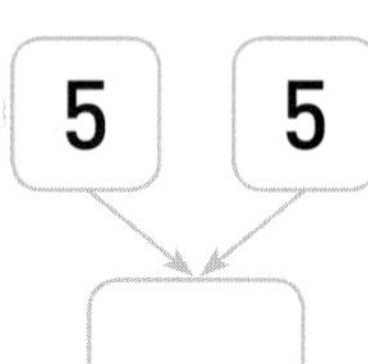

❷ 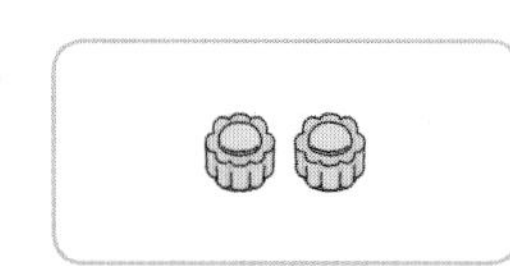

2 8

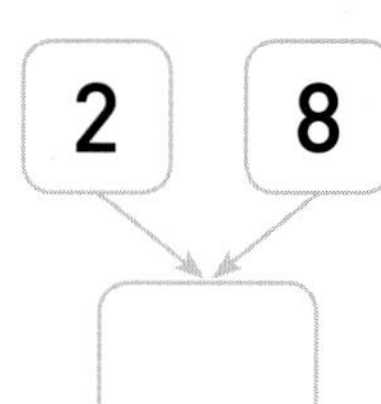

❸ 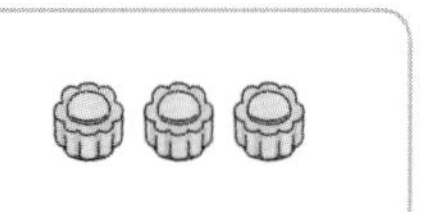 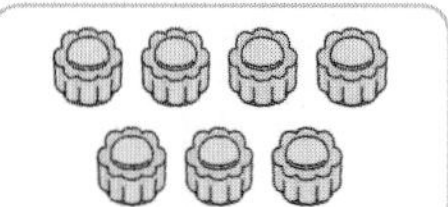

3 7

❹  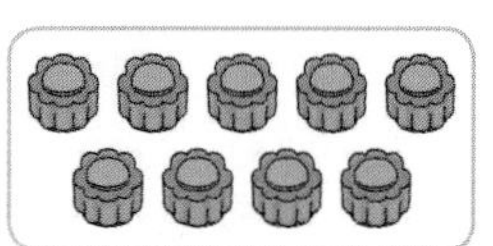

1 9

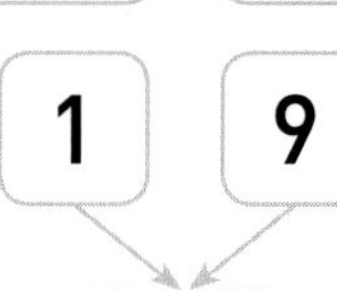

❺ 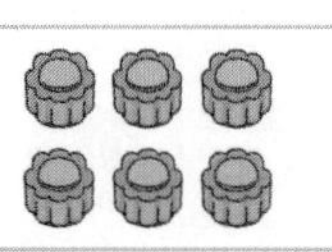 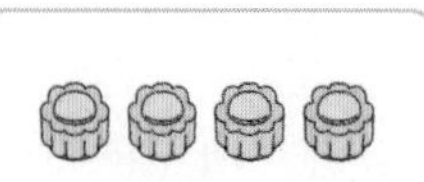

6 4

❻ 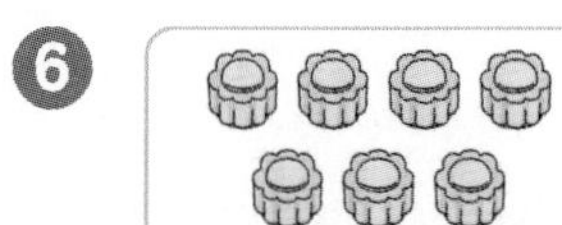 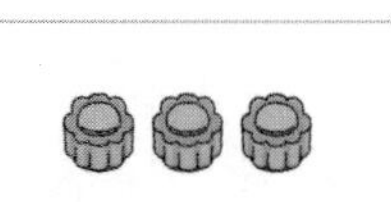

7 3

기초 계산 연습

맞은 개수 / 14개

▶ 정답과 해설 15쪽

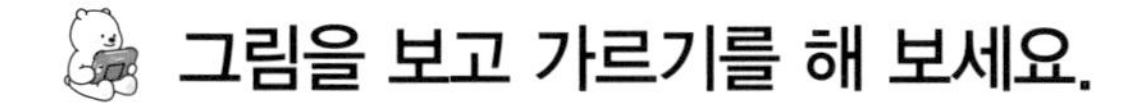

그림을 보고 가르기를 해 보세요.

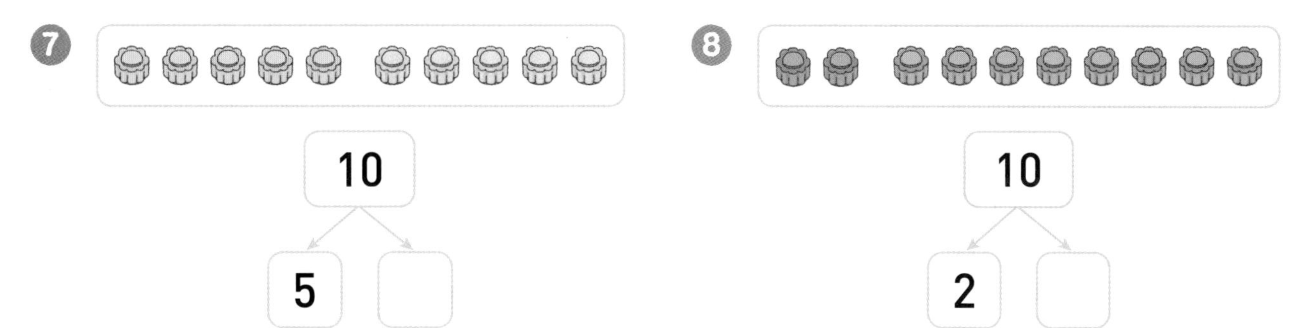

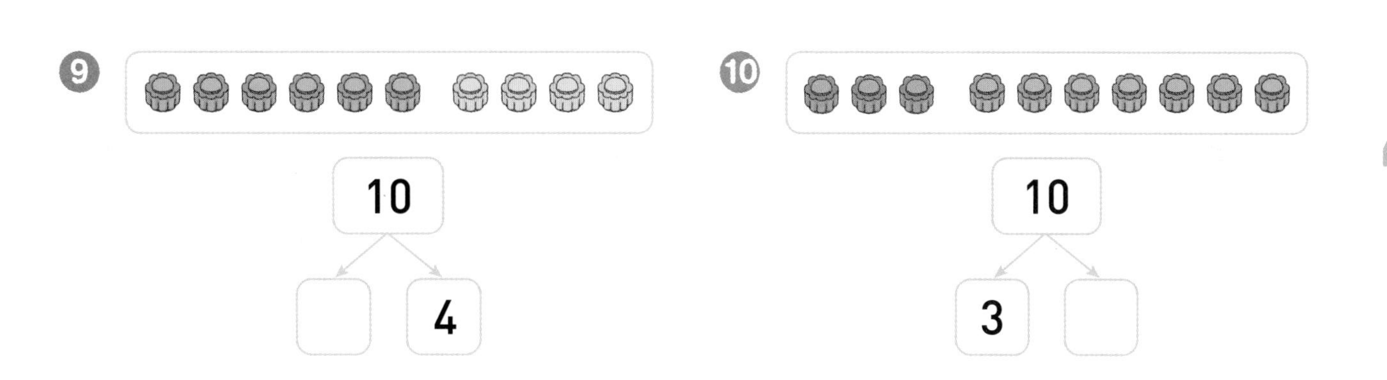

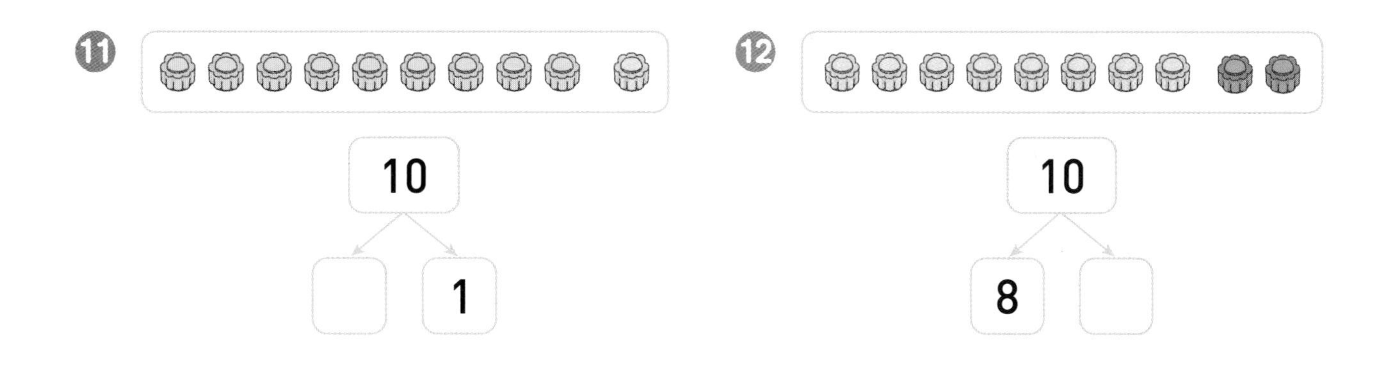

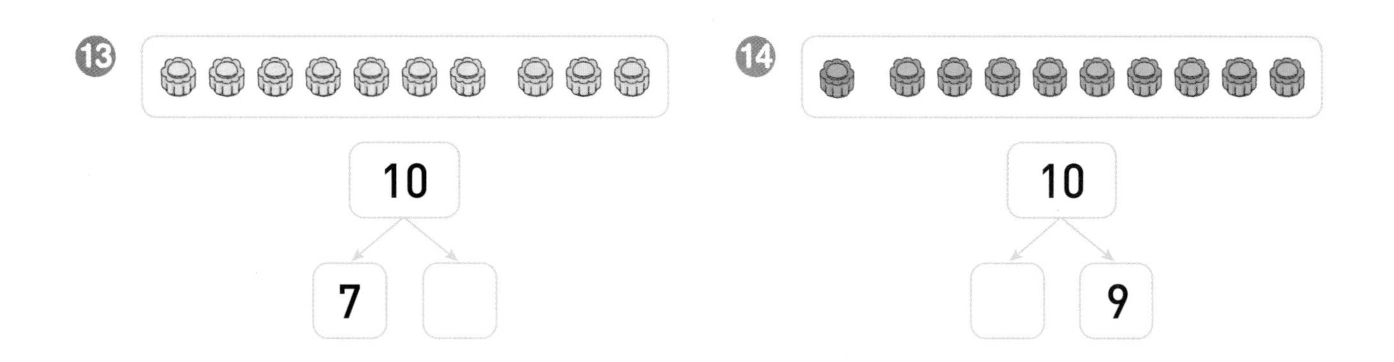

1 일차

10 알아보기

□ 안에 알맞은 수를 써넣으세요.

1

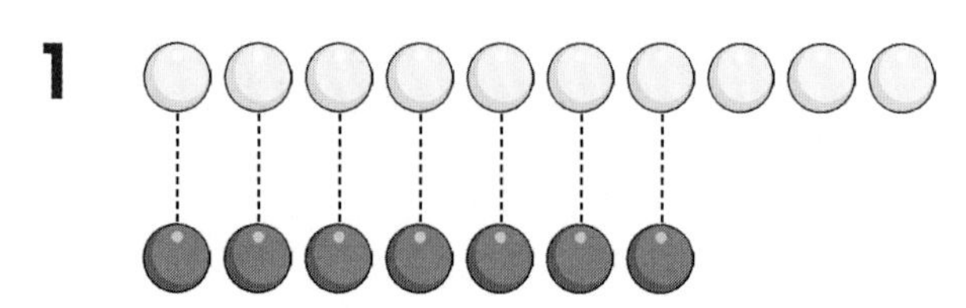

10은 7보다 □만큼 더 큰 수입니다.

2

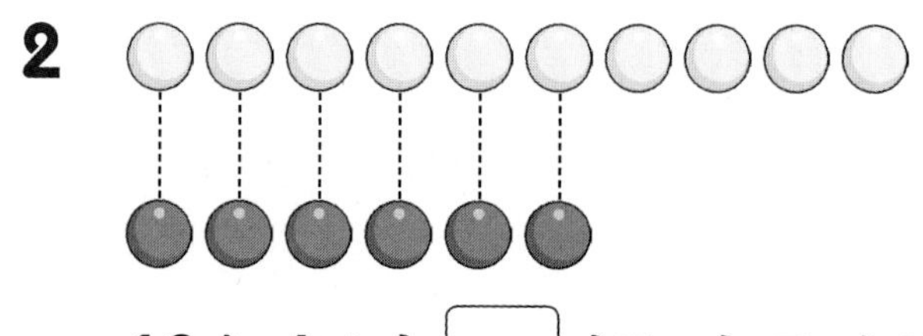

10은 6보다 □만큼 더 큰 수입니다.

3

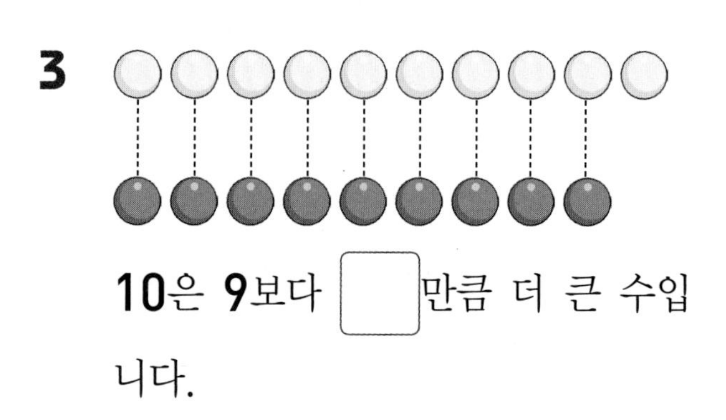

10은 9보다 □만큼 더 큰 수입니다.

4

10은 8보다 □만큼 더 큰 수입니다.

모으기와 가르기를 해 보세요.

5

5 5 → □

6

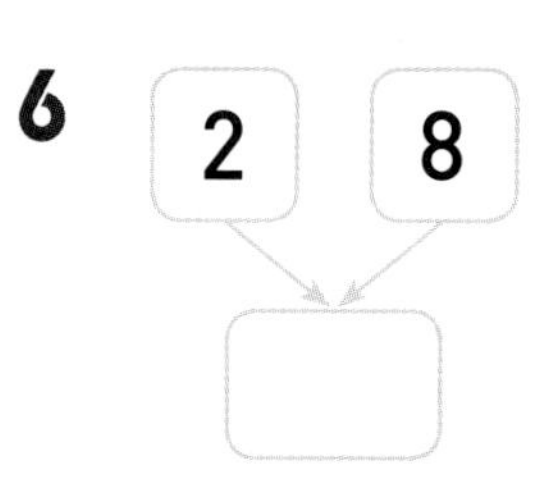

2 8 → □

7

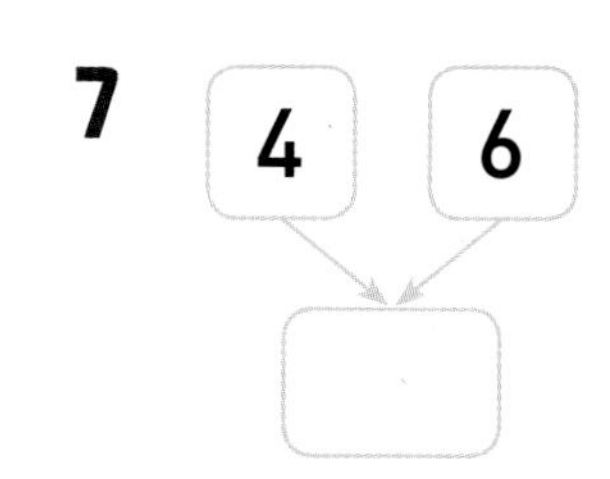

4 6 → □

8

10 → 3 □

9

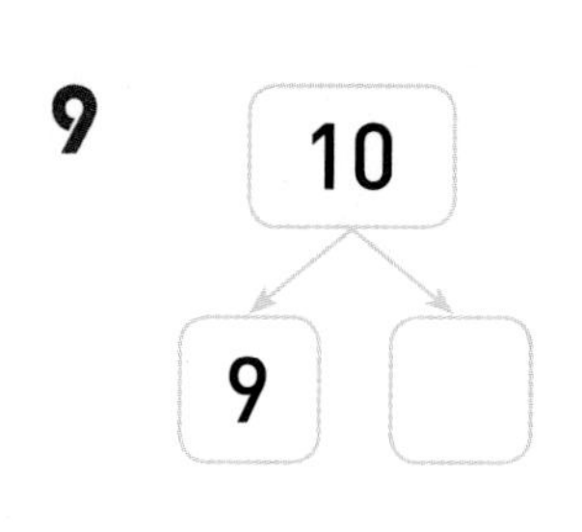

10 → 9 □

10

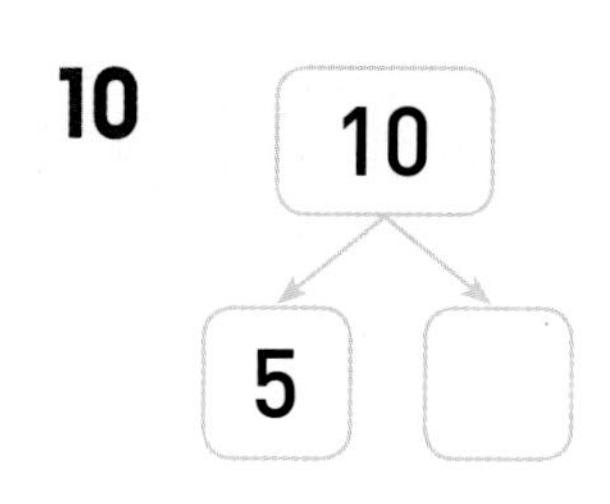

10 → 5 □

제한 시간 3분

플러스 계산 연습

맞은 개수 / 18개

▶ 정답과 해설 15쪽

생활 속 문제

☐ 안에 알맞은 수를 써넣으세요.

11

달걀이 **10**개가 되려면 ☐개가 더 있어야 합니다.

12

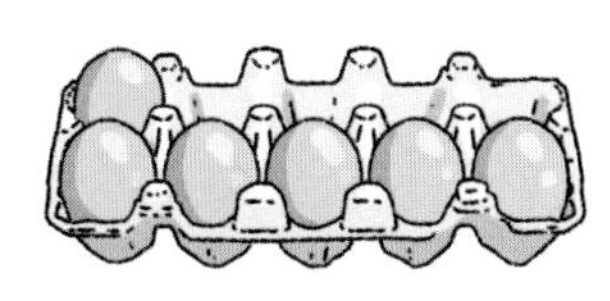

달걀이 **10**개가 되려면 ☐개가 더 있어야 합니다.

13

달걀이 **10**개가 되려면 ☐개가 더 있어야 합니다.

14

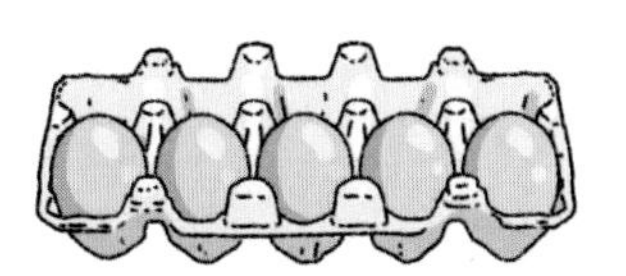

달걀이 **10**개가 되려면 ☐개가 더 있어야 합니다.

문장 읽고 문제 해결하기

15 8보다 2만큼 더 큰 수는?

답 ____________

16 6보다 4만큼 더 큰 수는?

답 ____________

17 10은 9보다 얼마만큼 더 큰 수?

답 ____________

18 10은 7보다 얼마만큼 더 큰 수?

답 ____________

십몇 알아보기

이렇게 해결하자

• 13 알아보기

10개씩 묶음	낱개
1	3

→ 13

10개씩 묶음 1개와
낱개 3개를 13이라고 해요.
13은 십삼, 열셋이라고 읽어요.

빈칸에 알맞은 수를 써넣고 수로 나타내어 보세요.

❶

10개씩 묶음	낱개

→ ☐

❷

10개씩 묶음	낱개

→ ☐

❸

10개씩 묶음	낱개

→ ☐

❹

10개씩 묶음	낱개

→ ☐

❺

10개씩 묶음	낱개

→ ☐

❻

10개씩 묶음	낱개

→ ☐

제한 시간 3분

기초 계산 연습

맞은 개수 / 16개

▶ 정답과 해설 15쪽

그림을 보고 수로 나타내어 보세요.

7

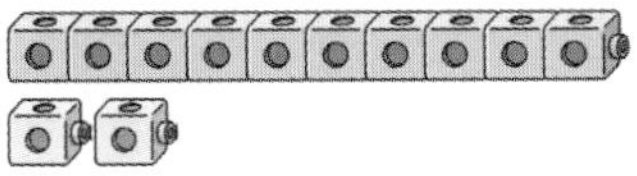

8

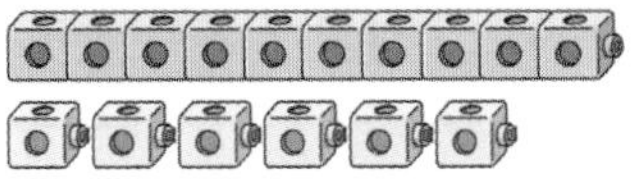

9

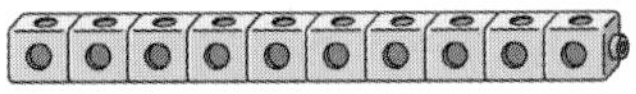

10

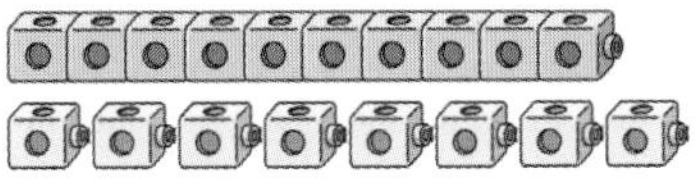

11

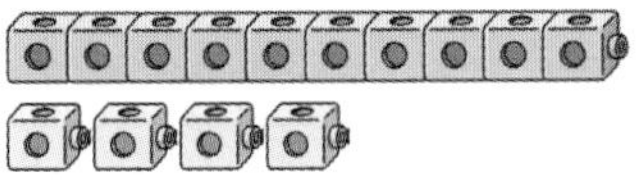

12

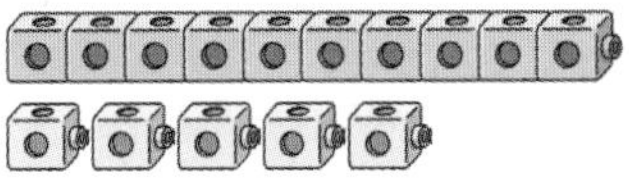

13

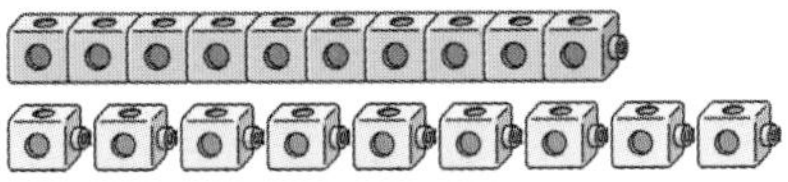

14

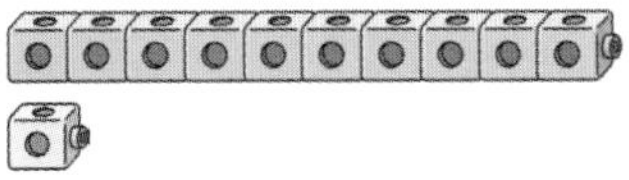

15

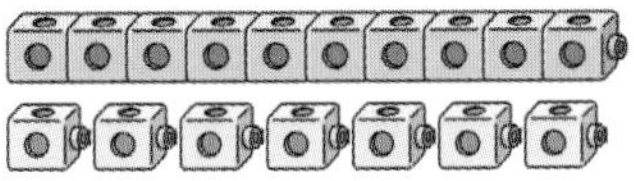

16

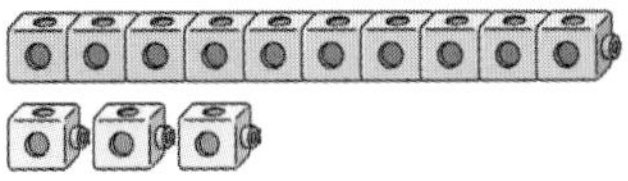

2 일차

십몇 알아보기

10개씩 묶고 수로 나타내어 보세요.

1

2

3

4

세어 보고 관련된 수나 말에 모두 ○표 하세요.

5

17	열여덟	십칠
십오	16	열일곱

6

십육	15	열다섯
17	십오	열여섯

7

17	열아홉	18
십칠	19	열여덟

8

십오	14	열넷
13	15	십삼

맞은 개수 / 14개

▶ 정답과 해설 15쪽

생활 속 문제

수를 세어 두 가지 방법으로 읽어 보세요.

9 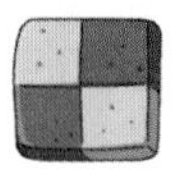

____

____

10 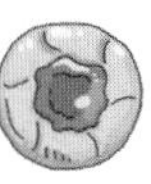

____

____

11 

____

____

12 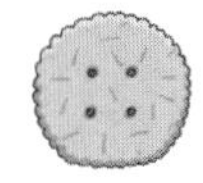

____

____

문장 읽고 문제 해결하기

13 10개씩 묶음 1개와 낱개 6개는 모두 몇 개?

답 ______________ 개

14 10개씩 묶음 1개와 낱개 5개는 모두 몇 개?

답 ______________ 개

모으기

모으기를 해 보세요.

❶
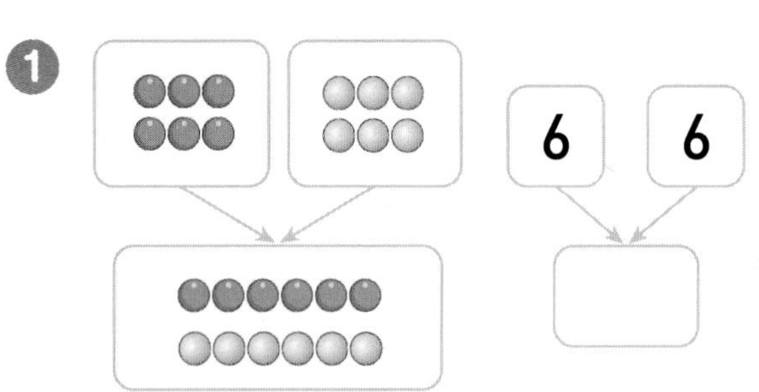

❷
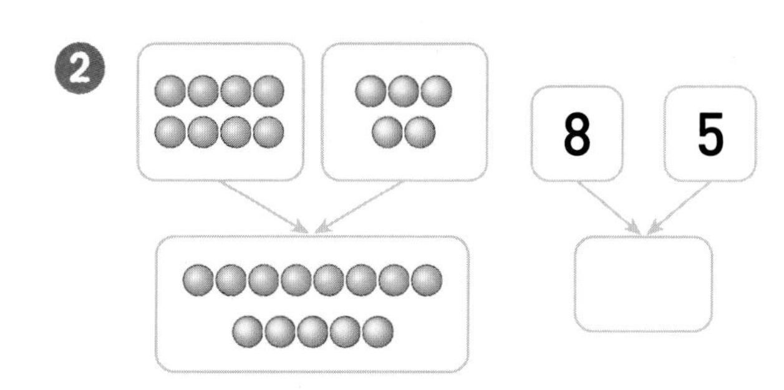

❸

9

❹
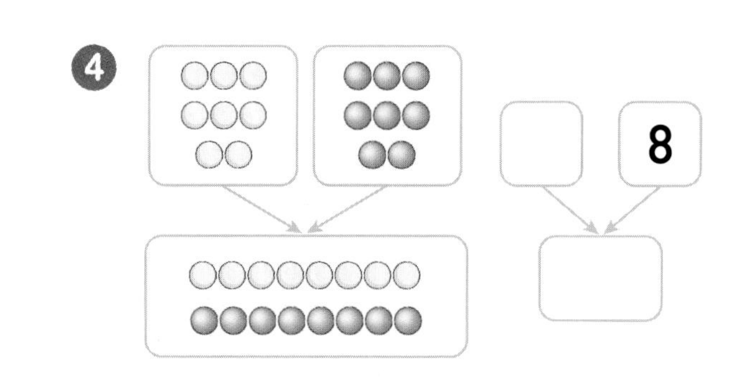

❺
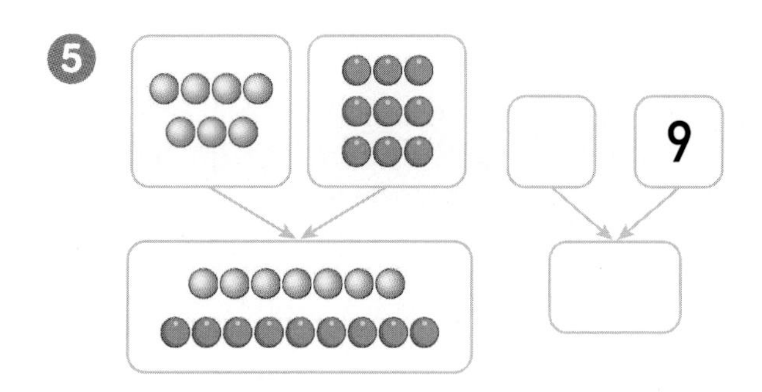

❻
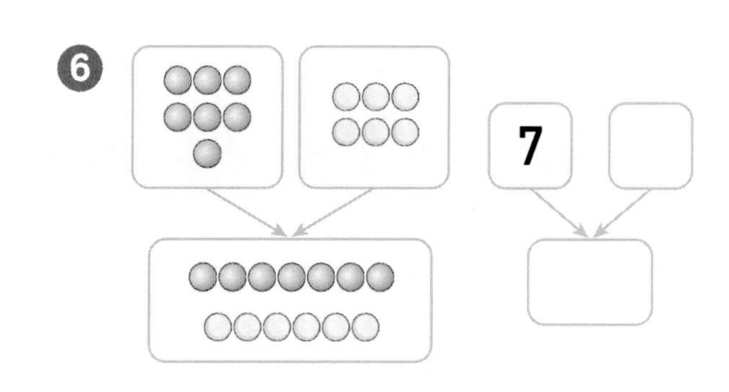

제한 시간 3분

기초 계산 연습

맞은 개수 / 14개

▶ 정답과 해설 15쪽

7
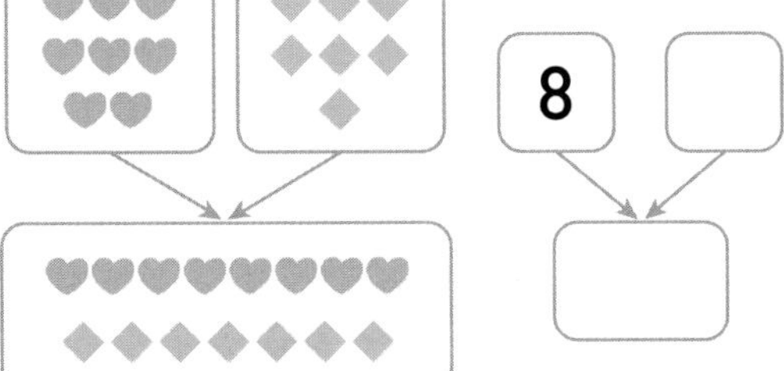

8
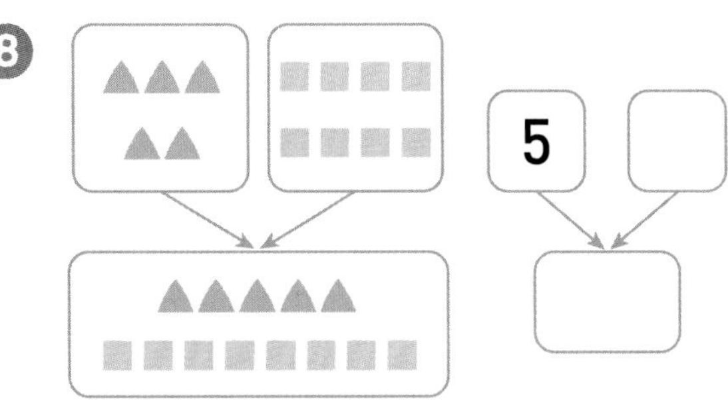

9
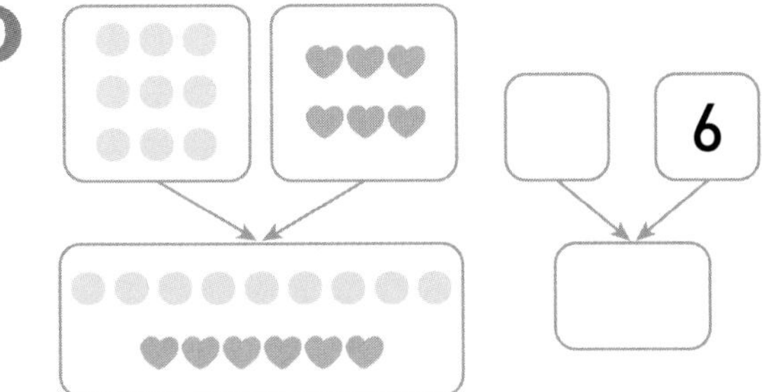

10
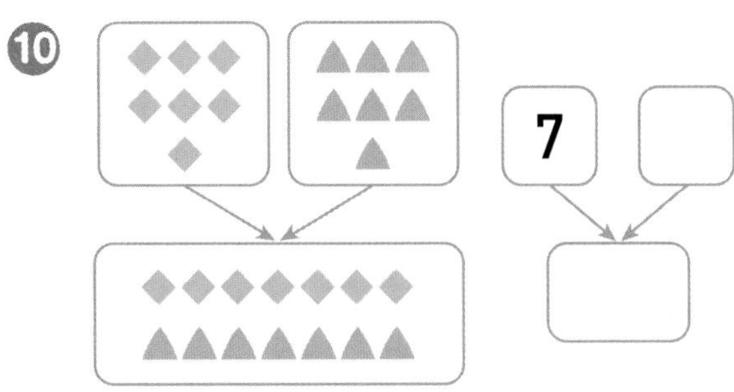

11
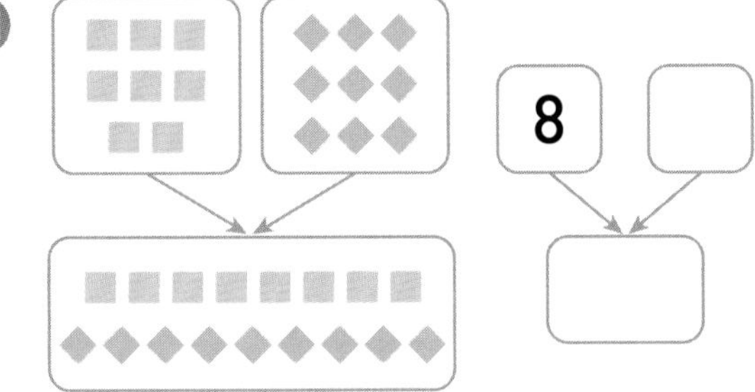

12
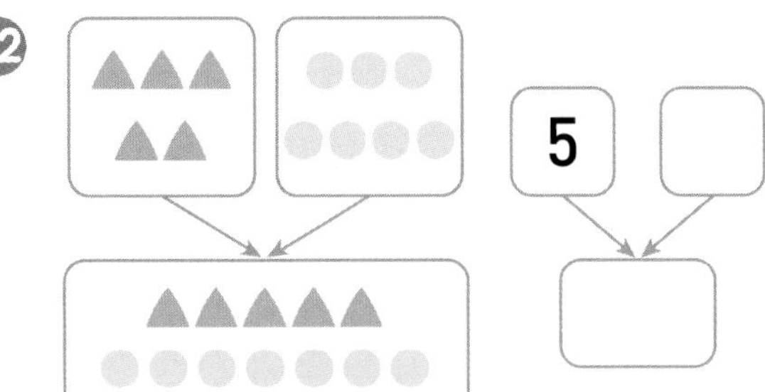

13
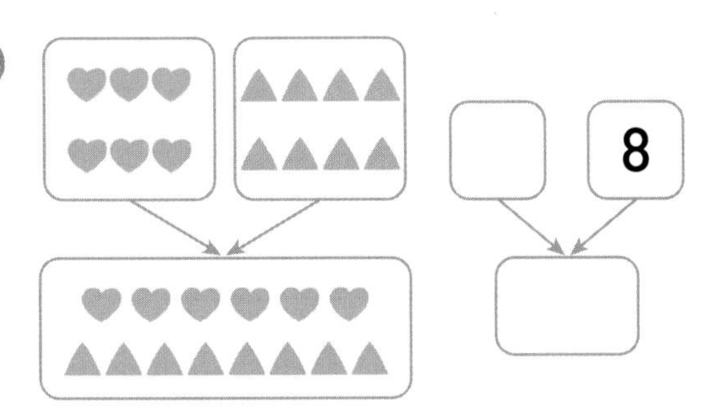

14
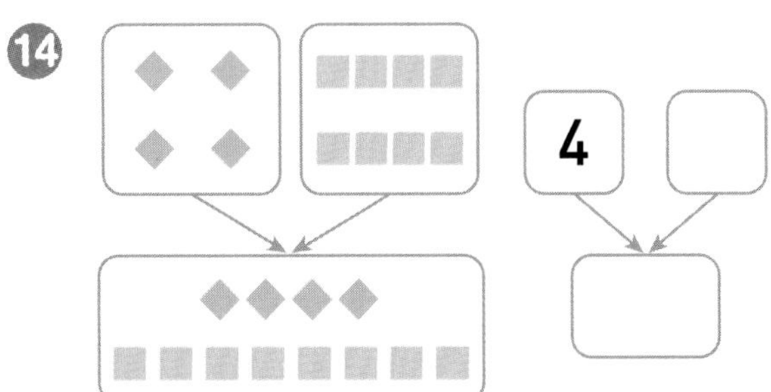

3 일차

모으기

모으기를 해 보세요.

1
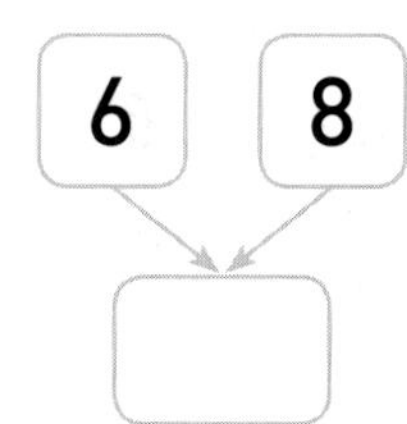

2
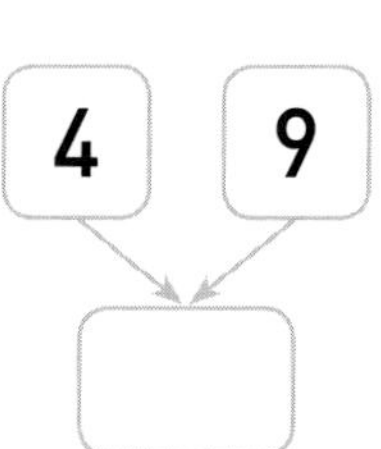

3
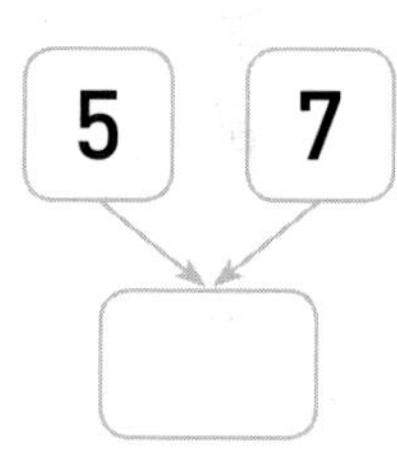

4
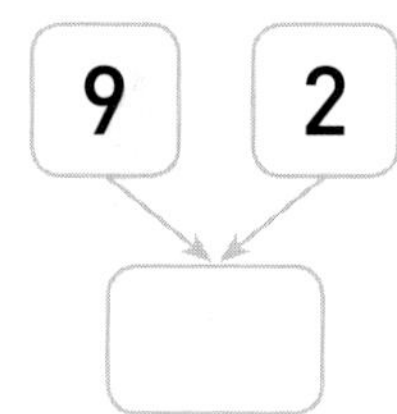

5
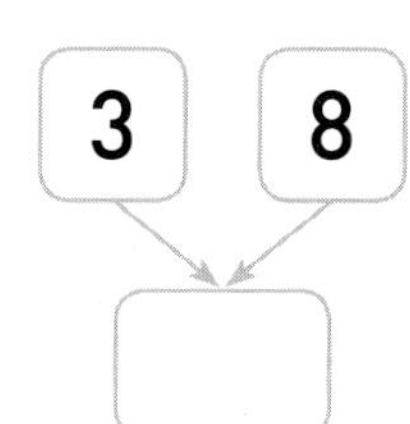

6
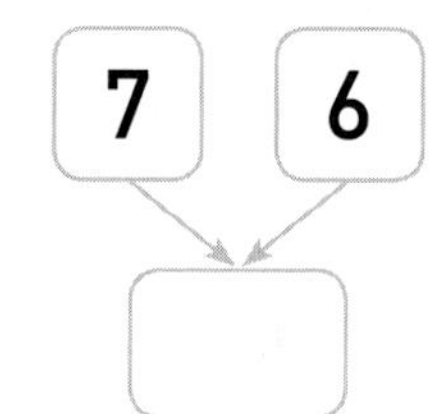

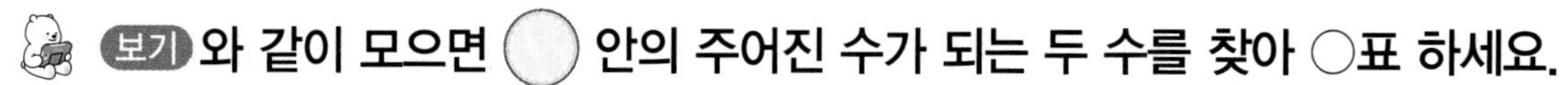

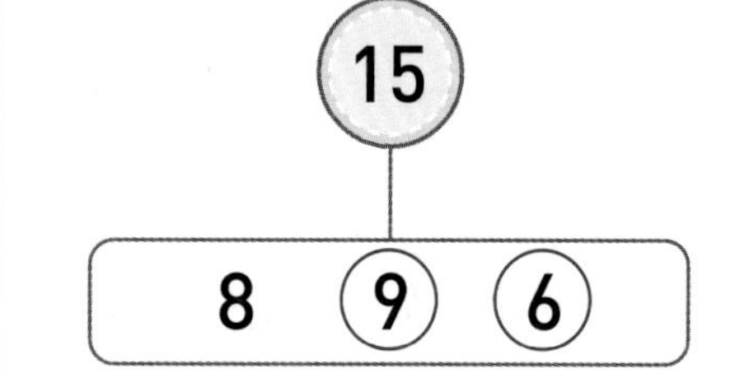

7
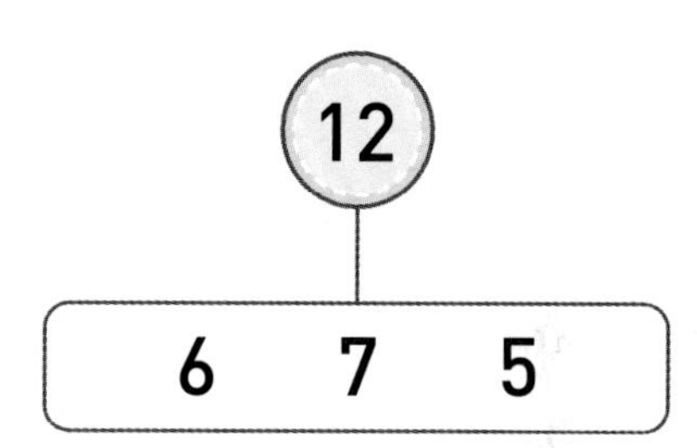

8
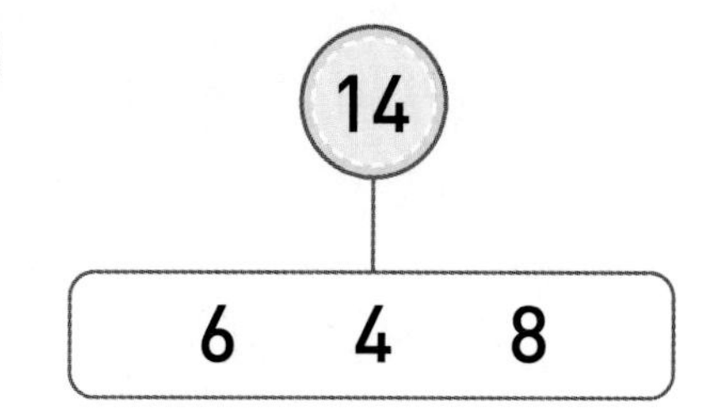

9
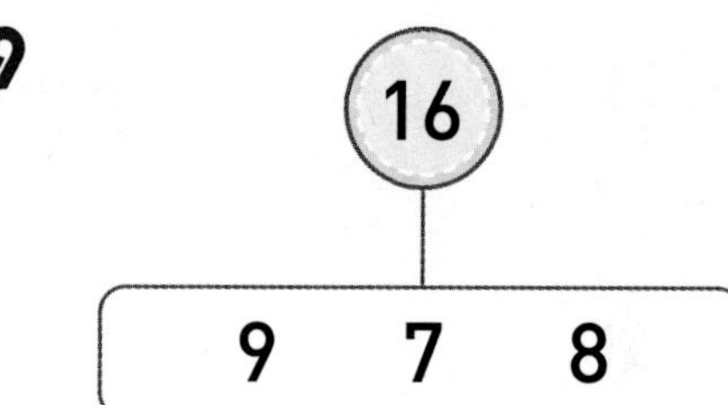

제한 시간 3분

플러스 계산 연습

맞은 개수 / 17개

▶ 정답과 해설 16쪽

생활 속 문제

모으기를 하여 빈 곳에 ○를 그리고 ▢ 안에 알맞은 수를 써넣으세요.

10

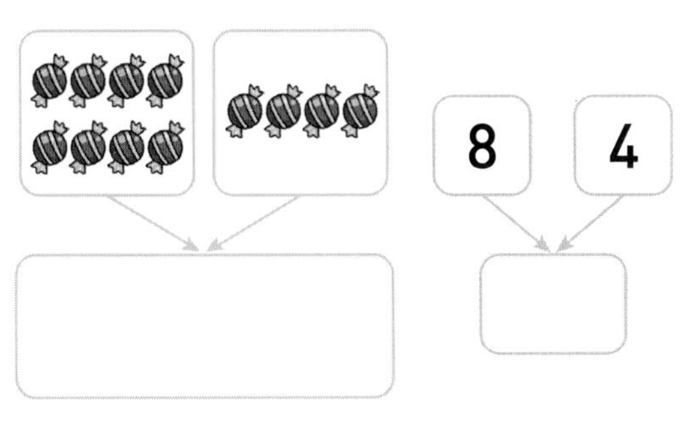

8, 4 → ▢

11

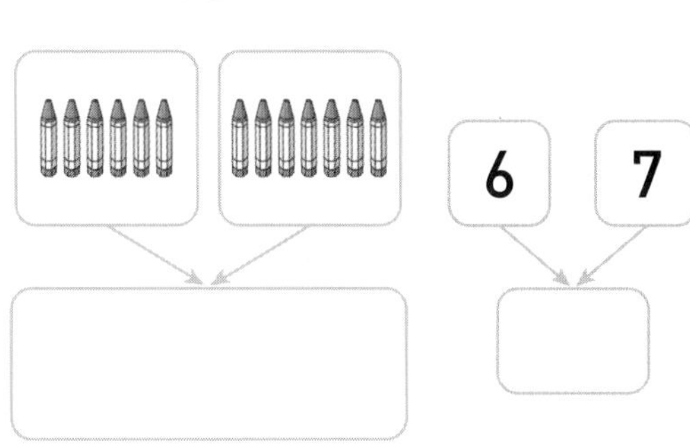

6, 7 → ▢

12

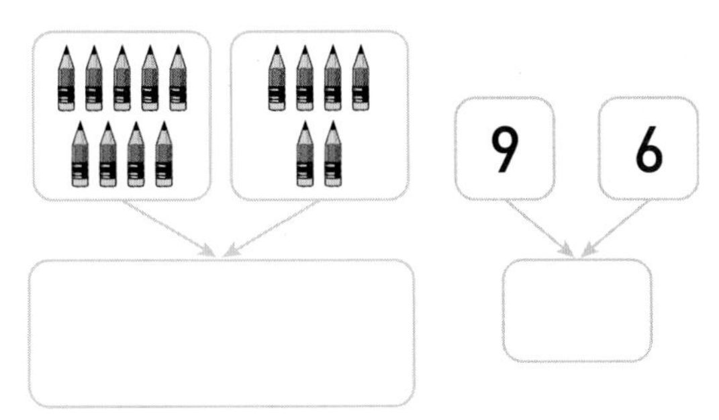

9, 6 → ▢

13

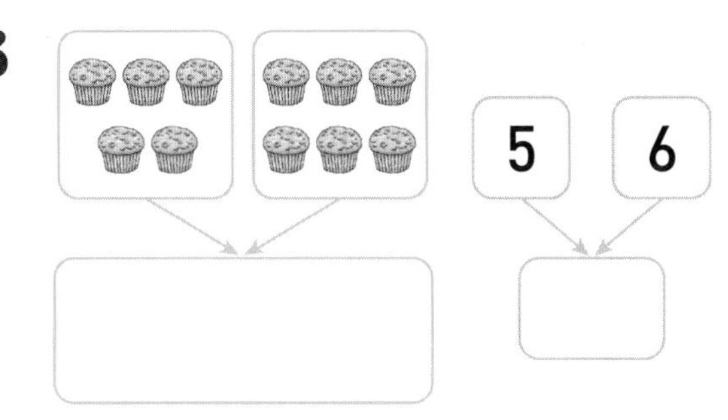

5, 6 → ▢

문장 읽고 문제 해결하기

14 5와 7을 모으기 하면?

답 ____________

15 6과 8을 모으기 하면?

답 ____________

16 9와 3을 모으기 하면?

답 ____________

17 4와 7을 모으기 하면?

답 ____________

4 일차

가르기

가르기를 해 보세요.

❶ 12 → 6, □

❷ 16 → 7, □

❸ 14 → 8, □

❹ 11 → □, 6

❺ 15 → □, 7

❻

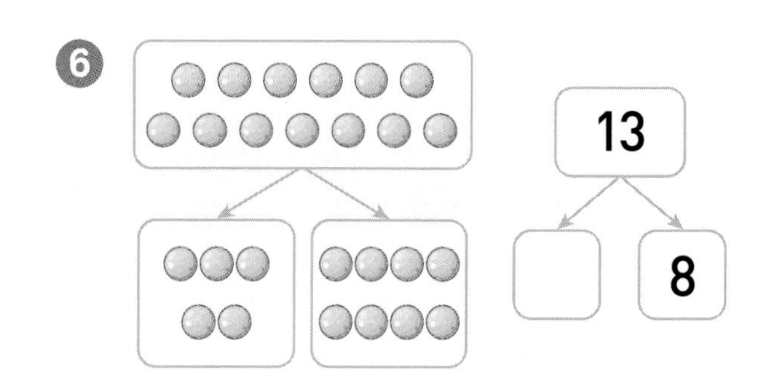

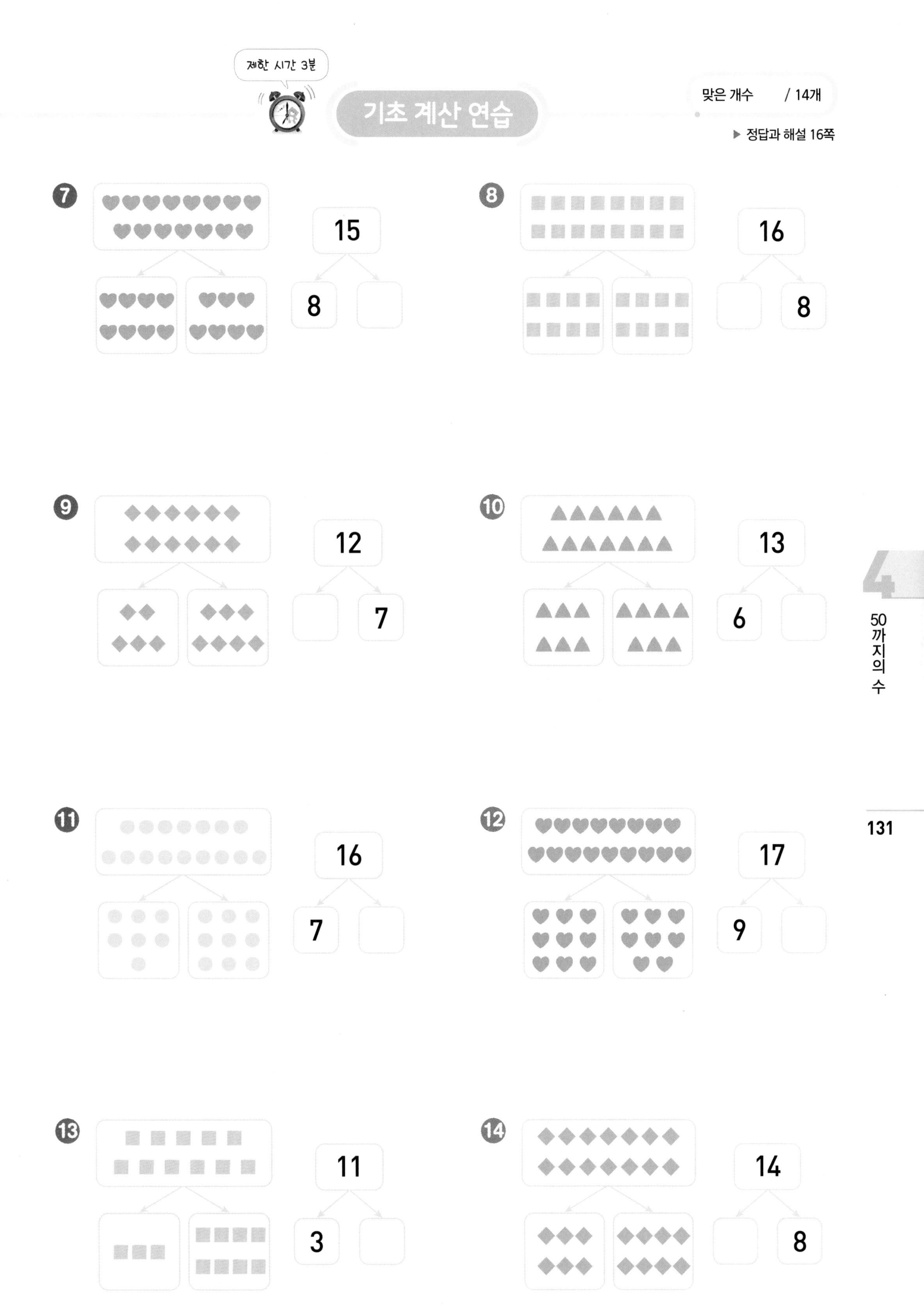
제한 시간 3분
기초 계산 연습
맞은 개수 / 14개
▶ 정답과 해설 16쪽
7
15
8
8
16
8
9
12
7
10
13
6
11
16
7
12
17
9
13
11
3
14
14
8
4
50까지의 수
131

4 일차

가르기

가르기를 해 보세요.

1
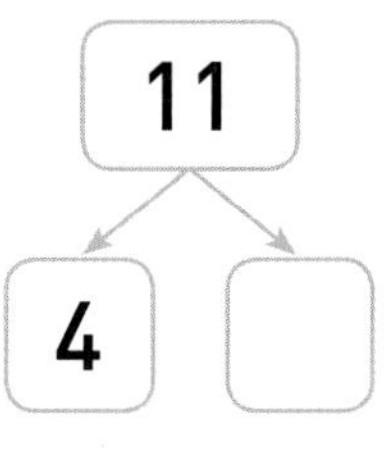

2
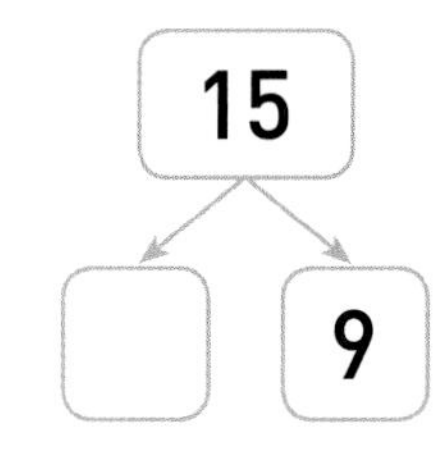

3
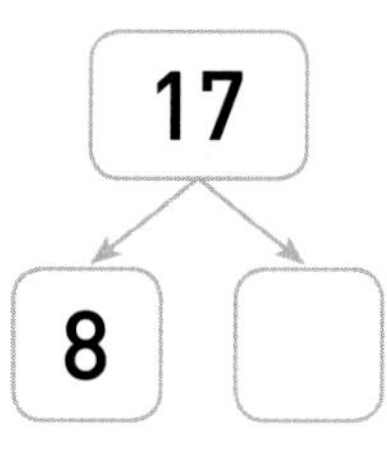

4
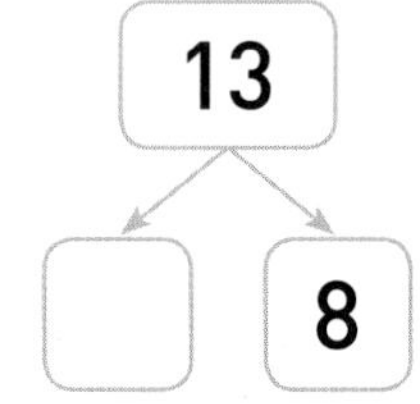

5
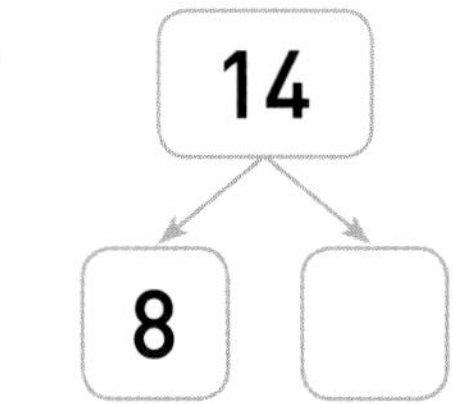

6
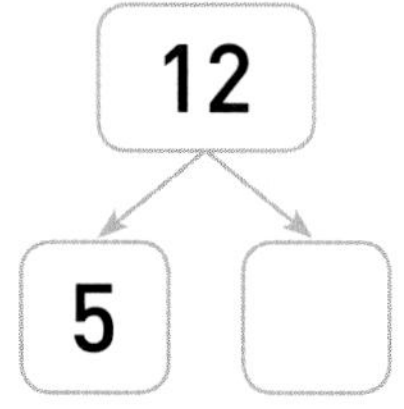

가운데 수를 바깥쪽 두 수로 가르기 하려고 합니다. 빈 곳에 알맞은 수를 써넣으세요.

7
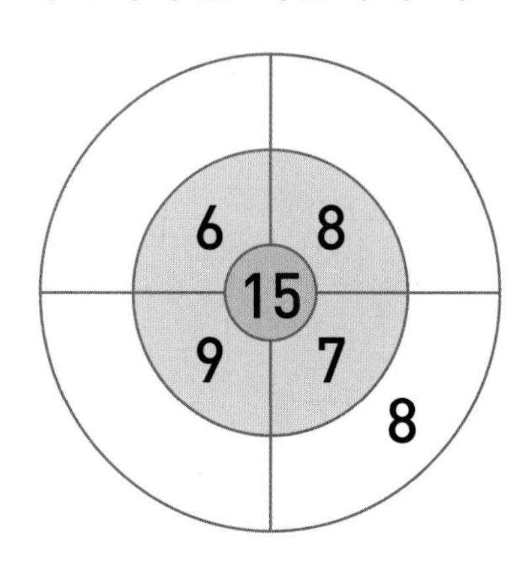

8
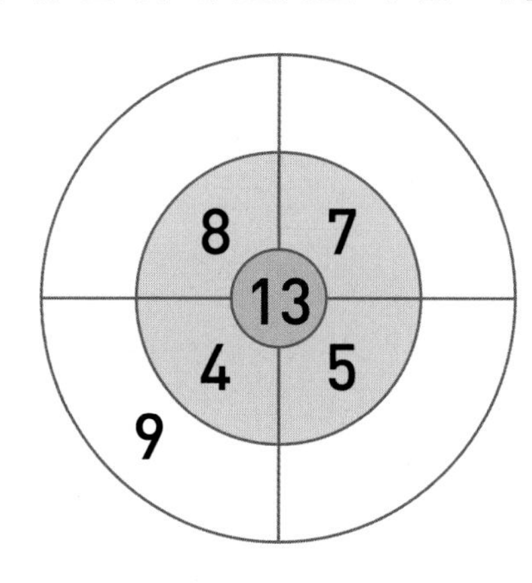

9
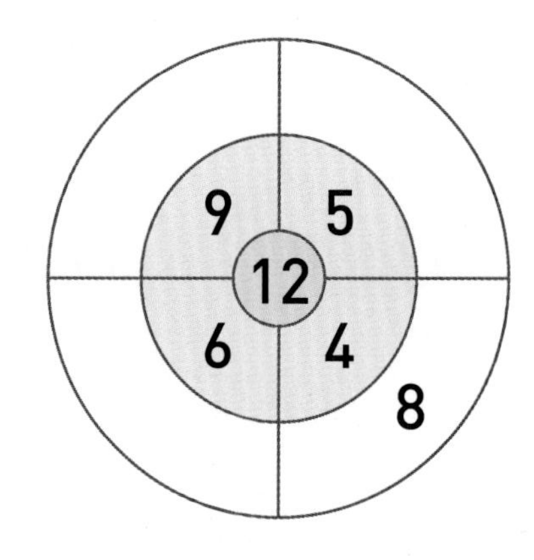

10
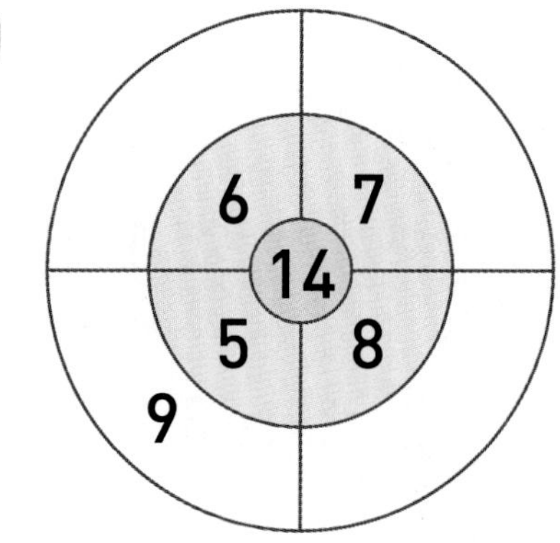

제한 시간 3분

플러스 계산 연습

맞은 개수 / 16개

▶ 정답과 해설 16쪽

생활 속 문제

가르기를 하여 빈 곳에 ○를 그리고 □ 안에 알맞은 수를 써넣으세요.

11

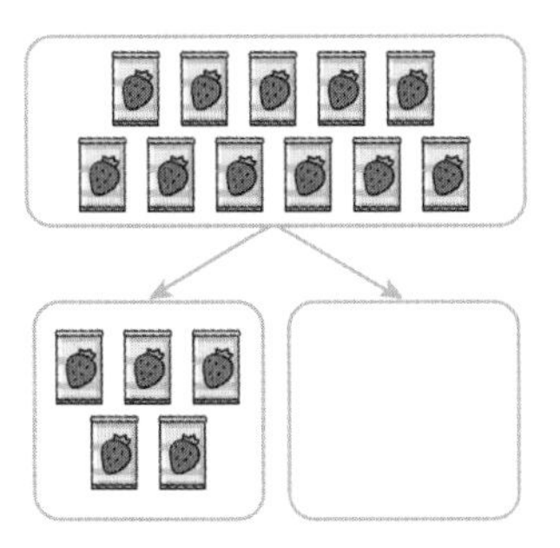

11 → 5, □

12

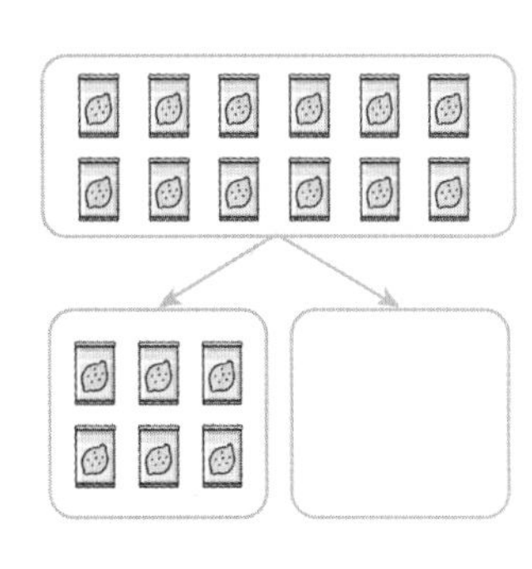

12 → 6, □

13

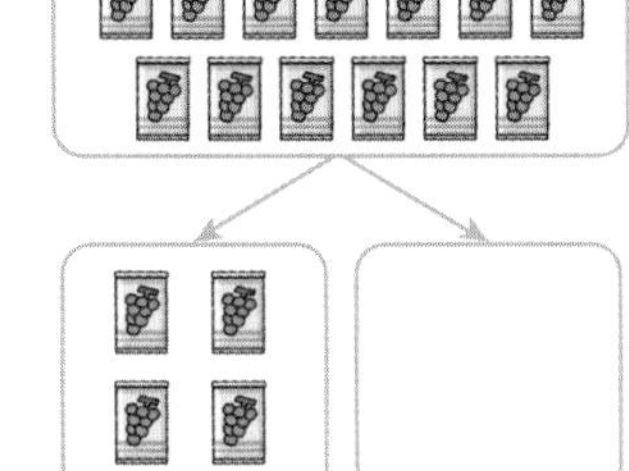

13 → 4, □

14

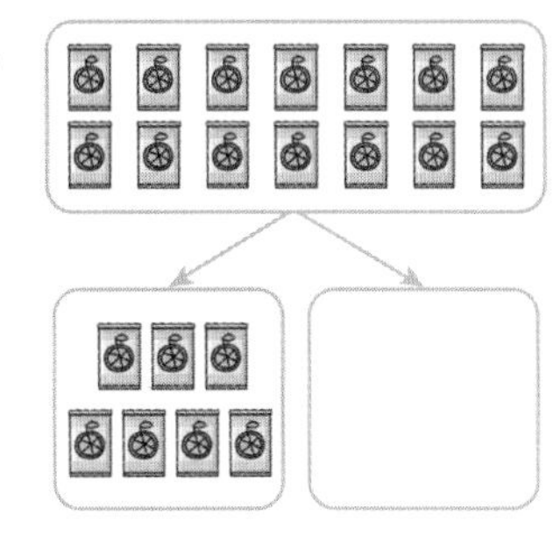

14 → 7, □

문장 읽고 문제 해결하기

15 16을 8과 어떤 수로 가르기 할 때 어떤 수는 얼마?

16 → 8, □

16 15를 7과 어떤 수로 가르기 할 때 어떤 수는 얼마?

15 → 7, □

5 일차

20, 30, 40, 50 알아보기

이렇게 해결하자

• 그림을 보고 20 알아보기

 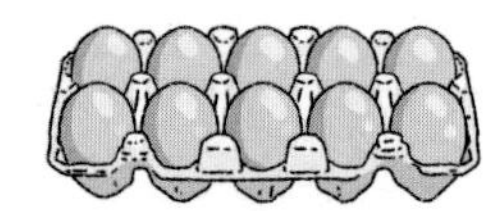

10개씩 묶음이 **2**개이므로 **20**입니다.

20은 이십, 스물 이라고 읽어요.

그림을 보고 ▢ 안에 알맞은 수를 써넣으세요.

❶ 

10개씩 묶음이 3개이므로 ▢입니다.

❷ 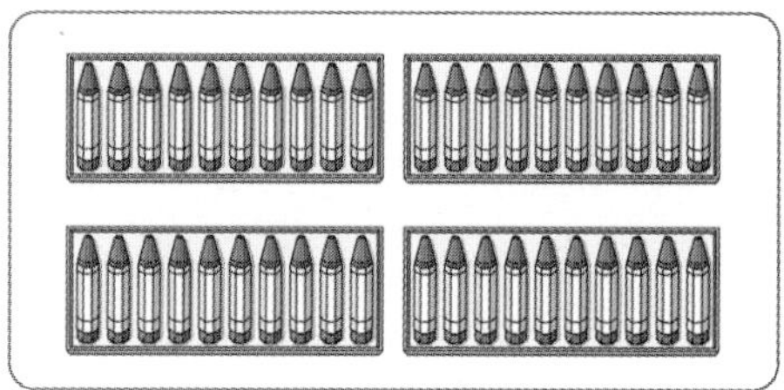

10개씩 묶음이 4개이므로 ▢입니다.

❸ 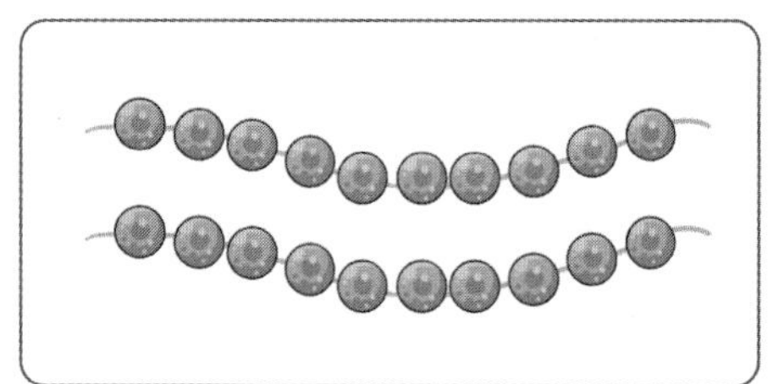

10개씩 묶음이 2개이므로 ▢입니다.

❹ 

10개씩 묶음이 4개이므로 ▢입니다.

❺ 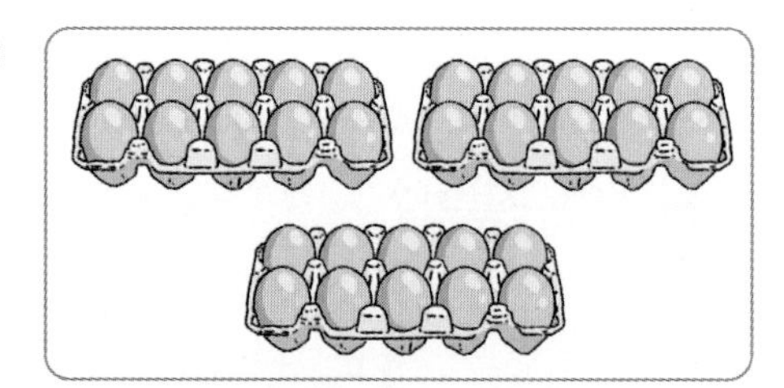

10개씩 묶음이 3개이므로 ▢입니다.

❻ 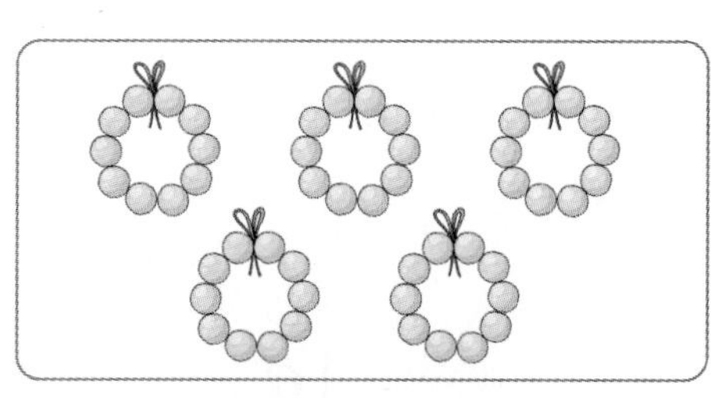

10개씩 묶음이 5개이므로 ▢입니다.

맞은 개수 / 14개

▶ 정답과 해설 16쪽

수를 세어 ▢ 안에 쓰세요.

7

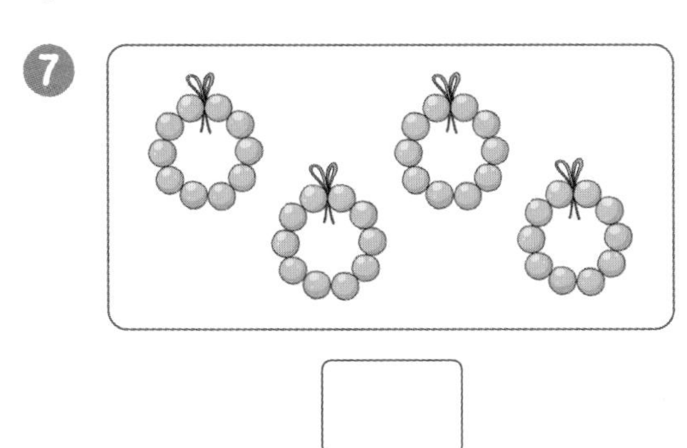

▢

8

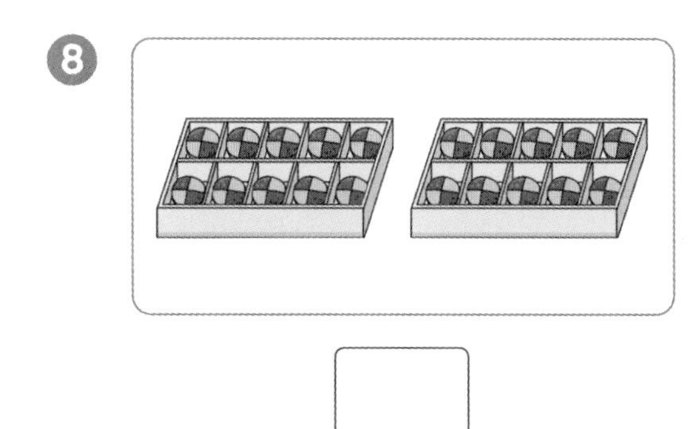

▢

9

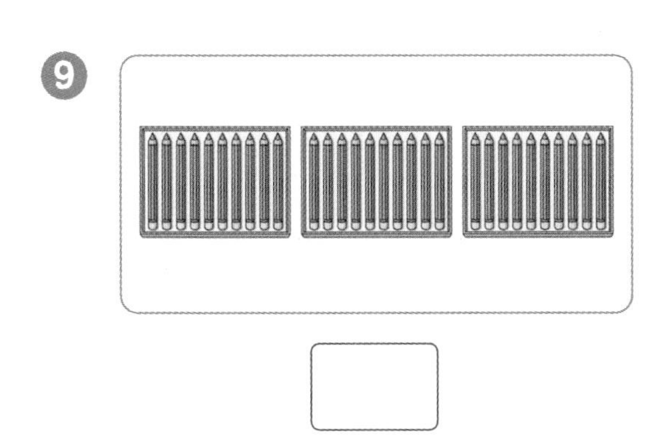

▢

10

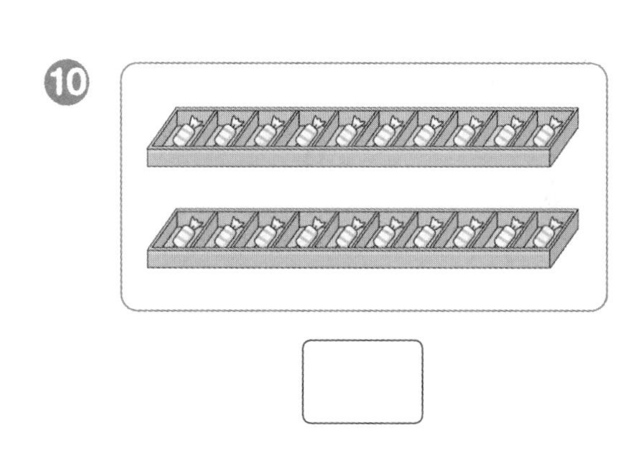

▢

11

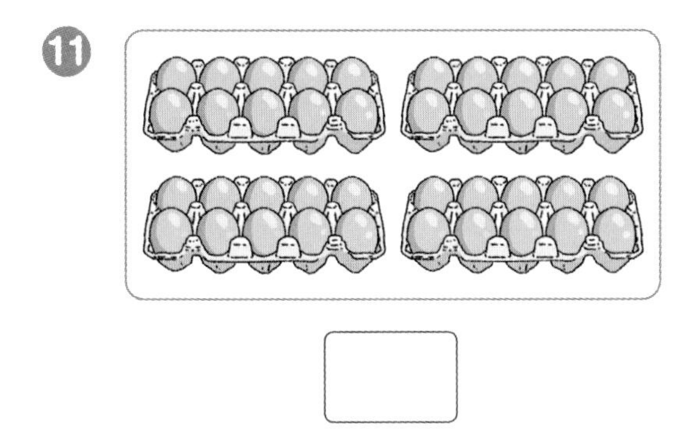

▢

12

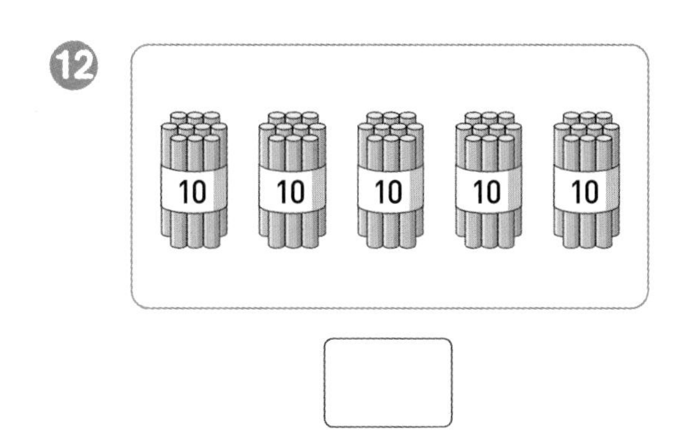

▢

13

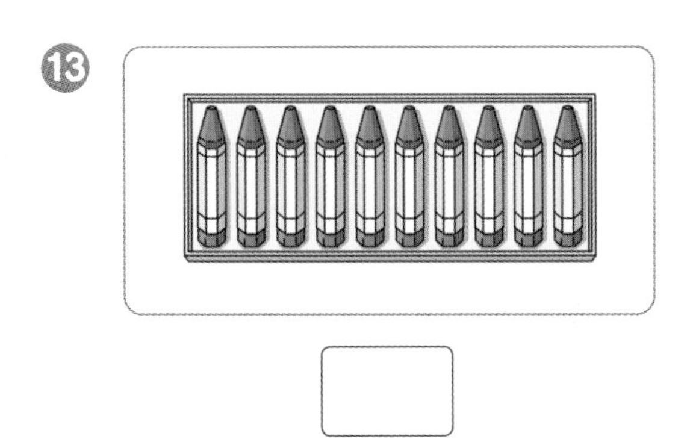

▢

14

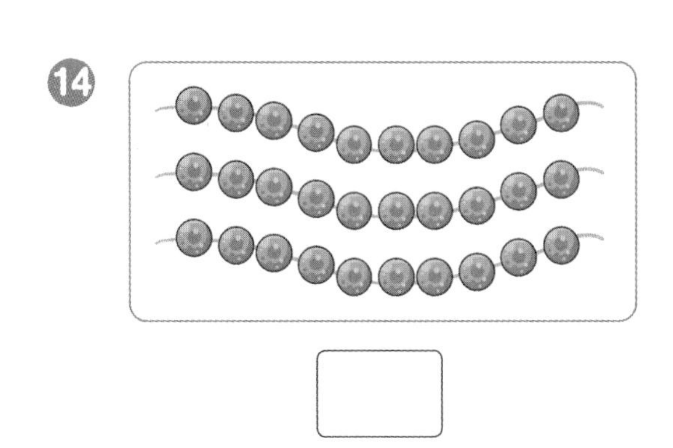

▢

5 일차

20, 30, 40, 50 알아보기

보기 와 같이 주어진 수가 되도록 ○를 더 그려 보세요.

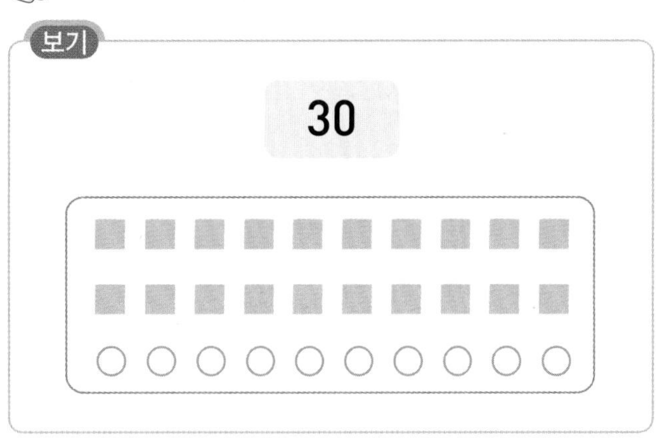

1

20

2

40

3

50

수를 두 가지 방법으로 읽어 보세요.

4

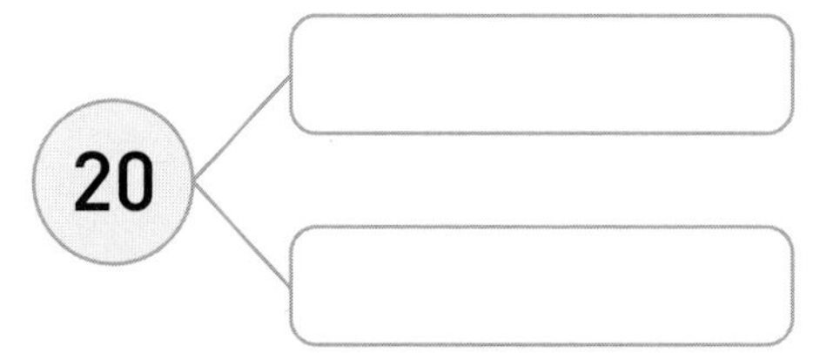

5

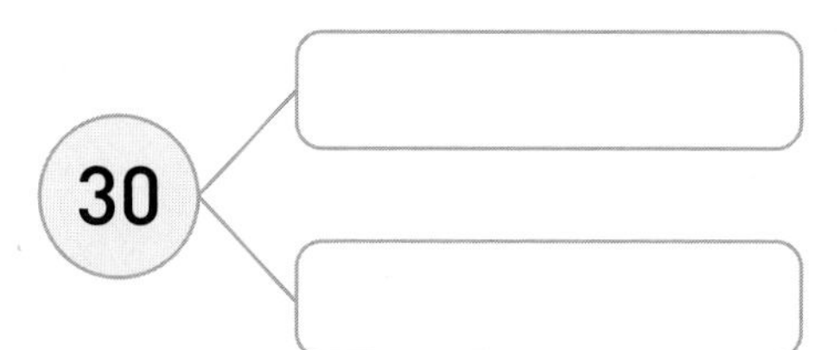

6

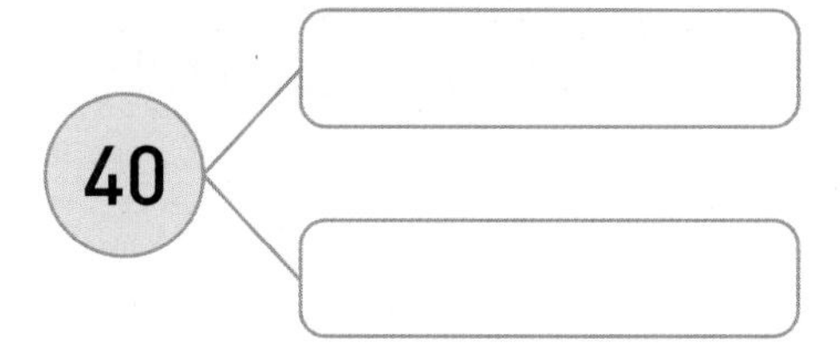

7

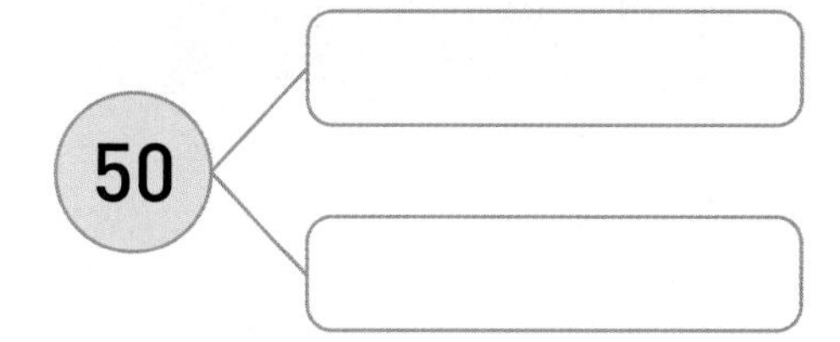

제한 시간 3분

플러스 계산 연습

맞은 개수 / 15개

▶ 정답과 해설 17쪽

생활 속 문제

10개씱 묶고, 수를 두 가지 방법으로 읽어 보세요.

8

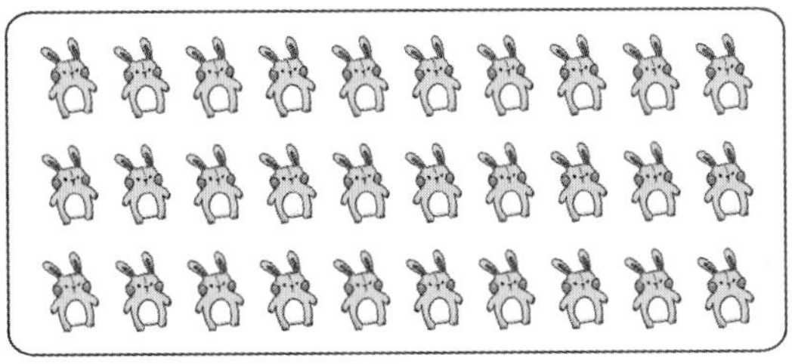

[ ], [ ]

9

[ ], [ ]

10

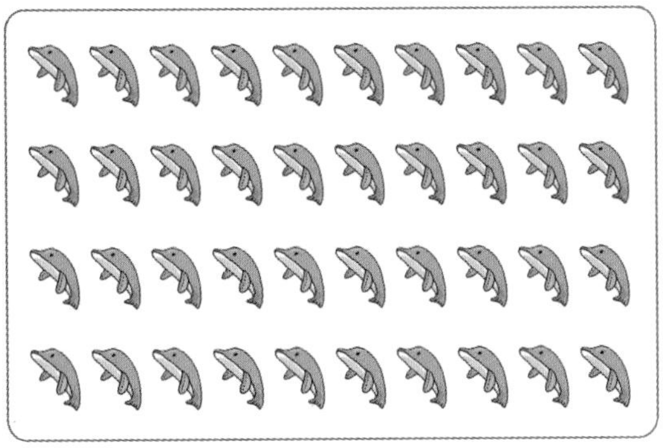

[ ], [ ]

11

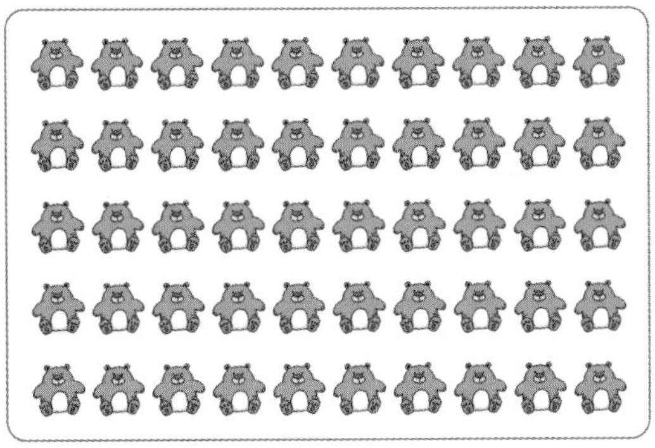

[ ], [ ]

문장 읽고 문제 해결하기

12 사과가 10개씩 3봉지 있을 때 사과는 모두 몇 개?

답 ________ 개

13 사탕이 10개씩 2봉지 있을 때 사탕은 모두 몇 개?

답 ________ 개

14 초콜릿이 10개씩 4상자 있을 때 초콜릿은 모두 몇 개?

답 ________ 개

15 바나나가 10개씩 5묶음 있을 때 바나나는 모두 몇 개?

답 ________ 개

몇십몇 알아보기(1)

이렇게 해결하자

• 24 알아보기

10개씩 묶음 2개

낱개 4개

24

10개씩 묶음 2개와 낱개 4개는 24예요. 24는 이십사, 스물넷이라고 읽어요.

연결큐브의 수를 세어 ▢ 안에 쓰세요.

❶ ▢

❷ ▢

❸ ▢

❹ ▢

❺ ▢

❻ ▢

제한 시간 3분

기초 계산 연습

맞은 개수 / 14개

▶ 정답과 해설 17쪽

⑦

⑧

⑨

⑩

⑪

⑫

⑬

⑭

6 일차

몇십몇 알아보기(1)

수를 두 가지 방법으로 읽어 보세요.

1

45	

2

26	

3

34	

4

41	

보기 와 같이 ▢ 안에 알맞은 수를 써넣으세요.

보기

10개씩 묶음	낱개
2	7

27

5

10개씩 묶음	낱개
2	3

▢

6

10개씩 묶음	낱개
3	9

▢

7

10개씩 묶음	낱개
4	6

▢

제한 시간 3분

플러스 계산 연습

맞은 개수 / 15개

▶ 정답과 해설 17쪽

생활 속 문제

지갑에 들어 있는 돈은 모두 얼마인지 ▢ 안에 쓰세요.

8

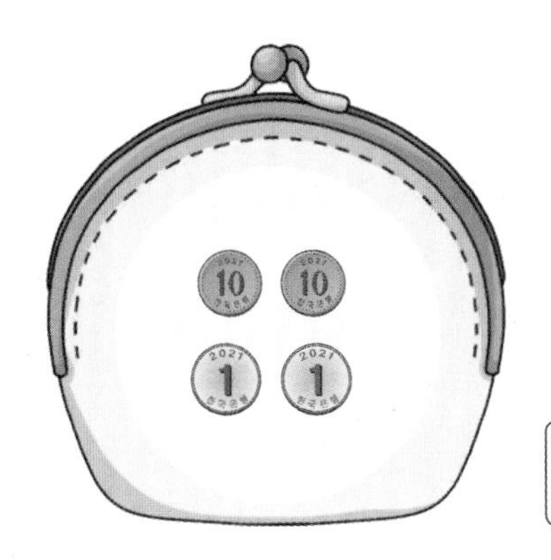

▢원

9

▢원

10

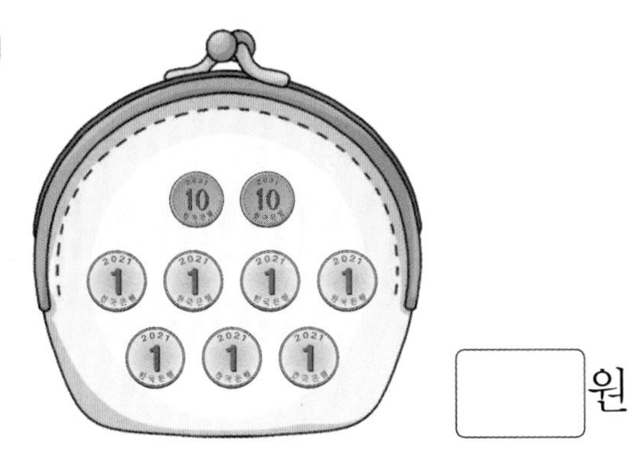

▢원

11

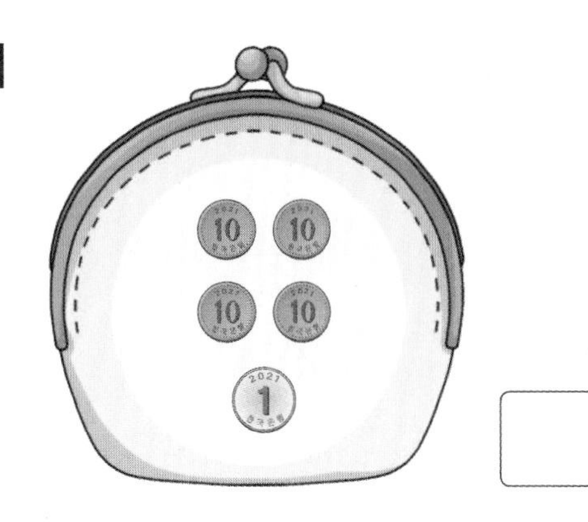

▢원

문장 읽고 문제 해결하기

12 10개씩 묶음 3개와 낱개 9개는 모두 몇 개?

답 ________ 개

13 10개씩 묶음 2개와 낱개 1개는 모두 몇 개?

답 ________ 개

14 10개씩 묶음 4개와 낱개 8개는 모두 몇 개?

답 ________ 개

15 10개씩 묶음 3개와 낱개 3개는 모두 몇 개?

답 ________ 개

몇십몇 알아보기(2)

이렇게 해결하자

• 10개씩 묶어 세기

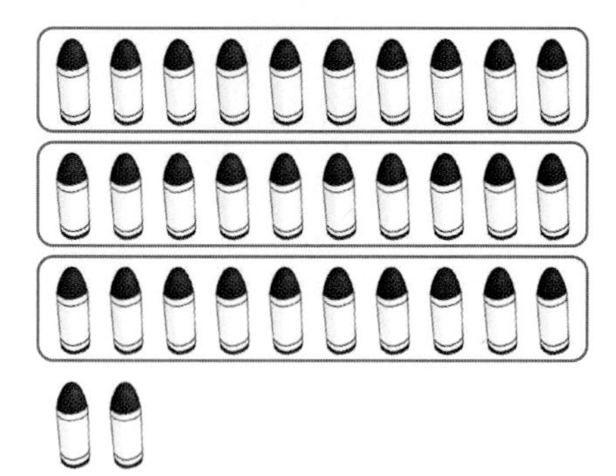

32

10개씩 묶어 세면
10개씩 묶음이 3개,
낱개 2개이므로 32예요.

10개씩 묶고 수로 나타내어 보세요.

❶

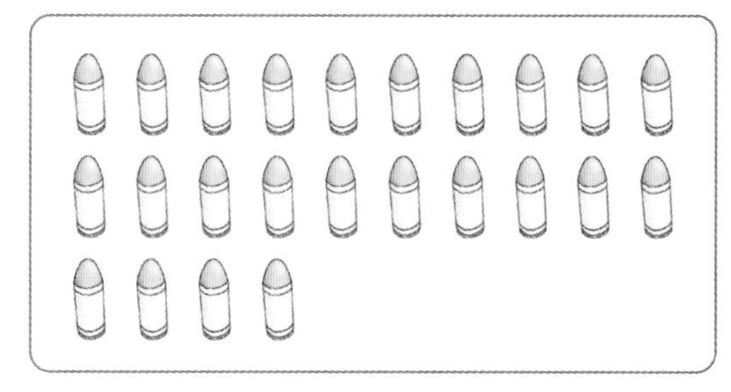

❷

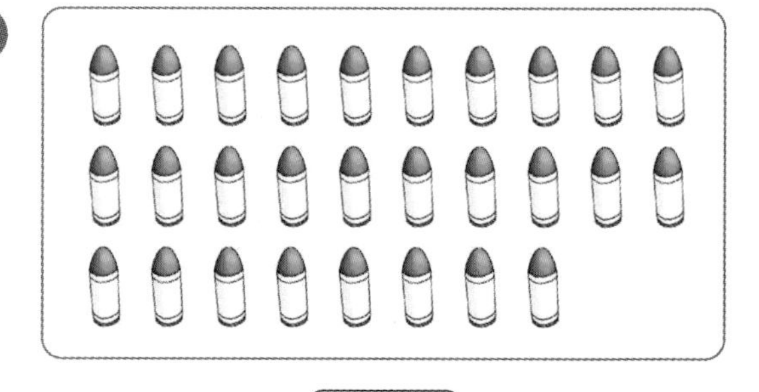

❸

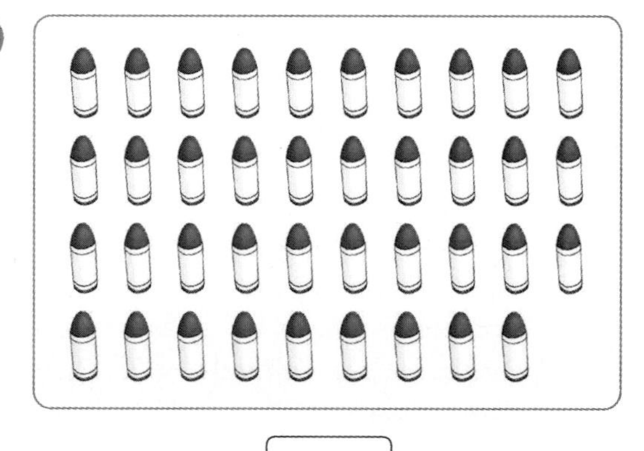

❹

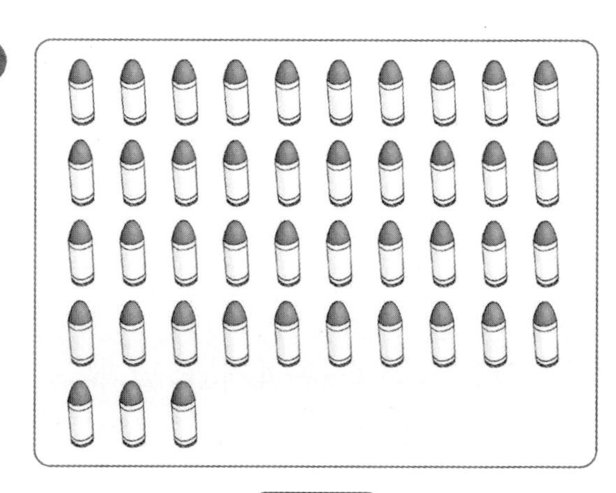

제한 시간 3분

기초 계산 연습

맞은 개수 / 10개

▶ 정답과 해설 18쪽

5

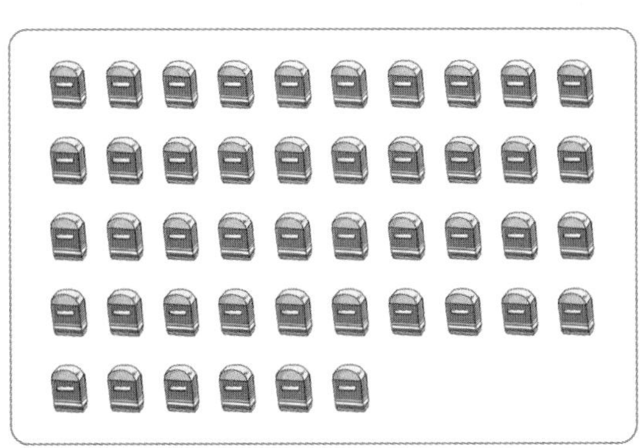

6

7

8

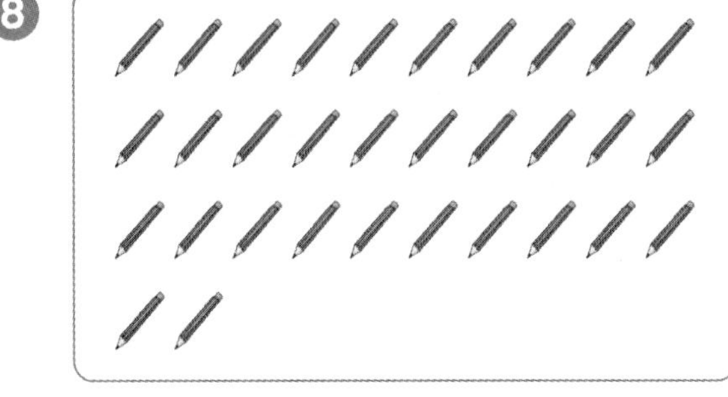

9

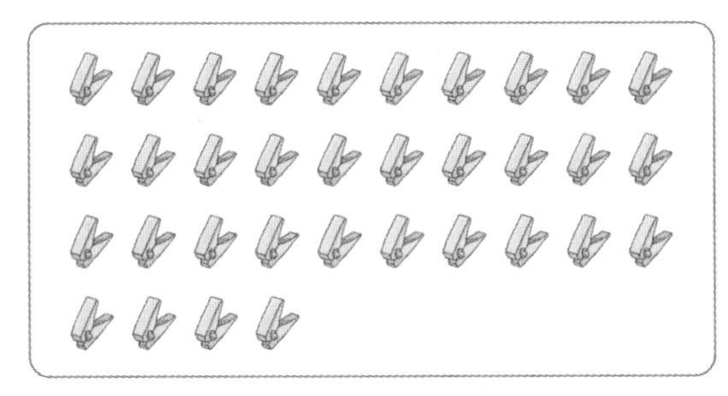

10

7 일차

몇십몇 알아보기(2)

10개씩 묶어 세어 빈 곳에 알맞은 수를 써넣으세요.

1

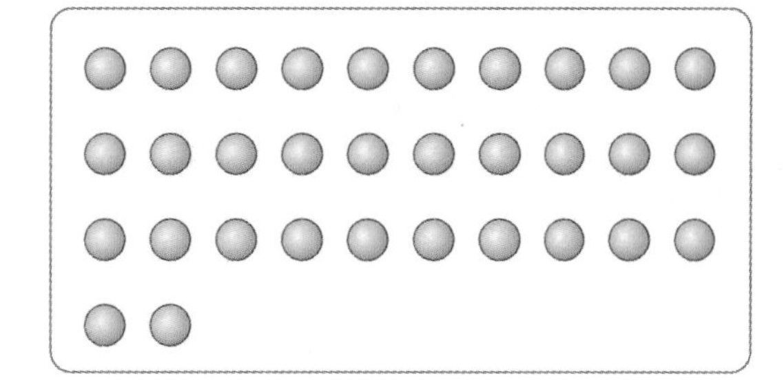

10개씩 묶음	낱개

→ □

2

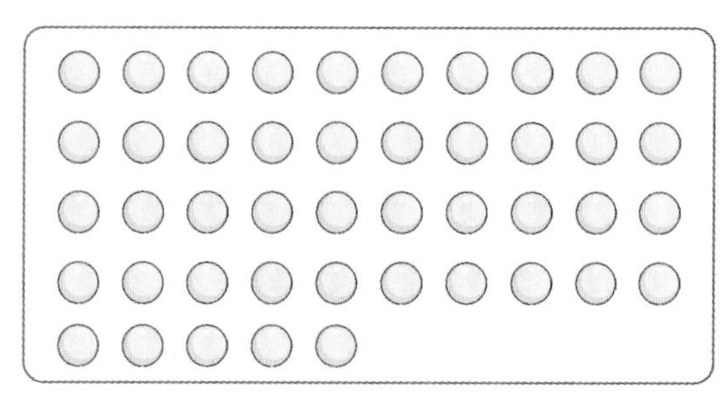

10개씩 묶음	낱개

→ □

수를 세어 두 가지 방법으로 읽어 보세요.

3

__________ , __________

4

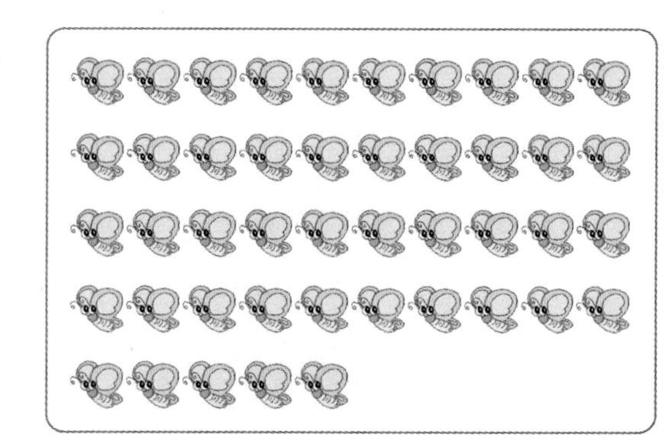

__________ , __________

5

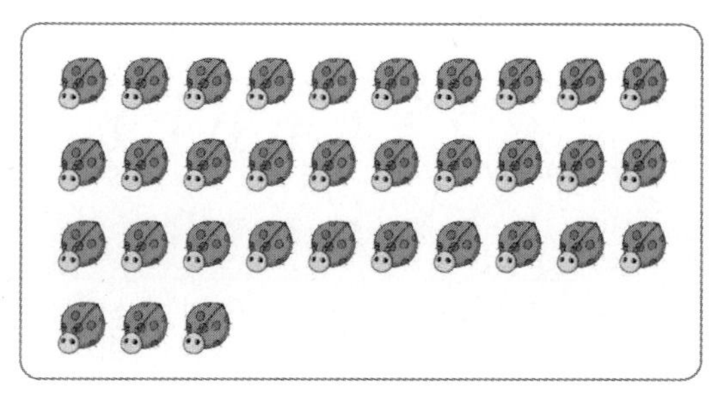

__________ , __________

6

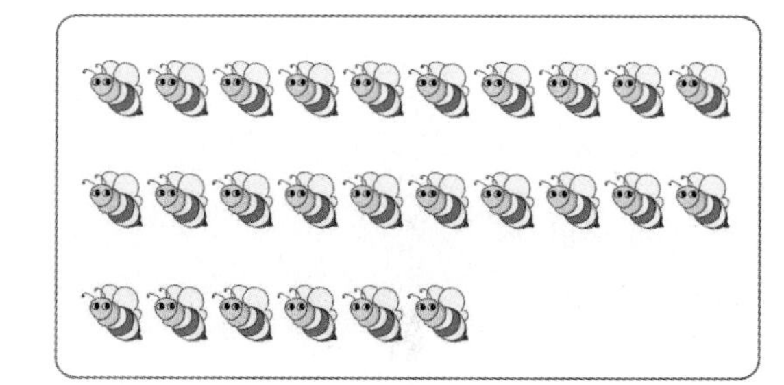

__________ , __________

플러스 계산 연습

맞은 개수 / 12개

▶ 정답과 해설 18쪽

생활 속 문제

빵의 수를 세어 ▢ 안에 쓰세요.

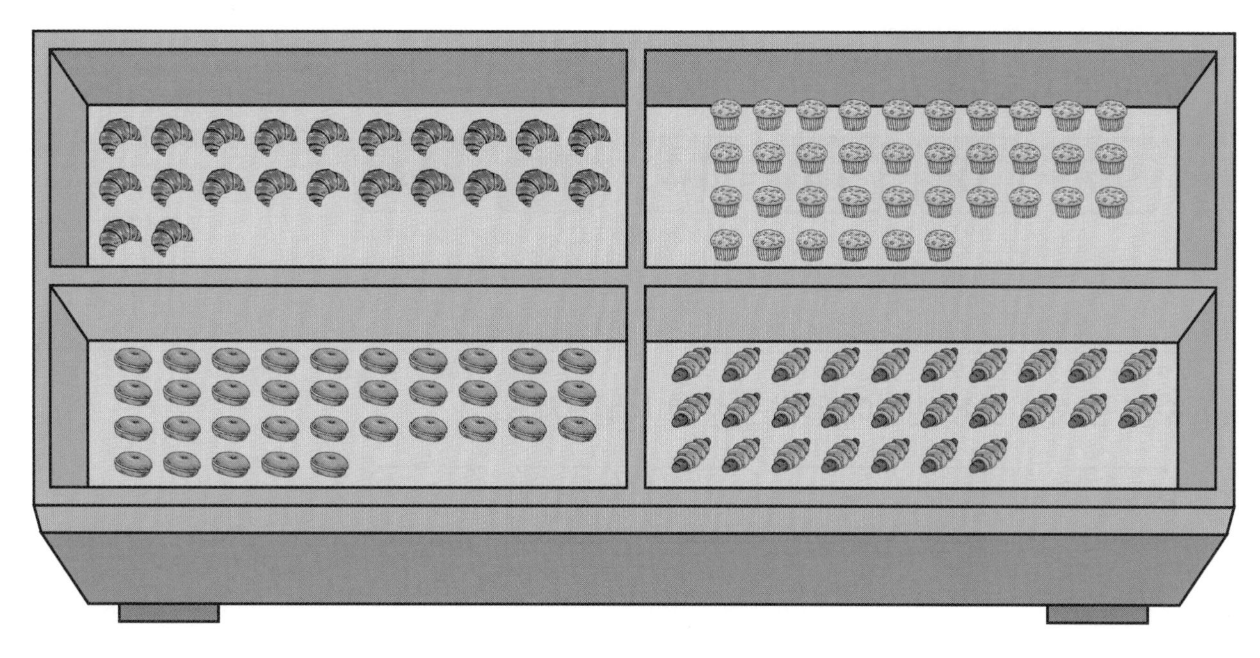

7  ▢개

8  ▢개

9  ▢개

10 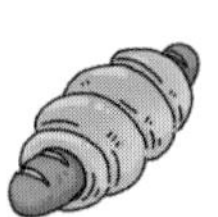 ▢개

문장 읽고 문제 해결하기

11 연필이 10자루씩 2묶음과 낱개 9자루가 있다면 모두 몇 자루?

답 ________ 자루

12 연필이 10자루씩 3묶음과 낱개 5자루가 있다면 모두 몇 자루?

답 ________ 자루

8 일차

수의 순서

이렇게 해결하자

• 수의 순서 알아보기

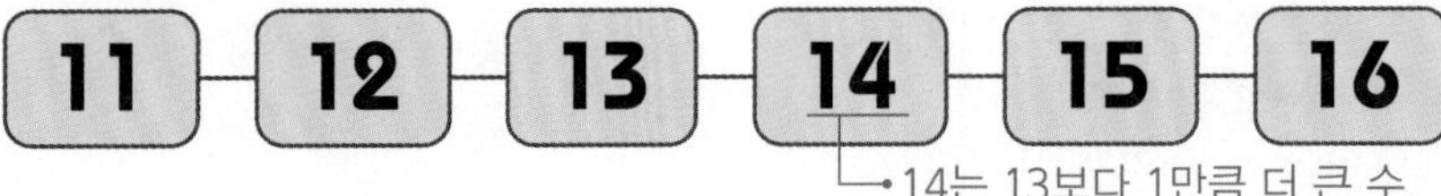

14는 13보다 1만큼 더 큰 수, 15보다 1만큼 더 작은 수예요.

11부터 수를 순서대로 써 보세요.

수의 순서에 맞게 빈칸에 알맞은 수를 써넣으세요.

❶
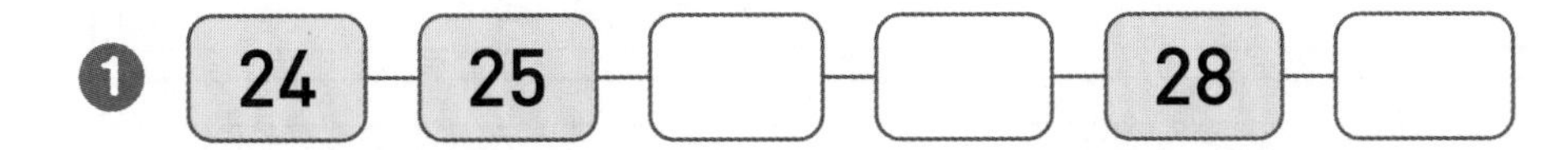

❷
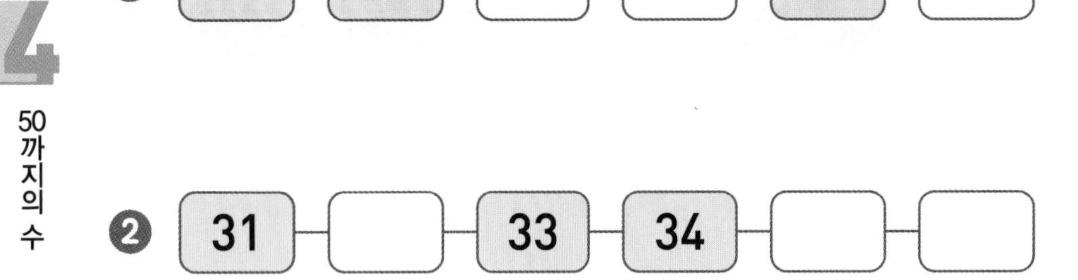

❸

❹

❺ 36 – 37 – □ – 39 – □ – □

❻ 21 – □ – 23 – 24 – □ – □

기초 계산 연습

맞은 개수 / 13개

▶ 정답과 해설 19쪽

❼

❽

❾

❿

⓫

⓬

⓭

8 일차

수의 순서

수의 순서에 맞게 빈칸에 알맞은 수를 써넣으세요.

1

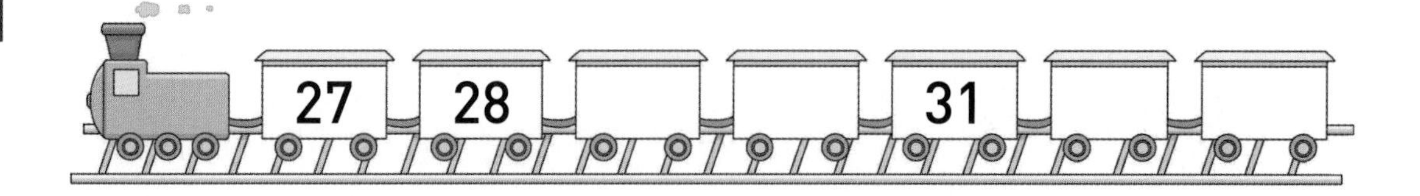

2

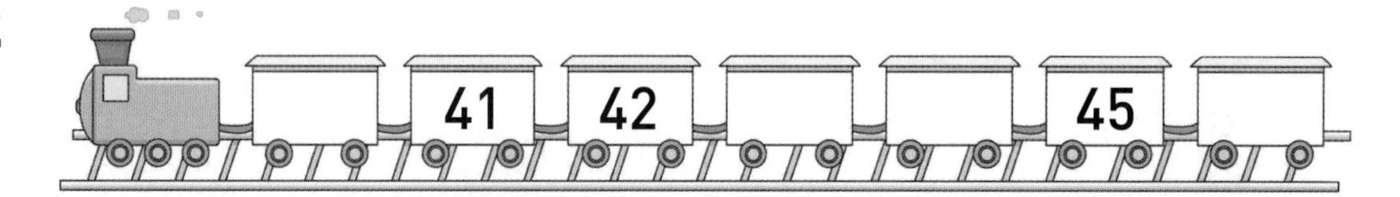

보기 와 같이 주어진 수의 순서대로 선을 그어 보세요.

보기

21부터 28까지의 수

21	22	30	35	36
20	23	32	27	28
31	24	25	26	37

3

35부터 41까지의 수

35	36	37	45	44
34	32	38	42	43
31	33	39	40	41

4

27부터 35까지의 수

27	25	31	32	33
28	29	30	38	34
26	24	37	36	35

5

40부터 49까지의 수

40	38	39	49	35
41	42	50	48	47
36	43	44	45	46

플러스 계산 연습

맞은 개수 　 / 14개

▶ 정답과 해설 19쪽

생활 속 문제

보기 와 같이 왼쪽부터 수의 순서에 맞게 카드를 차례로 놓았을 때 잘못 놓인 카드에 ×표 하세요.

보기

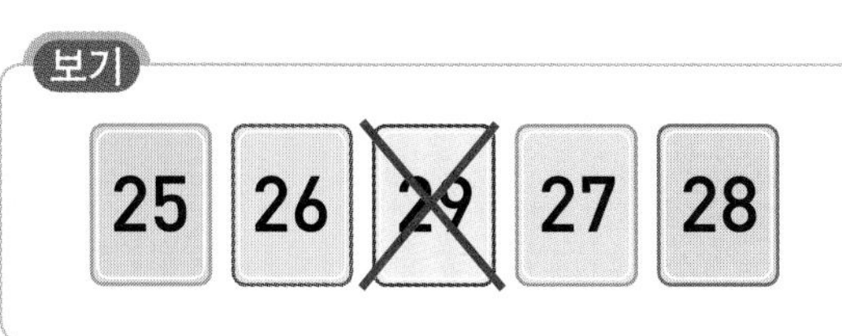

6 32 33 34 37 35

7 16 17 15 18 19

8 29 26 30 31 32

9 45 46 42 47 48

10 35 36 37 33 38

문장 읽고 문제 해결하기

11 순서에 맞게 25 바로 다음의 수는?

답 

12 순서에 맞게 32 바로 다음의 수는?

답 ______________

13 순서에 맞게 49 바로 다음의 수는?

답 ______________

14 순서에 맞게 44 바로 다음의 수는?

답 ______________

9 일차

1만큼 더 작은 수, 1만큼 더 큰 수

빈칸에 알맞은 수를 써넣으세요.

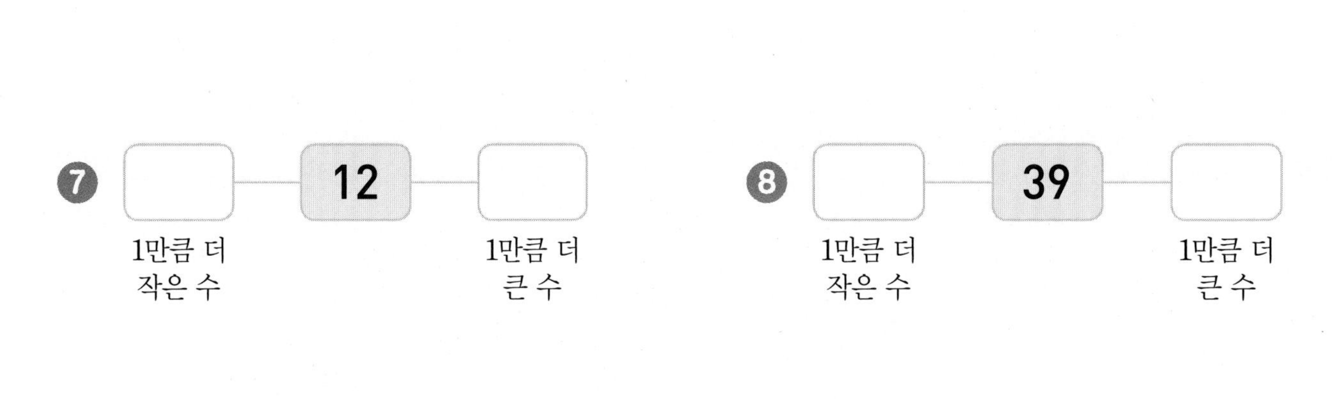

제한 시간 3분

기초 계산 연습

맞은 개수 / 18개

▶ 정답과 해설 19쪽

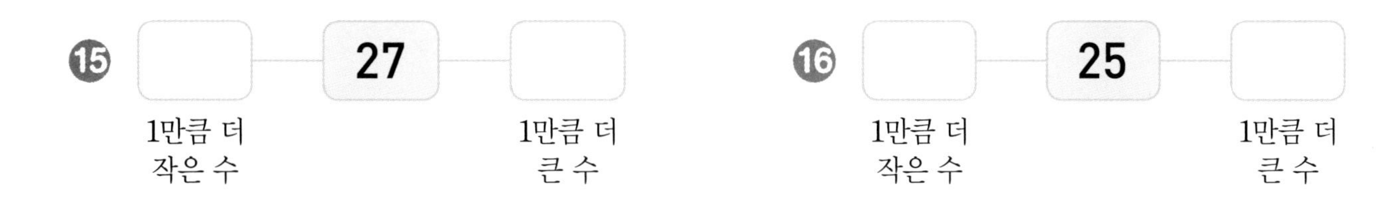

9 일차

1만큼 더 작은 수, 1만큼 더 큰 수

빈칸에 알맞은 수를 써넣으세요.

1 ( ) — 22 — ( )
1만큼 더 작은 수 / 1만큼 더 큰 수

2 ( ) — 37 — ( )
1만큼 더 작은 수 / 1만큼 더 큰 수

3 ( ) — 34 — ( )
1만큼 더 작은 수 / 1만큼 더 큰 수

4 ( ) — 46 — ( )
1만큼 더 작은 수 / 1만큼 더 큰 수

◯ 안에는 연결된 수보다 1만큼 더 큰 수, ◇ 안에는 연결된 수보다 1만큼 더 작은 수를 써넣으세요.

5

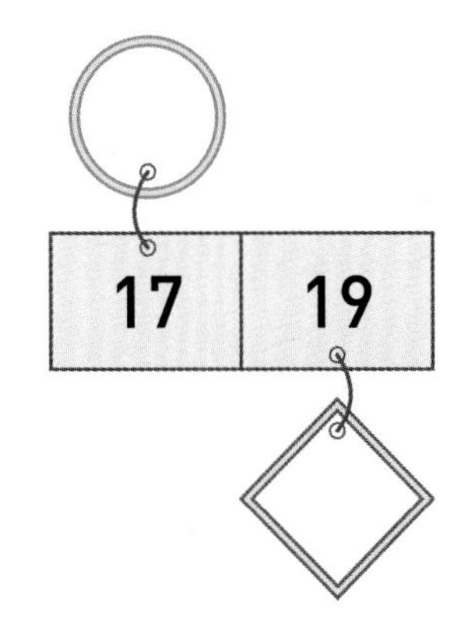

6

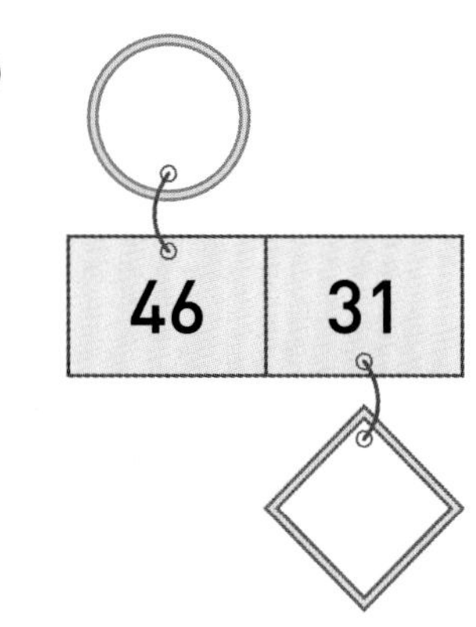

7

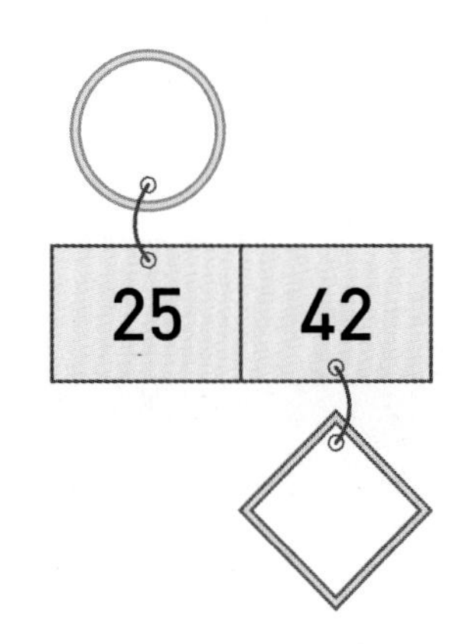

8

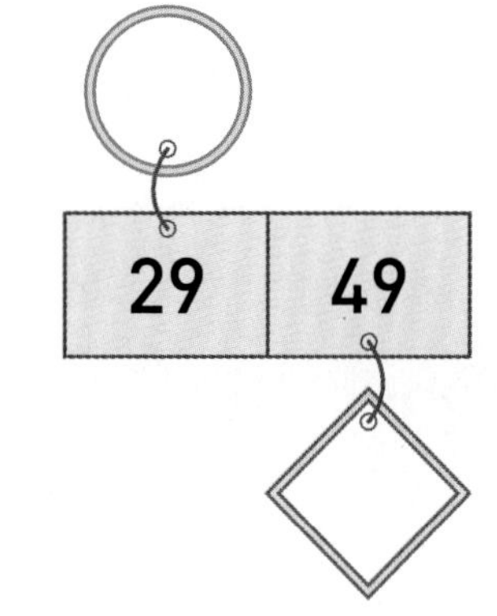

생활 속 문제

빈 곳에 나이를 알맞게 쓰세요.

9 1만큼 더 작은 수

□세 — 작년

24세 — 올해

10 1만큼 더 작은 수

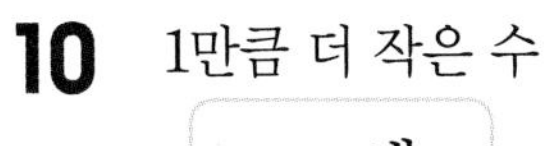

□세 — 작년

21세 — 올해

11 1만큼 더 큰 수

16세 — 올해

□세 — 내년

12 1만큼 더 큰 수

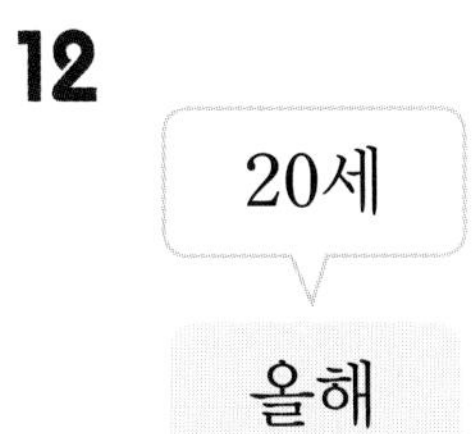

20세 — 올해

□세 — 내년

문장 읽고 문제 해결하기

13 28보다 1만큼 더 작은 수는?

답 ______

14 35보다 1만큼 더 작은 수는?

답 ______

15 41보다 1만큼 더 큰 수는?

답 ______

16 19보다 1만큼 더 큰 수는?

답 ______

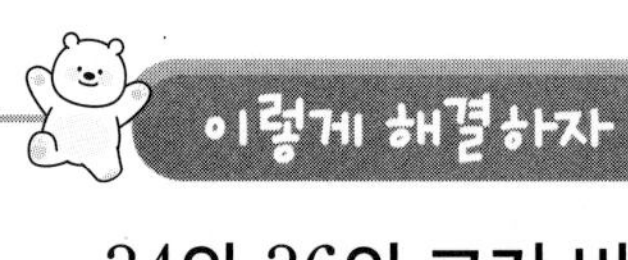

수의 크기 비교

이렇게 해결하자

• 34와 36의 크기 비교하기

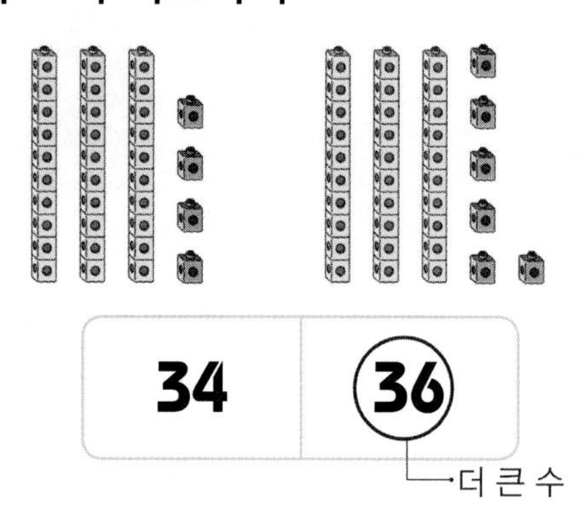

10개씩 묶음의 수가 같으므로 낱개의 수를 비교하면 36은 34보다 큽니다.

더 큰 수에 ○표 하세요.

❶

22	34

❷

28	32

❸

43	35

❹

17	24

❺

39	36

❻

42	45

❼

16	14

❽

38	37

맞은 개수 / 20개

▶ 정답과 해설 19쪽

더 작은 수에 △표 하세요.

⑨

25	33

⑩

22	23

⑪

29	16

⑫

42	45

⑬

23	27

⑭

36	27

⑮

15	14

⑯

47	49

⑰

30	25

⑱

32	40

⑲

50	49

⑳

27	29

10 일차

수의 크기 비교

보기 와 같이 주어진 수를 ▢ 안에 알맞게 써넣으세요.

보기

25 32

[32]는 [25]보다 큽니다.

1

13 15

[ ]은/는 [ ]보다 큽니다.

2

24 29

[ ]은/는 [ ]보다 큽니다.

3

42 44

[ ]은/는 [ ]보다 큽니다.

가장 큰 수에 ○표, 가장 작은 수에 △표 하세요.

4

17	23	39

5

33	40	28

6

22	27	25

7

32	37	31

8

42	49	41

9

12	17	11

제한 시간 3분

플러스 계산 연습

맞은 개수 / 17개

▶ 정답과 해설 20쪽

생활 속 문제

그림을 보고 ▢ 안에 알맞은 수를 써넣으세요.

10 32, 34

▢ 은/는 ▢ 보다 작습니다.

11 28, 26

▢ 은/는 ▢ 보다 작습니다.

12 35, 36

▢ 은/는 ▢ 보다 작습니다.

13 21, 24

▢ 은/는 ▢ 보다 작습니다.

문장 읽고 문제 해결하기

14 15와 21 중 더 큰 수는?

답 ______________

15 33과 37 중 더 작은 수는?

답 ______________

16 29, 22, 27 중 가장 큰 수는?

답 ______________

17 33, 37, 31 중 가장 작은 수는?

답 ______________

평가 SPEED 연산력 TEST

제한 시간 10분

모으기와 가르기를 해 보세요.

❶

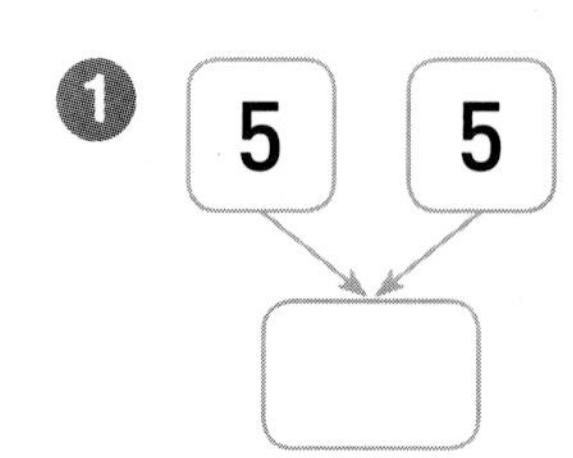

❷

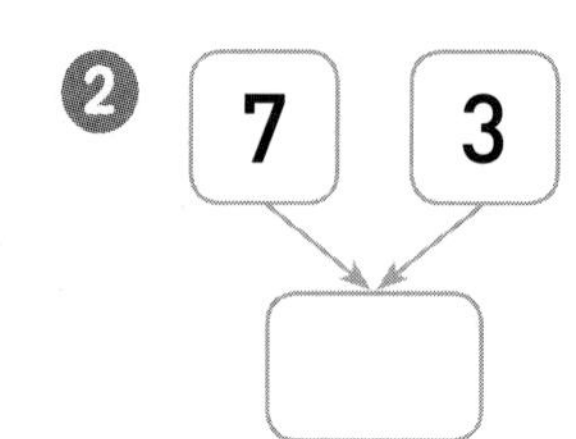

❸

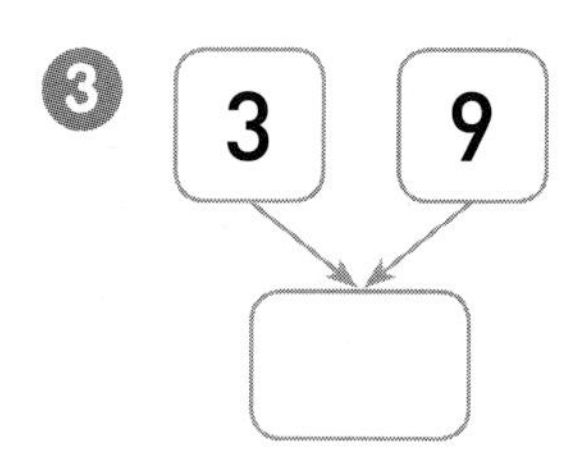

❹

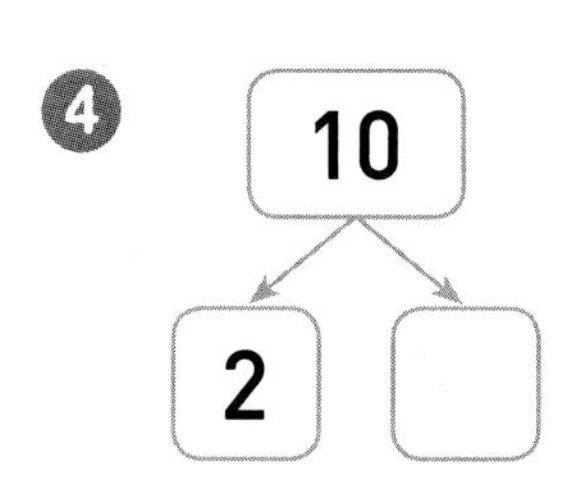

❺

14

8 □

❻

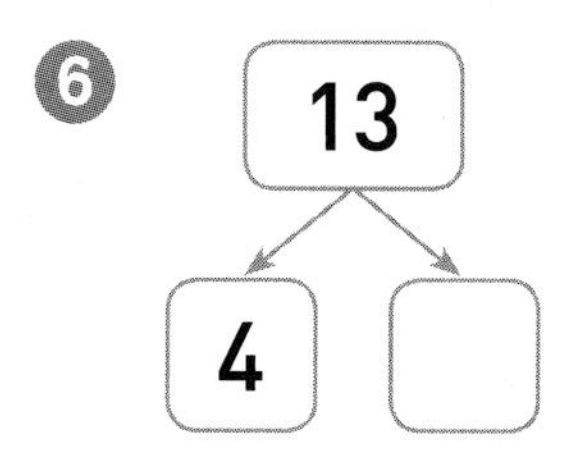

□ 안에 알맞은 수를 써넣으세요.

❼

10개씩 묶음	낱개
2	9

→ □

❽

10개씩 묶음	낱개
1	6

→ □

❾

10개씩 묶음	낱개
3	1

→ □

❿

10개씩 묶음	낱개
4	5

→ □

▶ 정답과 해설 20쪽

⑪
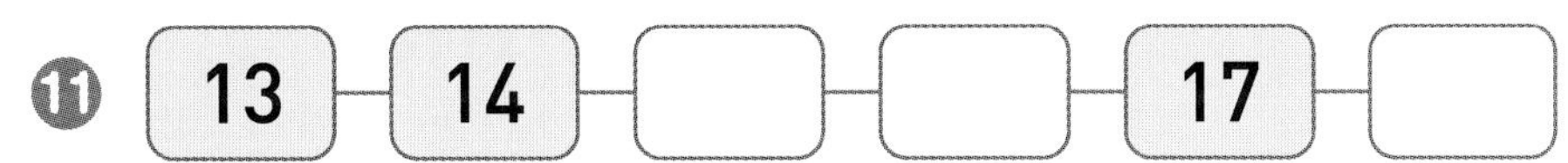

⑫

빈칸에 알맞은 수를 써넣으세요.

⑬ ⑭

⑮ ⑯

더 큰 수에 ○표 하세요.

⑰ ⑱
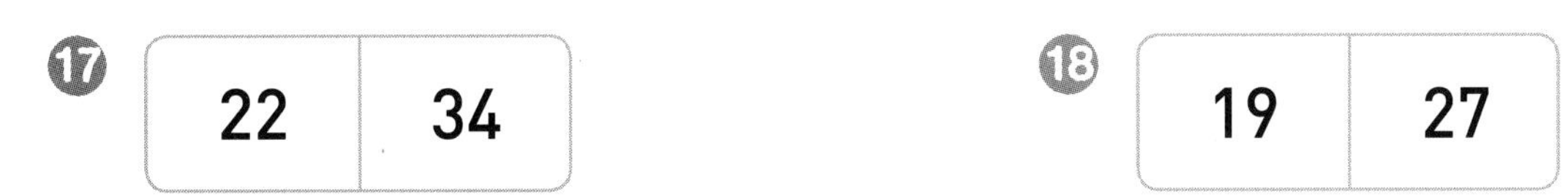

더 작은 수에 △표 하세요.

⑲ ⑳
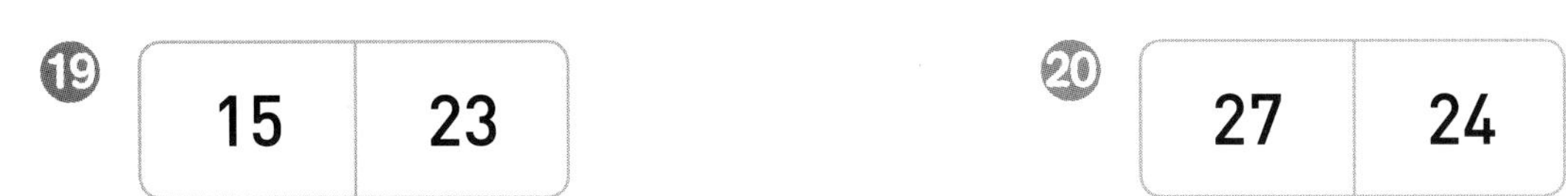

제한 시간 안에 정확하게
모두 풀었다면 여러분은 진정한 **계산왕!**

특강 문장제 문제 도전하기

1 **7**과 **8**을 모으기 한 수: ➔ [ ]

머핀이 **7**개, 크림빵이 **8**개 있습니다.
빵을 모으기 하면 몇 개일까요?

이 모으기가 실생활에서
어떤 상황에 이용될까요?

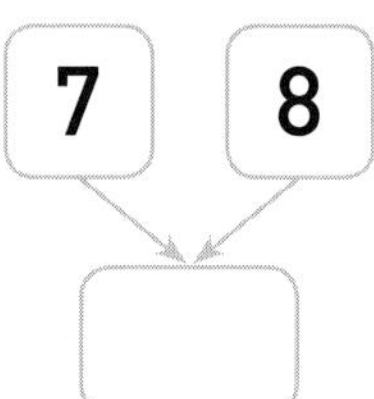

답 ______ 개

2 **4**와 **9**를 모으기 한 수: ➔ [ ]

파란색 구슬이 **4**개, 분홍색 구슬이 **9**개 있습니다.
구슬을 모으기 하면 몇 개일까요?

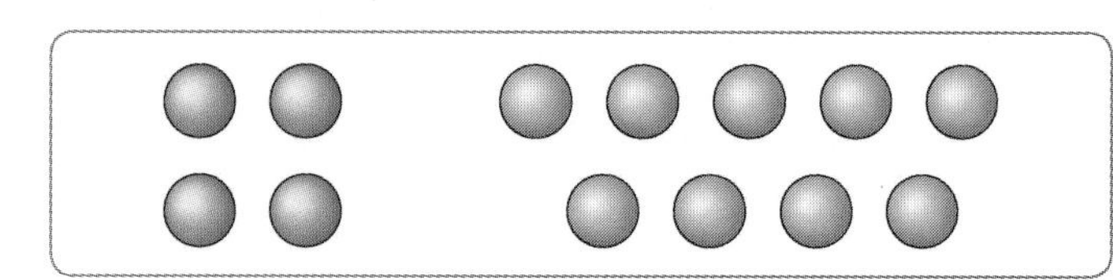

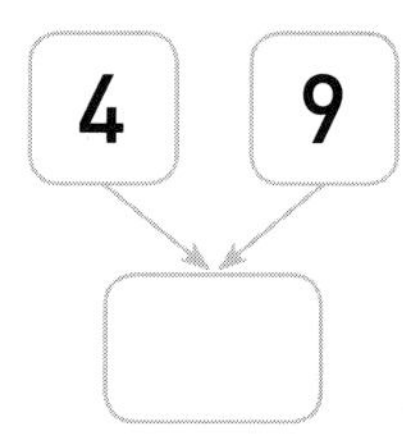

답 ______ 개

3 **7**과 **5**를 모으기 한 수: ➔ [ ]

초록색 크레파스가 **7**개, 파란색 크레파스가 **5**개 있습니다. 크레파스를 모으기 하면 몇 개일까요?

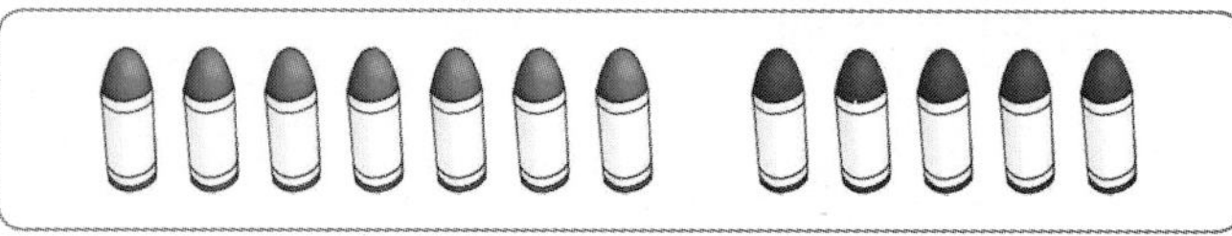

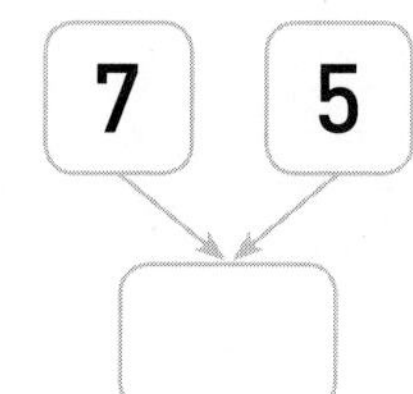

답 ______ 개

▶정답과 해설 20쪽

문장을 읽고 알맞은 수의 모으기를 하여 답을 구해 보자!

4 노란색 구슬 **9**개, 빨간색 구슬 **8**개가 있습니다.
구슬을 모으기 하면 몇 개일까요?

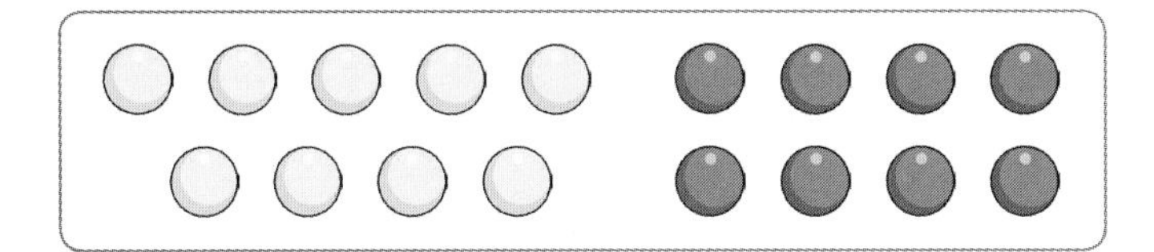

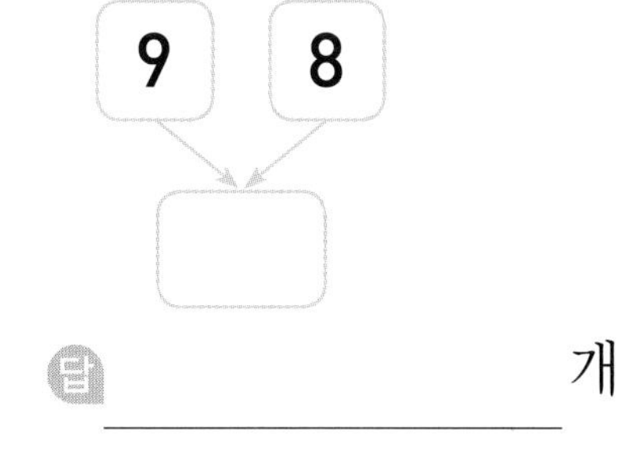

답 ________ 개

5 분홍색 크레파스가 **3**개, 노란색 크레파스가 **8**개 있습니다.
크레파스를 모으기 하면 몇 개일까요?

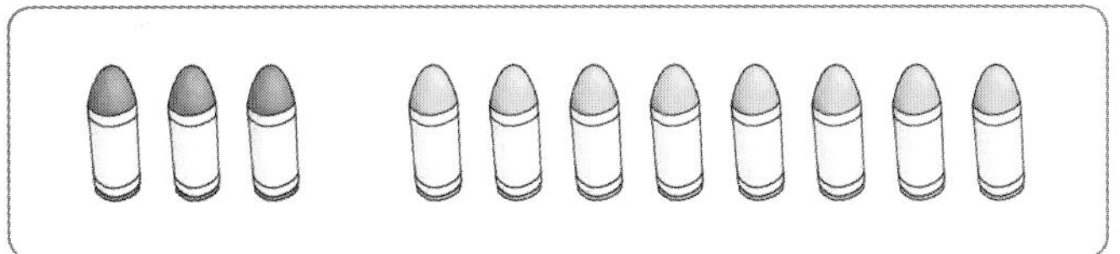

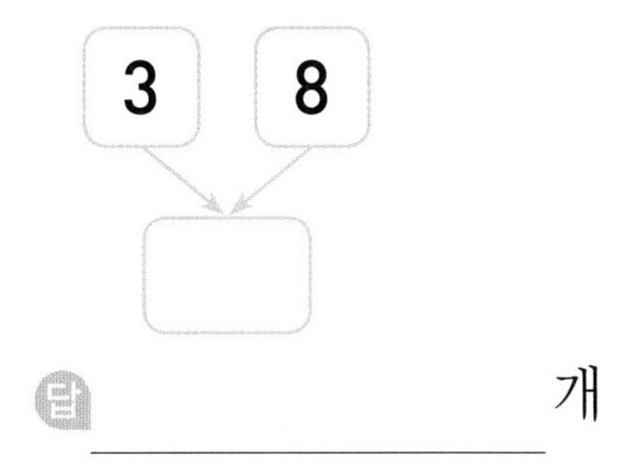

답 ________ 개

6 곰 인형 **8**개와 토끼 인형 **5**개가 있습니다.
인형을 모으기 하면 몇 개일까요?

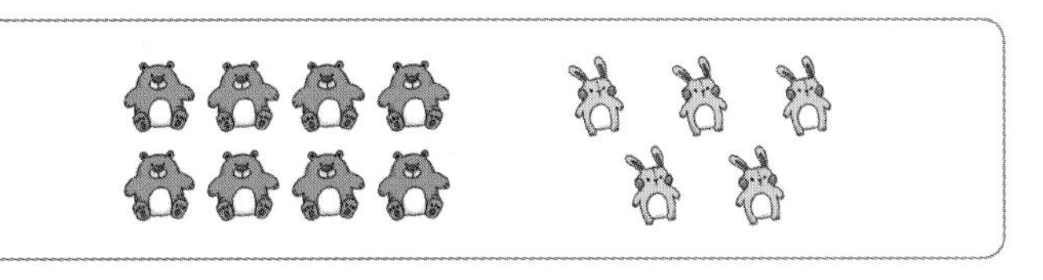

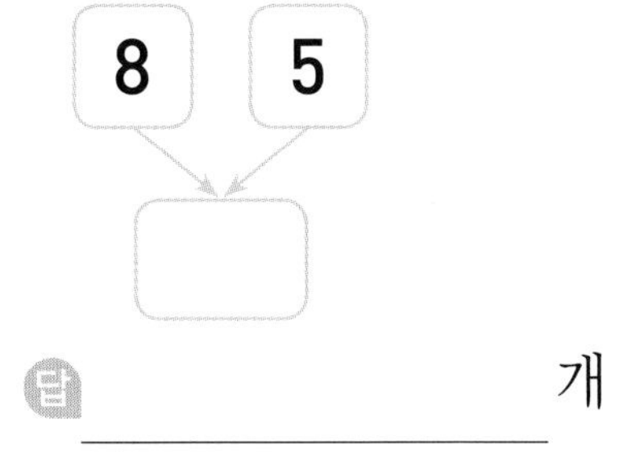

답 ________ 개

블록으로 알파벳을 만들어 보자!

융합 1 3명의 어린이가 블록으로 각각 모양을 만들었습니다. 만드는 데 사용한 블록의 수를 구하세요.

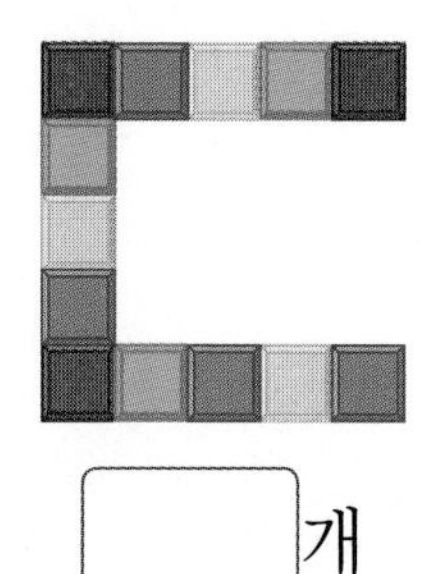
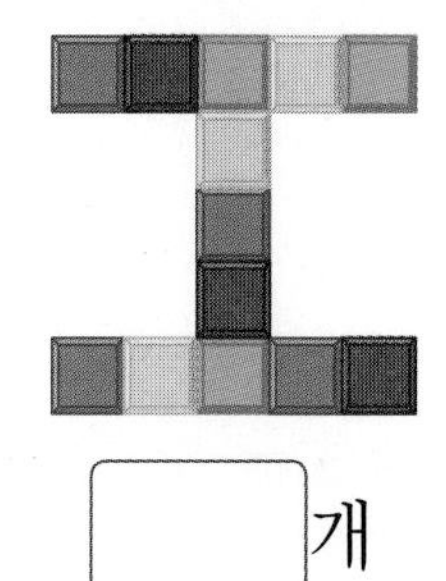
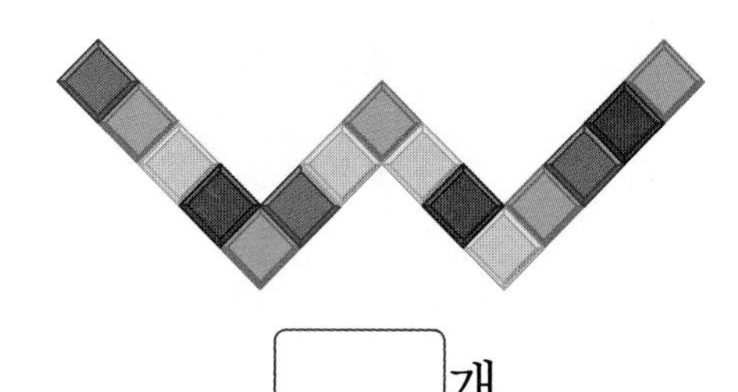

□개 □개 □개

창의 2 비행기 좌석을 나타낸 것입니다. 지유의 자리는 어디인지 찾아 ○표 하세요.

 화살표의 규칙에 따라 빈 곳에 알맞은 수를 써넣으세요.

→: 1만큼 더 큰 수	↑: 10개씩 묶음의 수가 1만큼 더 큰 수
←: 1만큼 더 작은 수	↓: 10개씩 묶음의 수가 1만큼 더 작은 수

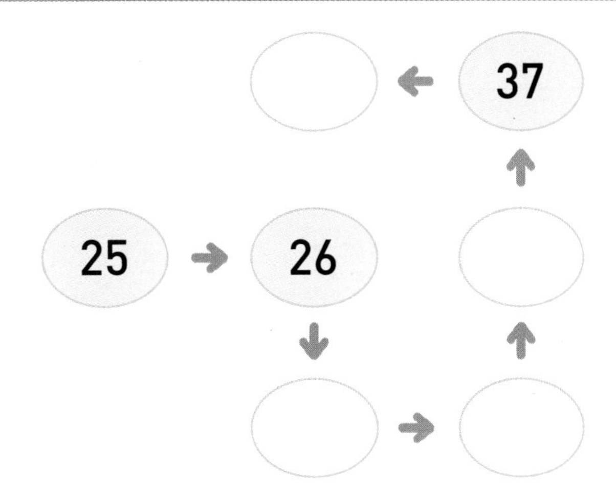

MEMO

꼭 알아야 할

사자성어

물고기에게 물은 정말 소중한 존재이지요.
수어지교란 물고기와 물의 관계처럼,
아주 친밀하여 떨어질 수 없는 사이
또는 깊은 우정을 일컫는 말이랍니다.

해당 콘텐츠는 천재교육 '똑똑한 하루 독해'를 참고하여 제작되었습니다.
모든 공부의 기초가 되는 어휘력+독해력을 키우고 싶을 땐,
똑똑한 하루 독해&어휘를 풀어보세요!

book.chunjae.co.kr

쉽고 빠른 드릴 연산서

해법 전략

수학리더 연산 1A

- 혼자서도 이해할 수 있는 친절한 문제 풀이
- OX퀴즈로 계산 원리 다시 알아보기

천재교육

해법전략
포인트 3가지

- 혼자서도 이해할 수 있는 친절한 문제 풀이
- 참고, 주의 등 자세한 풀이 제시
- OX퀴즈로 계산 원리 다시 알아보기

정답과 해설

1 9까지의 수

개념 OX 퀴즈

옳으면 ◯에, 틀리면 ✕에 ○표 하세요.

2는 둘 또는 이라고 읽습니다.

정답은 4쪽에서 확인하세요.

1일차 기초 계산 연습 6~7쪽

❶ 2에 ○표	❷ 1에 ○표
❸ 3에 ○표	❹ 4에 ○표
❺ 5에 ○표	❻ 3에 ○표
❼ 하나에 ○표	❽ 셋에 ○표
❾ 둘에 ○표	❿ 넷에 ○표
⓫ 다섯에 ○표	⓬ 둘에 ○표
⓭ 셋에 ○표	⓮ 다섯에 ○표

1일차 플러스 계산 연습 8~9쪽

1 4	**2** 2	**3** 5
4 1	**5** 3	**6** 5
7 셋	**8** 다섯	**9** 넷
10 하나	**11** 1	**12** 2
13 4	**14** 3	**15** 일, 하나
16 오, 다섯	**17** 삼, 셋	**18** 이, 둘

2일차 기초 계산 연습 10~11쪽

❶ 9에 ○표	❷ 6에 ○표
❸ 7에 ○표	❹ 8에 ○표
❺ 9에 ○표	❻ 7에 ○표
❼ 일곱에 ○표	❽ 여섯에 ○표
❾ 아홉에 ○표	❿ 여덟에 ○표
⓫ 일곱에 ○표	⓬ 일곱에 ○표
⓭ 여섯에 ○표	⓮ 아홉에 ○표

2일차 플러스 계산 연습 12~13쪽

1 6	**2** 8	**3** 7
4 9	**5** 8	**6** 6
7 9	**8** 6	**9** 7
10 8	**11** 7	**12** 8
13 9	**14** 칠, 일곱	**15** 구, 아홉

1 꿀벌을 세어 보면 여섯이므로 6입니다.

2 나비를 세어 보면 여덟이므로 8입니다.

3 무당벌레를 세어 보면 일곱이므로 7입니다.

4 메뚜기를 세어 보면 아홉이므로 9입니다.

5 개미를 세어 보면 여덟이므로 8입니다.

6 잠자리를 세어 보면 여섯이므로 6입니다.

3일차 기초 계산 연습 14~15쪽

❶ 2, 5	❷ 3, 4, 6
❸ 4, 5, 7	❹ 4, 6, 7
❺ 1, 4, 6	❻ 3, 6, 7
❼ 5, 6, 8	❽ 3, 6, 7
❾ 2, 4, 7	❿ 3, 5, 6

❺ 2 앞에는 1, 3 다음에는 4, 5 다음에는 6입니다.

❻ 2 다음에는 3, 5 다음에는 6, 6 다음에는 7입니다.

❼ 4 다음에는 5, 5 다음에는 6, 7 다음에는 8입니다.

❽ 4 앞에는 3, 5 다음에는 6, 6 다음에는 7입니다.

❾ 3 앞에는 2, 3 다음에는 4, 6 다음에는 7입니다.

❿ 2 다음에는 3, 4 다음에는 5, 5 다음에는 6입니다.

3일차 플러스 계산 연습 16~17쪽

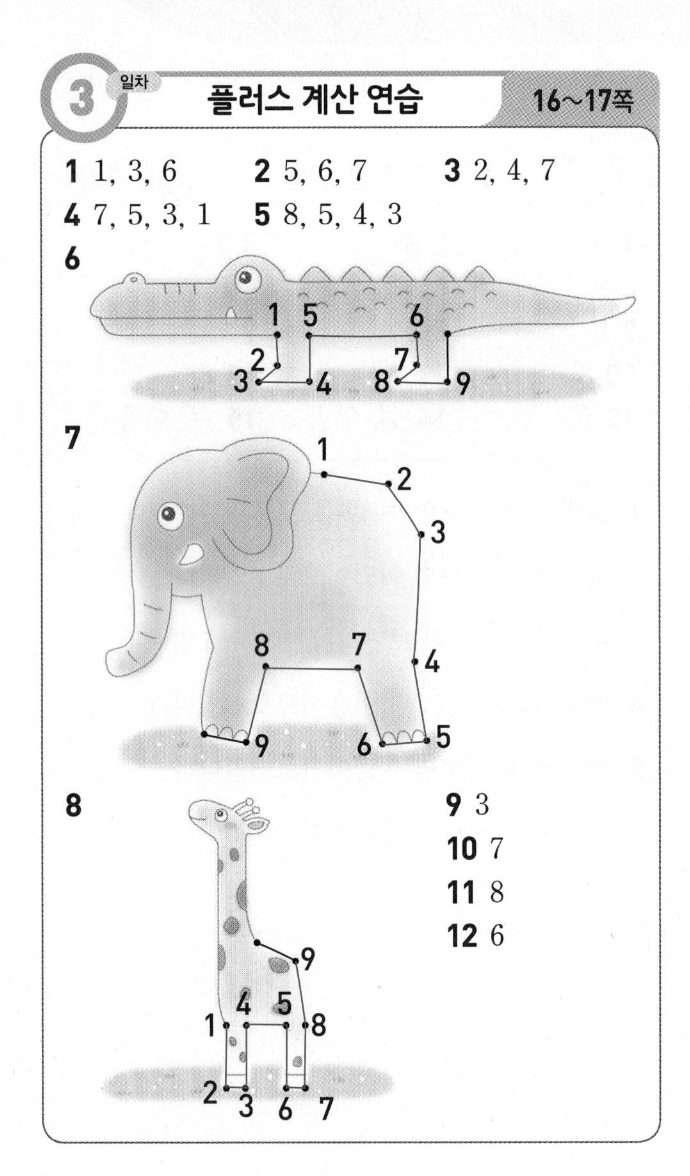

1 1, 3, 6　　2 5, 6, 7　　3 2, 4, 7
4 7, 5, 3, 1　　5 8, 5, 4, 3
6
7
8
9 3
10 7
11 8
12 6

9 수를 순서대로 쓰면 1, 2, 3이므로 2 다음의 수는 3입니다.

10 수를 순서대로 쓰면 5, 6, 7이므로 6 다음의 수는 7입니다.

11 수를 순서대로 쓰면 6, 7, 8이므로 7 다음의 수는 8입니다.

12 수를 순서대로 쓰면 4, 5, 6이므로 5 다음의 수는 6입니다.

4일차 기초 계산 연습 18~19쪽

❶ 다섯째, 여덟째　　❷ 셋째, 여섯째
❸ 둘째, 일곱째　　❹ 넷째, 일곱째
❺ 둘째, 다섯째　　❻ 여섯째, 아홉째
❼ 셋째, 일곱째, 여덟째
❽ 넷째, 여섯째, 여덟째

4일차 플러스 계산 연습 20~21쪽

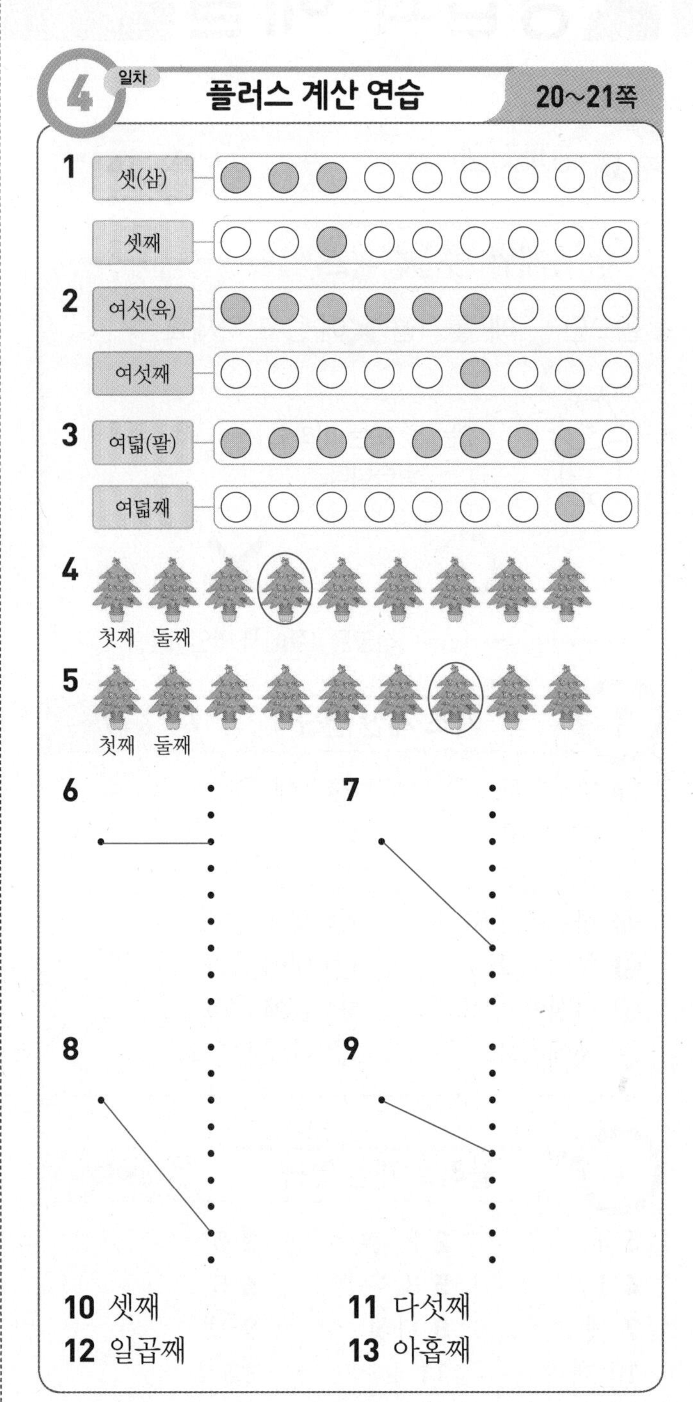

10 셋째　　11 다섯째
12 일곱째　　13 아홉째

1 셋(삼)은 수를 나타내므로 3개를 색칠하고, 셋째는 순서를 나타내므로 셋째에 있는 1개만 색칠합니다.

2 여섯(육)은 수를 나타내므로 6개를 색칠하고, 여섯째는 순서를 나타내므로 여섯째에 있는 1개만 색칠합니다.

3 여덟(팔)은 수를 나타내므로 8개를 색칠하고, 여덟째는 순서를 나타내므로 여덟째에 있는 1개만 색칠합니다.

10 첫째, 둘째, 셋째이므로 둘째 다음은 셋째입니다.

11 셋째, 넷째, 다섯째이므로 넷째 다음은 다섯째입니다.

12 다섯째, 여섯째, 일곱째이므로 여섯째 다음은 일곱째입니다.

13 일곱째, 여덟째, 아홉째이므로 여덟째 다음은 아홉째입니다.

5일차 기초 계산 연습 22~23쪽

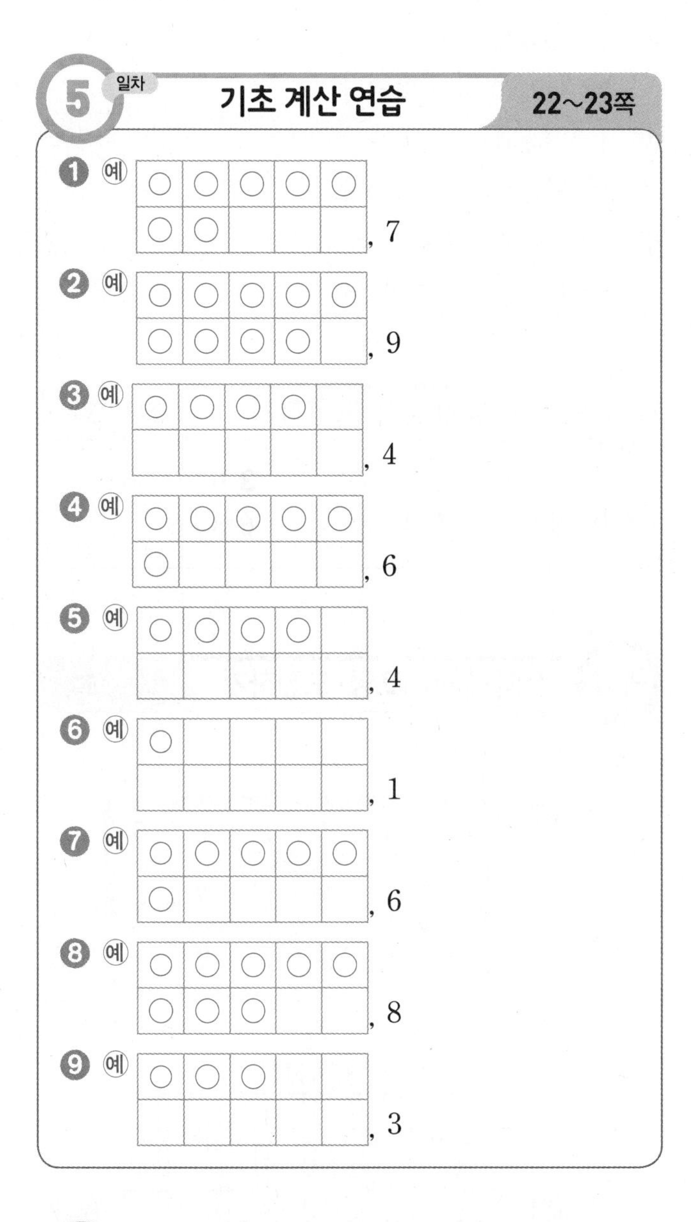

❶ 예) , 7
❷ 예) , 9
❸ 예) , 4
❹ 예) , 6
❺ 예) , 4
❻ 예) , 1
❼ 예) , 6
❽ 예) , 8
❾ 예) , 3

5일차 플러스 계산 연습 24~25쪽

1 4, 6 **2** 7, 9 **3** 5, 7
4 1, 3 **5** 6, 8 **6** 2, 4
7 6에 ○표, 4에 △표 **8** 8에 ○표, 6에 △표
9 4에 ○표, 2에 △표 **10** 5에 ○표, 3에 △표
11 7에 ○표, 5에 △표 **12** 9에 ○표, 7에 △표
13 3 **14** 8 **15** 5
16 1 **17** 4 **18** 6
19 3 **20** 6 **21** 0
22 2

7 5보다 1만큼 더 큰 수는 6, 1만큼 더 작은 수는 4입니다.

8 7보다 1만큼 더 큰 수는 8, 1만큼 더 작은 수는 6입니다.

9 3보다 1만큼 더 큰 수는 4, 1만큼 더 작은 수는 2입니다.

10 4보다 1만큼 더 큰 수는 5, 1만큼 더 작은 수는 3입니다.

11 6보다 1만큼 더 큰 수는 7, 1만큼 더 작은 수는 5입니다.

12 8보다 1만큼 더 큰 수는 9, 1만큼 더 작은 수는 7입니다.

13 달걀을 세어 보면 4입니다.
4보다 1만큼 더 작은 수는 3입니다.

14 달걀을 세어 보면 9입니다.
9보다 1만큼 더 작은 수는 8입니다.

15 달걀을 세어 보면 6입니다.
6보다 1만큼 더 작은 수는 5입니다.

16 달걀을 세어 보면 2입니다.
2보다 1만큼 더 작은 수는 1입니다.

17 달걀을 세어 보면 5입니다.
5보다 1만큼 더 작은 수는 4입니다.

18 달걀을 세어 보면 7입니다.
7보다 1만큼 더 작은 수는 6입니다.

6일차 기초 계산 연습 26~27쪽

❶ 6에 ○표 ❷ 5에 ○표 ❸ 9에 ○표
❹ 7에 ○표 ❺ 8에 ○표 ❻ 3에 ○표
❼ 9에 ○표 ❽ 7에 ○표 ❾ 7에 △표
⑩ 4에 △표 ⑪ 6에 △표 ⑫ 8에 △표
⑬ 5에 △표 ⑭ 2에 △표 ⑮ 1에 △표
⑯ 2에 △표 ⑰ 7에 △표 ⑱ 4에 △표

6 일차 플러스 계산 연습 28~29쪽

1 5에 △표 **2** 3에 △표 **3** 1에 △표
4 6에 △표 **5** 9에 ○표 **6** 4에 ○표
7 7에 ○표 **8** 5에 ○표
9 5에 ○표, 1에 △표 **10** 9에 ○표, 2에 △표
11 8, 6 ; 8, 6 **12** 6, 5 ; 6, 5
13 6, 3 ; 3, 6 **14** 7, 6 ; 6, 7
15 7 **16** 3
17 8 **18** 4

9 작은 수부터 차례로 쓰면 1, 3, 5이므로 가장 큰 수는 5, 가장 작은 수는 1입니다.

10 작은 수부터 차례로 쓰면 2, 7, 9이므로 가장 큰 수는 9, 가장 작은 수는 2입니다.

평가 SPEED 연산력 TEST 30~31쪽

❶ 3 ❷ 8 ❸ 6
❹ 2 ❺ 4 ❻ 7
❼ 2, 4, 6, 7 ❽ 3, 5, 6, 9 ❾ 0, 2
❿ 4, 6 ⓫ 6, 8 ⓬ 2, 4
⓭ 4에 ○표 ⓮ 8에 ○표 ⓯ 9에 ○표
⓰ 6에 ○표 ⓱ 2에 △표 ⓲ 2에 △표
⓳ 4에 △표 ⓴ 4에 △표

❾ 1보다 1만큼 더 작은 수는 0, 1만큼 더 큰 수는 2입니다.

❿ 5보다 1만큼 더 작은 수는 4, 1만큼 더 큰 수는 6입니다.

⓫ 7보다 1만큼 더 작은 수는 6, 1만큼 더 큰 수는 8입니다.

⓬ 3보다 1만큼 더 작은 수는 2, 1만큼 더 큰 수는 4입니다.

⓭ 1 2 3④
➔ 4는 1보다 큽니다.

⓮ 1 2 3 4 5 6 7⑧
➔ 8은 5보다 큽니다.

⓯ 1 2 3 4 5 6 7 8⑨
➔ 9는 7보다 큽니다.

⓰ 1 2 3 4 5⑥
➔ 6은 3보다 큽니다.

⓱ 1 △2 3 4 5
➔ 2는 5보다 작습니다.

⓲ 1 △2 3 4 5 6 7
➔ 2는 7보다 작습니다.

⓳ 1 2 3 △4 5 6
➔ 4는 6보다 작습니다.

⓴ 1 2 3 △4 5 6 7 8
➔ 4는 8보다 작습니다.

특강 문장제 문제 도전하기 32~33쪽

1 5 ; 5 ; 5 **2** 7 ; 7 ; 7 **3** 6 ; 6 ; 6
4 9 ; 9 **5** 4 ; 4 **6** 8 ; 8

특강 창의·융합·코딩·도전하기 34~35쪽

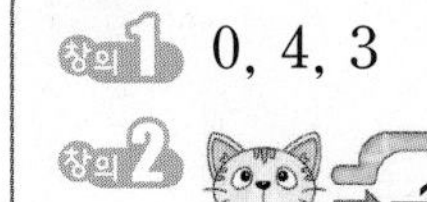

창의 1 0, 4, 3

창의 2

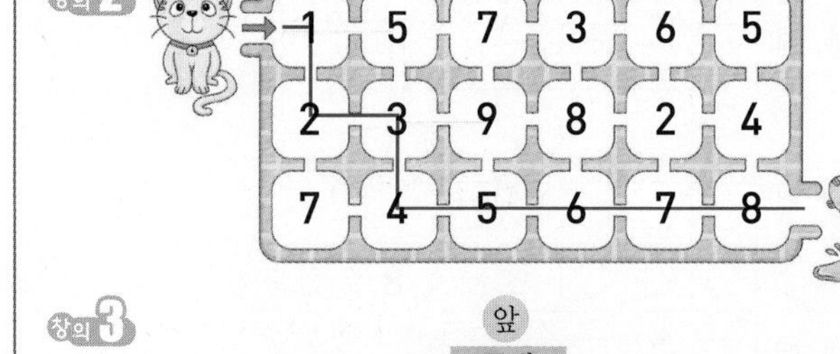

창의 3

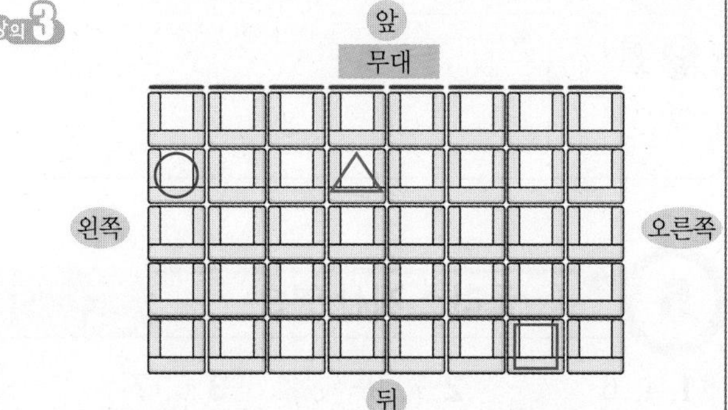

창의 2 1부터 수를 순서대로 따라가면 1, 2, 3, 4, 5, 6, 7, 8입니다.

개념 OX 퀴즈 정답

 ✕

2 덧셈

개념 ○✕ 퀴즈

옳으면 ○에, 틀리면 ✕에 ○표 하세요.

3과 7을 모으기 하면 10이 됩니다.

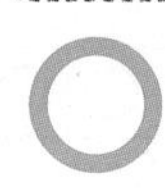

정답은 9쪽에서 확인하세요.

1일차 기초 계산 연습 38~39쪽

❶ 2	❷ 3	❸ 5
❹ 5	❺ 3	❻ 4
❼ 4	❽ 5	❾ 3
❿ 5	⓫ 4	⓬ 5
⓭ 4	⓮ 5	

1일차 플러스 계산 연습 40~41쪽

1 2	**2** 5	**3** 5
4 4	**5** 5	**6** 3
7 3	**8** 4	**9** 5
10 4	**11** 4 ; 4	**12** 5 ; 5
13 3 ; 3	**14** 4 ; 4	**15** 5
16 4	**17** 3	**18** 5

7 점 1개와 2개를 모으기 하면 점 3개가 됩니다.

8 점 3개와 1개를 모으기 하면 점 4개가 됩니다.

9 점 4개와 1개를 모으기 하면 점 5개가 됩니다.

10 점 2개와 2개를 모으기 하면 점 4개가 됩니다.

15 감자 2개와 3개를 모으기 하면 감자 5개가 됩니다.

18 자 3개와 2개를 모으기 하면 자 5개가 됩니다.

2일차 기초 계산 연습 42~43쪽

❶ 6	❷ 8	❸ 9
❹ 7	❺ 7	❻ 9
❼ 8	❽ 9	❾ 9
❿ 7	⓫ 9	⓬ 6
⓭ 9	⓮ 6	⓯ 9
⓰ 7	⓱ 7	

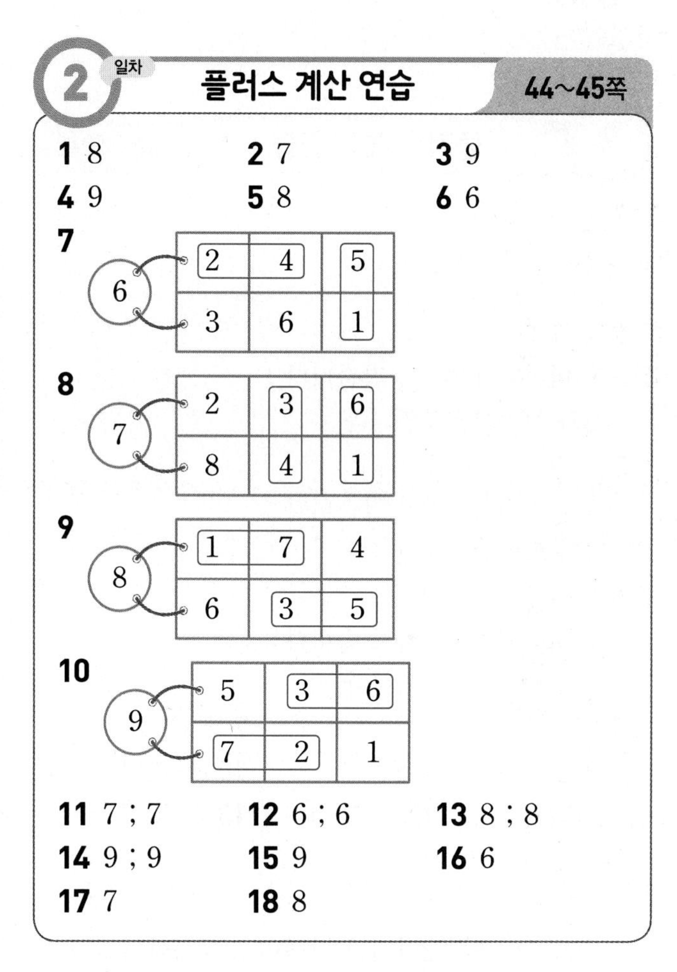

2일차 플러스 계산 연습 44~45쪽

1 8	**2** 7	**3** 9
4 9	**5** 8	**6** 6

7

8

9

10

11 7 ; 7	**12** 6 ; 6	**13** 8 ; 8
14 9 ; 9	**15** 9	**16** 6
17 7	**18** 8	

7 • 2와 4를 모으기 하면 6이 됩니다.
• 5와 1을 모으기 하면 6이 됩니다.

8 • 3과 4를 모으기 하면 7이 됩니다.
• 6과 1을 모으기 하면 7이 됩니다.

9 • 1과 7을 모으기 하면 8이 됩니다.
• 3과 5를 모으기 하면 8이 됩니다.

10 • 3과 6을 모으기 하면 9가 됩니다.
• 7과 2를 모으기 하면 9가 됩니다.

11 6과 1을 모으기 하면 7이 됩니다.

15 리코더 2개와 7개를 모으기 하면 리코더 9개가 됩니다.

3일차 기초 계산 연습 46~47쪽

❶ 4 ❷ 4 ❸ 7
❹ 8 ❺ 2, 9 ❻ 1, 9
❼ 6 ❽ 2, 4, 6 ❾ 3, 2, 5
❿ 4, 4, 8 ⓫ 5 ; 1 ⓬ 4 ; 6
⓭ 2, 7 ; 2 ⓮ 8, 9 ; 8, 9

3일차 플러스 계산 연습 48~49쪽

1

2 6, 7 ;
6 더하기 1은 7과 같습니다.;
6과 1의 합은 7입니다.

3 5, 9 ;
4 더하기 5는 9와 같습니다.;
4와 5의 합은 9입니다.

4 2, 9 ;
7 더하기 2는 9와 같습니다.;
7과 2의 합은 9입니다.

5 5 **6** 2, 1, 3 **7** 2, 2, 4
8 4, 1, 5 **9** 8 **10** 4, 3, 7
11 6, 1, 7 **12** 7, 2, 9 **13** 5, 3, 8
14 2, 4, 6

5 참새 3마리와 2마리를 더하면 모두 5마리입니다.
➜ $3+2=5$

6 참새 2마리와 1마리를 더하면 모두 3마리입니다.
➜ $2+1=3$

7 참새 2마리와 2마리를 더하면 모두 4마리입니다.
➜ $2+2=4$

8 참새 4마리와 1마리를 더하면 모두 5마리입니다.
➜ $4+1=5$

9 ● 더하기 ▲는 ■와 같습니다. ➜ ●+▲=■

12 ●와 ▲의 합은 ■입니다. ➜ ●+▲=■

4일차 기초 계산 연습 50~51쪽

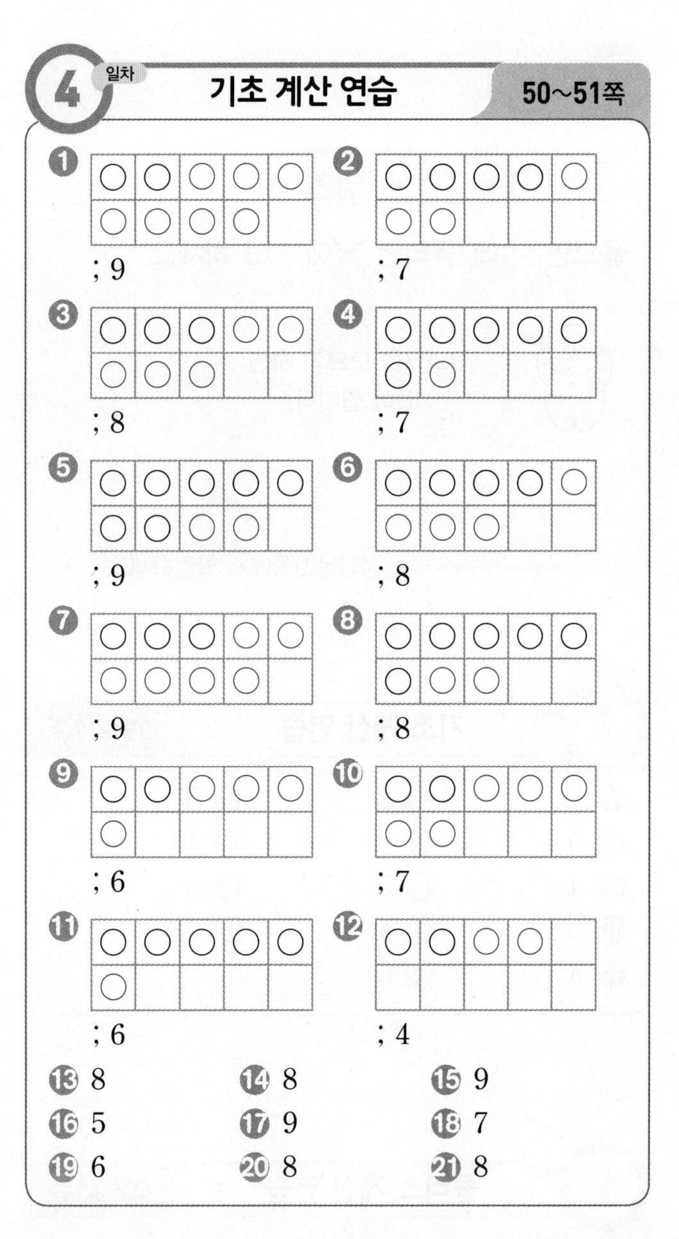

❶ ○ 2개에 이어서 ○ 7개를 더 그리면 모두 9개입니다.

❷ ○ 4개에 이어서 ○ 3개를 더 그리면 모두 7개입니다.

❸ ○ 3개에 이어서 ○ 5개를 더 그리면 모두 8개입니다.

❹ ○ 6개에 이어서 ○ 1개를 더 그리면 모두 7개입니다.

❼ ○ 3개에 이어서 ○ 6개를 더 그리면 모두 9개입니다.

❿ ○ 2개에 이어서 ○ 5개를 더 그리면 모두 7개입니다.

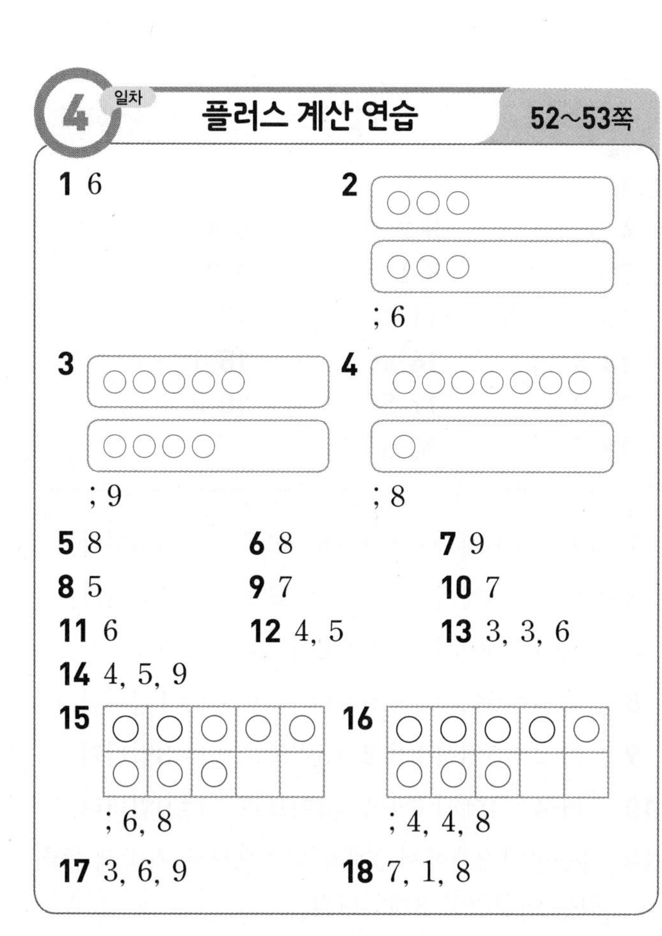

4일차 플러스 계산 연습 52~53쪽

1 6

2 ○○○ / ○○○ ; 6

3 ○○○○○ / ○○○○ ; 9

4 ○○○○○○○ / ○ ; 8

5 8　　6 8　　7 9

8 5　　9 7　　10 7

11 6　　12 4, 5　　13 3, 3, 6

14 4, 5, 9

15 ○○○○○ / ○○○ ; 6, 8

16 ○○○○○ / ○○○ ; 4, 4, 8

17 3, 6, 9　　18 7, 1, 8

5일차 기초 계산 연습 54~55쪽

① 7 ; 7　② 8 ; 8　③ 5 ; 5

④ 9 ; 9　⑤ 9 ; 9　⑥ 7 ; 7

⑦ 5 ; 5　⑧ 8 ; 8　⑨ 9 ; 9

⑩ 8 ; 8　⑪ 3 ; 3　⑫ 9 ; 9

⑬ 5 ; 5　⑭ 8 ; 8　⑮ 9 ; 9

⑯ 4　⑰ 9　⑱ 6

⑲ 9　⑳ 7　㉑ 6

㉒ 8　㉓ 7　㉔ 9

5일차 플러스 계산 연습 56~57쪽

1 6 ; 2, 4, 6　　2 6 ; 5, 1, 6

3 6 ; 3, 3, 6　　4 9 ; 4, 5, 9

5 7　　6 7

7 5　　8 9

9 7 ; 7　　10 7 ; 7

11 8 ; 8　　12 8 ; 8

13 1, 2, 3　　14 8, 1, 9

2 5와 1을 모으기 하면 6이 됩니다.
➜ $5+1=6$

3 3과 3을 모으기 하면 6이 됩니다.
➜ $3+3=6$

9 2와 5를 모으기 하면 7이 됩니다.

10 4와 3을 모으기 하면 7이 됩니다.

11 6과 2를 모으기 하면 8이 됩니다.

12 7과 1을 모으기 하면 8이 됩니다.

13 강아지 1마리와 2마리를 모으기 하면 모두 3마리입니다.
➜ $1+2=3$(마리)

14 거북 8마리와 1마리를 모으기 하면 모두 9마리입니다.
➜ $8+1=9$(마리)

6일차 기초 계산 연습 58~59쪽

① 1　② 3　③ 4

④ 5　⑤ 6　⑥ 2

⑦ 0, 1　⑧ 0, 5　⑨ 7, 7

⑩ 2, 2　⑪ 0, 4　⑫ 0, 8

⑬ 9　⑭ 7　⑮ 8

⑯ 3　⑰ 6　⑱ 9

① 왼쪽 접시에는 케이크가 1조각 있고, 오른쪽 접시는 비어 있으므로 $1+0=1$입니다.

② 왼쪽 접시는 비어 있고, 오른쪽 접시에는 케이크가 3조각 있으므로 $0+3=3$입니다.

③ 왼쪽 접시에는 머핀이 4개 있고, 오른쪽 접시는 비어 있으므로 $4+0=4$입니다.

⑨ 왼쪽은 점이 0개, 오른쪽은 점이 7개이므로 $0+7=7$입니다.

⑩ 왼쪽은 점이 2개, 오른쪽은 점이 0개이므로 $2+0=2$입니다.

⑬ (어떤 수)$+0=$(어떤 수) ➜ $9+0=9$

⑯ $0+$(어떤 수)$=$(어떤 수) ➜ $0+3=3$

6일차 플러스 계산 연습 60~61쪽

1 4 **2** 6, 0, 6 **3** 7, 0, 7
4 0, 2, 2 **5** 6 **6** 4
7 9 **8** 2 **9** 0, 3
10 0, 2 **11** 4, 4 **12** 6, 6
13 5, 0, 5 **14** 0, 8, 8 **15** 0, 7, 7
16 9, 0, 9

9 3점과 0점이므로 $3+0=3$(점)입니다.

10 2점과 0점이므로 $2+0=2$(점)입니다.

11 4점과 0점이므로 $4+0=4$(점)입니다.

12 6점과 0점이므로 $6+0=6$(점)입니다.

13 ■보다 ▲만큼 더 큰 수 ➔ ■+▲
➔ $5+0=5$

15 $0+$(어떤 수)$=$(어떤 수) ➔ $0+7=7$

16 (어떤 수)$+0=$(어떤 수) ➔ $9+0=9$

7일차 기초 계산 연습 62~63쪽

❶ 3 ❷ 4 ❸ 5
❹ 1 ❺ 0 ❻ 3
❼ 2 ❽ 5 ❾ 3
❿ 0 ⓫ 1 ⓬ 0
⓭ 1 ⓮ 1

❶ 주머니 속에 들어 있는 구슬의 수가 몇 개인지 생각해 봅니다.

❼ 상자에 들어 있는 연필에 4자루를 더했더니 6자루가 되었으므로 상자에 들어 있는 연필은 2자루입니다.

❿ 지우개의 수가 7개로 같으므로 상자에 들어 있는 지우개의 수는 0입니다.

⓫ 필통이 6개에서 7개가 되었으므로 상자에 들어 있는 필통은 1개입니다.

⓬ 클립의 수가 9개로 같으므로 상자에 들어 있는 클립의 수는 0입니다.

7일차 플러스 계산 연습 64~65쪽

1 4 **2** 0 **3** 1
4 3 **5** 2 **6** 4
7 6 **8** 1 **9** 3
10 0 **11** 4 **12** 1
13 3 **14** 4 **15** 1
16 2 **17** 5 **18** 5
19 7 ; 2 **20** 8 ; 5

2 $6+\square=6$에서 $6+0=6$이므로 $\square=0$입니다.

3 $8+\square=9$에서 $8+1=9$이므로 $\square=1$입니다.

4 $\square+3=6$에서 $3+3=6$이므로 $\square=3$입니다.

8 $\square+5=6$에서 $1+5=6$이므로 $\square=1$입니다.

9 $\square+2=5$에서 $3+2=5$이므로 $\square=3$입니다.

10 $\square+4=4$에서 $0+4=4$이므로 $\square=0$입니다.

13 야구공이 2개에서 5개가 되었으므로 가방에 들어 있는 야구공은 3개입니다.

14 가방에 들어 있는 연필에 4자루를 더했더니 8자루가 되었으므로 가방에 들어 있는 연필은 4자루입니다.

15 지우개가 7개에서 8개가 되었으므로 가방에 들어 있는 지우개는 1개입니다.

16 가방에 들어 있는 줄넘기에 1개를 더했더니 3개가 되었으므로 가방에 들어 있는 줄넘기는 2개입니다.

17 $4+$♥$=9$에서 $4+5=9$이므로 ♥$=5$입니다.

18 ♥$+2=7$에서 $5+2=7$이므로 ♥$=5$입니다.

8일차 기초 계산 연습 66~67쪽

❶ 8 ❷ 6
❸ 9 ❹ 8
❺ 9 ❻ 8
❼ (위부터) 8 ; 6, 6, 8
❽ (위부터) 9 ; 8, 8, 9
❾ (위부터) 9 ; 4, 4, 9
❿ (위부터) 7 ; 3, 3, 7
⓫ 7 ⓬ 9
⓭ 9 ⓮ 4
⓯ 8 ⓰ 7

8 일차 플러스 계산 연습 68~69쪽

1 9에 색칠	**2** 8에 색칠
3 9에 색칠	**4** 7에 색칠
5 6	**6** 8
7 9	**8** 9
9 9	**10** 8
11 1, 8	**12** 1, 6
13 3, 7	**14** 2, 9

1 $2+4+3=9$ (6, 9) **3** $3+1+5=9$ (4, 9)

9 $1+2+6=9$ (3, 9) **10** $4+1+3=8$ (5, 8)

11 $3+4+1=8$ (7, 8) **12** $2+3+1=6$ (5, 6)

13 $2+2+3=7$ (4, 7) **14** $1+6+2=9$ (7, 9)

19 $1+3+3=7$ (4, 7) **20** $3+4+2=9$ (7, 9)

평가 SPEED 연산력 TEST 70~71쪽

❶ 3	❷ 4
❸ 6	❹ 5
❺ 9	❻ 8
❼ 9	❽ 9
❾ 6	❿ 8
⓫ 9	⓬ 8
⓭ 3	⓮ 8
⓯ 7	⓰ 9
⓱ 6	⓲ 5
⓳ 7	⓴ 9

❸ 3과 3을 모으기 하면 6이 됩니다.

❹ 4와 1을 모으기 하면 5가 됩니다.

❺ 4와 5를 모으기 하면 9가 됩니다.

특강 문장제 문제 도전하기 72~73쪽

1 7 ; 5, 2, 7 ; 7	**2** 4 ; 3, 1, 4 ; 4
3 9 ; 6, 3, 9 ; 9	**4** 1, 3, 4
5 2, 2, 4	**6** 6, 2, 8

4 축구공 1개와 농구공 3개를 더하면 모두 4개입니다.

5 트럭 2대와 버스 2대를 더하면 모두 4대입니다.

6 잠자리 6마리와 나비 2마리를 더하면 모두 8마리입니다.

특강 창의·융합·코딩·도전하기 74~75쪽

창의 1 3, 6, 8 ; 루, 유, 팡

창의 2 9

2			4
	6		
	5	3	
7			

창의 3

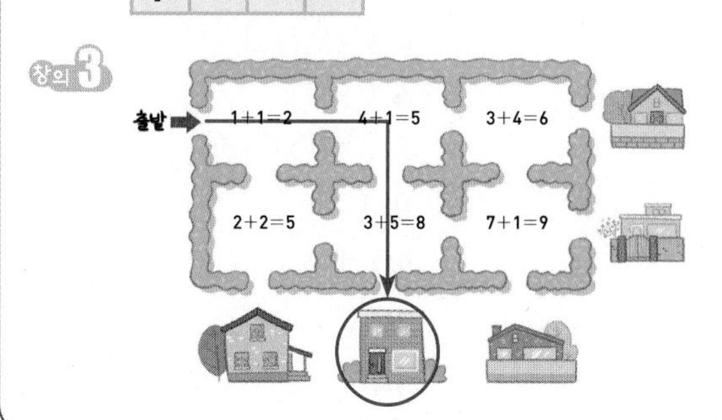

창의 2 $2+7=9$, $6+3=9$, $5+4=9$

창의 3 $3+4=7$, $2+2=4$, $7+1=8$

개념 ○× 퀴즈 정답

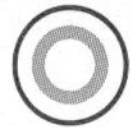 

3 뺄 셈

1일차 기초 계산 연습 78~79쪽

❶ 1	❷ 2	❸ 2
❹ 1	❺ 3	❻ 2
❼ 4	❽ 3	❾ 2
❿ 1	⓫ 4	⓬ 3
⓭ 1	⓮ 1	

1일차 플러스 계산 연습 80~81쪽

1 ○	**2** ○○○
3 ○○	**4** ○
5 ○○	**6** ○○○○○
7 1	**8** 1
9 3	**10** 1
11 ○○○○	**12** ○○○
13 ○○	**14** ○
15 3	**16** 2
17 3 → 1, 2	**18** 4 → 2, 2

13 5는 3과 2로 가르기 할 수 있습니다.

14 5는 4와 1로 가르기 할 수 있습니다.

17 구슬 3개는 1개와 2개로 가르기 할 수 있습니다.

18 사탕 4개는 2개와 2개로 가르기 할 수 있습니다.

2일차 기초 계산 연습 82~83쪽

❶ 3	❷ 3, 5	❸ 2, 7
❹ 4, 3	❺ 7	❻ 2
❼ 6	❽ 2	❾ 1
❿ 4	⓫ 8	⓬ 4
⓭ 5	⓮ 2	

❽ 6은 2와 4로 가르기 할 수 있습니다.

❾ 7은 6과 1로 가르기 할 수 있습니다.

❿ 8은 4와 4로 가르기 할 수 있습니다.

⓫ 9는 1과 8로 가르기 할 수 있습니다.

⓬ 9는 4와 5로 가르기 할 수 있습니다.

⓭ 6은 5와 1로 가르기 할 수 있습니다.

⓮ 8은 2와 6으로 가르기 할 수 있습니다.

2일차 플러스 계산 연습 84~85쪽

1 6	**2** 7	**3** 2
4 3	**5** 3	**6** 3
7 6, 4, 1	**8** 5, 2, 1	**9** 6, 4, 2
10 7	**11** 5	**12** 5
13 1	**14** 1	**15** 3
16 4	**17** 4	

1 7은 1과 6으로 가르기 할 수 있습니다.

2 9는 2와 7로 가르기 할 수 있습니다.

3 8은 6과 2로 가르기 할 수 있습니다.

4 6은 3과 3으로 가르기 할 수 있습니다.

5 7은 4와 3으로 가르기 할 수 있습니다.

6 8은 5와 3으로 가르기 할 수 있습니다.

7 9는 3과 6, 5와 4, 8과 1로 가르기 할 수 있습니다.

8 6은 1과 5, 4와 2, 5와 1로 가르기 할 수 있습니다.

9 7은 1과 6, 3과 4, 5와 2로 가르기 할 수 있습니다.

10 구슬 8개는 1개와 7개로 가르기 할 수 있습니다.

11 구슬 7개는 2개와 5개로 가르기 할 수 있습니다.

12 구슬 9개는 4개와 5개로 가르기 할 수 있습니다.

13 구슬 6개는 5개와 1개로 가르기 할 수 있습니다.

3일차 기초 계산 연습 86~87쪽

❶ 6 ❷ 2 ❸ 1
❹ 3 ❺ 3 ❻ 3
❼ 2 ❽ 2 ❾ 2, 3
❿ 3, 4 ⓫ 1 ; 2 ⓬ 3 ; 2
⓭ 7, 5 ; 2, 5 ⓮ 6, 3 ; 9, 3

❶ 사과 8개 중 2개를 먹으면 6개가 남습니다.
❻ 수박 8조각 중 5조각을 먹으면 3조각이 남습니다.
❼ 아이스크림 4개에서 2개를 덜어 내면 2개가 남습니다.
⓫ ■－▲＝● ┌ ■ 빼기 ▲는 ●와 같습니다.
└ ■와 ▲의 차는 ●입니다.

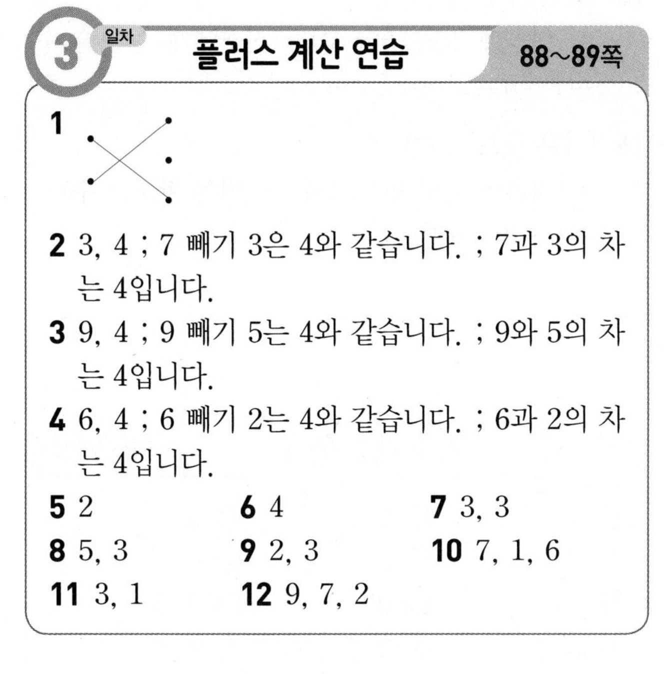

3일차 플러스 계산 연습 88~89쪽

1

2 3, 4 ; 7 빼기 3은 4와 같습니다. ; 7과 3의 차는 4입니다.
3 9, 4 ; 9 빼기 5는 4와 같습니다. ; 9와 5의 차는 4입니다.
4 6, 4 ; 6 빼기 2는 4와 같습니다. ; 6과 2의 차는 4입니다.
5 2 6 4 7 3, 3
8 5, 3 9 2, 3 10 7, 1, 6
11 3, 1 12 9, 7, 2

1 • 참새 5마리 중 한 마리가 날아갔으므로 4마리가 남습니다.
• 참새 4마리 중 2마리가 날아갔으므로 2마리가 남습니다.
2 ■－▲＝● → ■ 빼기 ▲는 ●와 같습니다.
■－▲＝● → ■와 ▲의 차는 ●입니다.
5 도토리 4개 중 2개를 먹으면 2개가 남습니다.
6 도토리 5개 중 1개를 먹으면 4개가 남습니다.
7 도토리 6개 중 3개를 먹으면 3개가 남습니다.
8 도토리 8개 중 5개를 먹으면 3개가 남습니다.

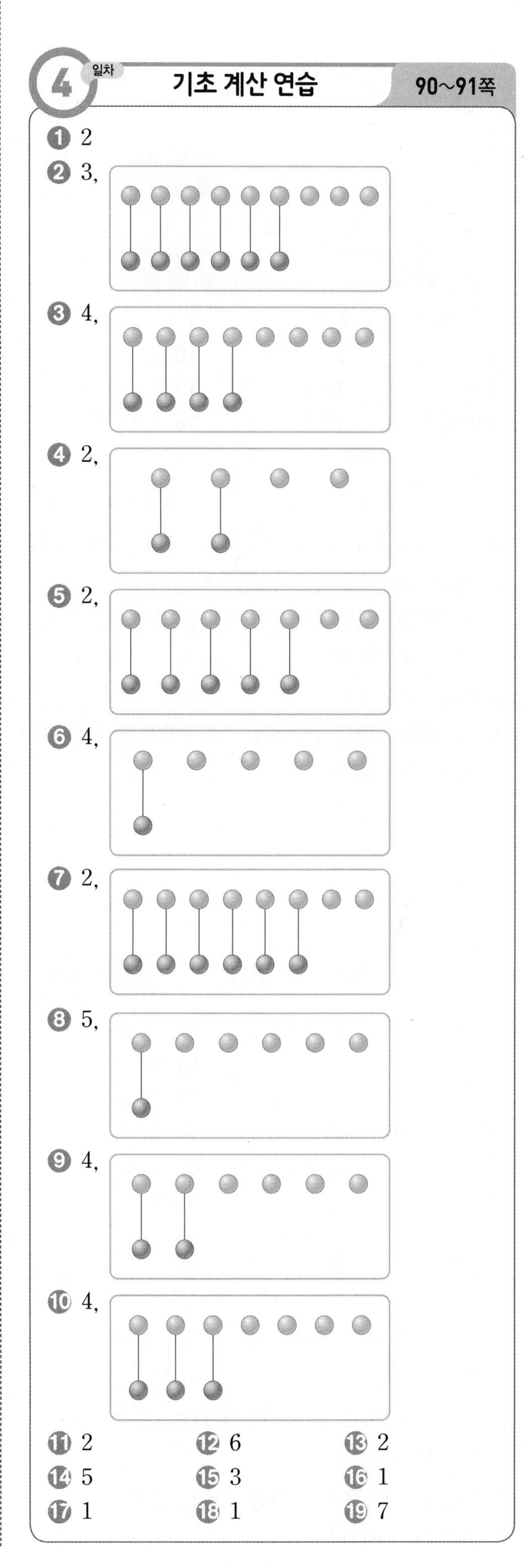

4일차 기초 계산 연습 90~91쪽

❶ 2
❷ 3,
❸ 4,
❹ 2,
❺ 2,
❻ 4,
❼ 2,
❽ 5,
❾ 4,
❿ 4,
⓫ 2 ⓬ 6 ⓭ 2
⓮ 5 ⓯ 3 ⓰ 1
⓱ 1 ⓲ 1 ⓳ 7

4 일차 플러스 계산 연습 92~93쪽

1 3
2 3,
3 2,
4 3,
5 2 **6** 3 **7** 1
8 7 **9** 6 **10** 1
11 5 **12** 4 **13** 3
14 4, 3 **15** 4, 1, 3 **16** 8, 6, 2

11 자동차 8대 중 3대가 나갔으므로 5대가 남습니다.

12 자동차 7대 중 3대가 나갔으므로 4대가 남습니다.

14 (남은 감자 수)
=(처음에 있던 감자 수)−(먹은 감자 수)
=7−4=3(개)

16 (남은 구슬 수)
=(처음에 있던 구슬 수)−(친구에게 준 구슬 수)
=8−6=2(개)

5 일차 기초 계산 연습 94~95쪽

❶ 1 ; 1 ❷ 4 ; 4 ❸ 6 ; 6
❹ 4 ; 4 ❺ 6 ; 6 ❻ 3 ; 3
❼ 7 ; 7 ❽ 1 ; 1 ❾ 2 ; 2
❿ 1 ; 1 ⓫ 2 ; 2 ⓬ 3 ; 3
⓭ 5 ; 5 ⓮ 3 ; 3 ⓯ 3 ; 3
⓰ 4 ⓱ 1 ⓲ 3
⓳ 5 ⓴ 4 ㉑ 2
㉒ 5 ㉓ 3 ㉔ 2

❿ 3은 2와 1로 가르기 할 수 있으므로
3−2=1입니다.

⓬ 7은 4와 3으로 가르기 할 수 있으므로
7−4=3입니다.

⓯ 5는 2와 3으로 가르기 할 수 있으므로
5−2=3입니다.

5 일차 플러스 계산 연습 96~97쪽

1 2 ; 3, 2 **2** 4 ; 6, 4
3 4 ; 5, 1, 4 **4** 3 ; 9, 6, 3
5 1 **6** 5
7 4 **8** 7
9 4, 4 **10** 2, 5
11 8, 7, 1 **12** 4, 2, 2
13 5, 2 **14** 1, 3
15 3, 1, 2 **16** 6, 3, 3

1 3은 1과 2로 가르기 할 수 있으므로
3−1=2입니다.

4 9는 6과 3으로 가르기 할 수 있으므로
9−6=3입니다.

13 (남은 구슬 수)
=(처음에 있던 구슬 수)−(친구에게 준 구슬 수)
=7−5=2(개)

16 (남은 핫도그 수)
=(처음에 있던 핫도그 수)−(먹은 핫도그 수)
=6−3=3(개)

6 일차 기초 계산 연습 98~99쪽

❶ 4 ❷ 0 ❸ 3
❹ 0 ❺ 5 ❻ 0
❼ 1 ❽ 0 ❾ 0, 5
❿ 6, 0 ⓫ 0, 7 ⓬ 2, 0
⓭ 6 ⓮ 0 ⓯ 4
⓰ 0 ⓱ 2 ⓲ 9

❶ 케이크 4개 중 한 개도 먹지 않아 그대로 4개가 남았습니다.

❷ 케이크 2개 중 2개를 모두 먹어서 남은 것이 없습니다.

❼ 펼친 손가락의 수는 0입니다.

❽ 펼친 손가락의 수는 5입니다.

❿ 펼친 손가락의 수는 6입니다.

6일차 플러스 계산 연습 100~101쪽

1 5, 0	2 4, 0	3 7, 0, 7
4 6, 0, 6	5 2	6 0
7 8	8 0	9 7, 0
10 6, 6, 0	11 8, 8, 0	12 2, 2, 0
13 0, 4	14 3, 3, 0	

1 동전 5개에서 5개를 빼면 0개입니다.

4 동전 6개에서 0개를 빼면 6개입니다.

9 당근: 7개, 고구마: 7개 ➔ 7−7=0(개)

10 양파: 6개, 감자: 6개 ➔ 6−6=0(개)

13 (남은 옥수수 수)
=(처음에 있던 옥수수 수)−(먹은 옥수수 수)
=4−0=4(개)

14 (남은 참외 수)
=(처음에 있던 참외 수)−(먹은 참외 수)
=3−3=0(개)

7일차 기초 계산 연습 102~103쪽

① 7	② 8	③ 7
④ 9	⑤ 6	⑥ 9
⑦ 3	⑧ 2	⑨ 1
⑩ 7	⑪ 0	⑫ 5
⑬ 1	⑭ 5	

⑥ □−7=2에서 9−7=2이므로 □=9입니다.

⑦ 8−□=5에서 8−3=5이므로 □=3입니다.

7일차 플러스 계산 연습 104~105쪽

1 8	2 4	3 7
4 9	5 7	6 0
7 6	8 9	9 5
10 7	11 2	12 0
13 3	14 2	15 3
16 4	17 7	18 5

2 6−□=2에서 6−4=2이므로 □=4입니다.

3 □−6=1에서 7−6=1이므로 □=7입니다.

10 8−□=1에서 8−7=1이므로 □=7입니다.

12 6−□=6에서 6−0=6이므로 □=0입니다.

15 초콜릿 3개에서 하나도 안 남았으므로
먹은 초콜릿은 3개입니다.

16 초콜릿 9개에서 5개가 남았으므로
먹은 초콜릿은 4개입니다.

17 (처음에 있던 키위 수)−(먹은 키위 수)
=(남은 키위 수)
➔ 9−▲=2에서 9−7=2이므로 ▲=7입니다.

18 (처음에 있던 도넛 수)−(먹은 도넛 수)
=(남은 도넛 수)
➔ ▲−2=3에서 5−2=3이므로 ▲=5입니다.

8일차 기초 계산 연습 106~107쪽

① 2	② 2	③ 4
④ 2	⑤ 4	⑥ 3

⑦ (위부터) 3 ; 7, 7, 3
⑧ (위부터) 3 ; 5, 5, 3
⑨ (위부터) 2 ; 3, 3, 2
⑩ (위부터) 3 ; 6, 6, 3

⑪ 2	⑫ 0	⑬ 3
⑭ 4	⑮ 4	⑯ 3
⑰ 1	⑱ 2	

⑪ 6−3−1=2
6−3=3
3−1=2

⑫ 5−2−3=0
5−2=3
3−3=0

⑬ 7−2−2=3
7−2=5
5−2=3

⑭ 8−1−3=4
8−1=7
7−3=4

⑮ 9−3−2=4
9−3=6
6−2=4

⑯ 6−2−1=3
6−2=4
4−1=3

8 일차 플러스 계산 연습 108~109쪽

1 2에 색칠	**2** 3에 색칠
3 0에 색칠	**4** 2에 색칠
5 1	**6** 2
7 2	**8** 4
9 2	**10** 1
11 3, 1	**12** 2, 4
13 4, 2	**14** 3, 1

1 $7-4-1=2$ (7−4=3, 3−1=2)

2 $6-1-2=3$ (6−1=5, 5−2=3)

3 $8-3-5=0$ (8−3=5, 5−5=0)

4 $8-2-4=2$ (8−2=6, 6−4=2)

5 $6-2-3=1$
$6-2=4$
$4-3=1$

6 $7-2-3=2$
$7-2=5$
$5-3=2$

7 $9-4-3=2$
$9-4=5$
$5-3=2$

8 $8-2-2=4$
$8-2=6$
$6-2=4$

평가 SPEED 연산력 TEST 110~111쪽

① 1	② 3	③ 2
④ 3	⑤ 3	⑥ 2
⑦ 4	⑧ 6	⑨ 2
⑩ 3	⑪ 4	⑫ 4
⑬ 0	⑭ 3	⑮ 5
⑯ 2	⑰ 2	⑱ 6
⑲ 2	⑳ 1	

⑲ $8-2-4=2$ (8−2=6, 6−4=2)

⑳ $9-1-7=1$ (9−1=8, 8−7=1)

특강 문장제 문제 도전하기 112~113쪽

1 3 ; 5, 2, 3 ; 3	**2** 2 ; 3, 1, 2 ; 2
3 3 ; 6, 3, 3 ; 3	**4** 4, 1, 3
5 9, 6, 3	**6** 6, 2, 4

1 얼마나 더 많은지 구할 때 뺄셈을 이용합니다.
➜ $5-2=3$이므로 사과가 3개 더 많습니다.

특강 창의·융합·코딩·도전하기 114~115쪽

융합 1 5, 예 8 빼기 3은 5와 같습니다.
; 6, 3 예 9와 6의 차는 3입니다.

코딩 2 2, 1

융합 1 김: (처음에 있던 김의 수)−(김밥을 만드는 데 사용한 김의 수)=(남은 김의 수)

쓰기 $8-3=5$

읽기 8 빼기 3은 5와 같습니다. 또는 8과 3의 차는 5입니다.

햄: (처음에 있던 햄의 수)−(김밥을 만드는 데 사용한 햄의 수)=(남은 햄의 수)

쓰기 $9-6=3$

읽기 9 빼기 6은 3과 같습니다. 또는 9와 6의 차는 3입니다.

				6
4				
	3			2
		1		
9			7	

로봇이 주운 카드는 3, 2이므로 $3-2=1$입니다.

개념 ○✕ 퀴즈 정답

4 50까지의 수

개념 ○✕ 퀴즈

옳으면 ○에, 틀리면 ✕에 ○표 하세요.

10은 2와 7로 가르기 할 수 있습니다.

정답은 20쪽에서 확인하세요.

1일차 기초 계산 연습 118~119쪽

❶ 10 ❷ 10 ❸ 10
❹ 10 ❺ 10 ❻ 10
❼ 5 ❽ 8 ❾ 6
❿ 7 ⓫ 9 ⓬ 2
⓭ 3 ⓮ 1

1일차 플러스 계산 연습 120~121쪽

1 3 2 4 3 1
4 2 5 10 6 10
7 10 8 7 9 1
10 5 11 1 12 4
13 3 14 5 15 10
16 10 17 1 18 3

2일차 기초 계산 연습 122~123쪽

❶ 1, 6 ; 16 ❷ 1, 4 ; 14 ❸ 1, 2 ; 12
❹ 1, 8 ; 18 ❺ 1, 5 ; 15 ❻ 1, 1 ; 11
❼ 12 ❽ 16 ❾ 10
❿ 18 ⓫ 14 ⓬ 15
⓭ 19 ⓮ 11 ⓯ 17
⓰ 13

2일차 플러스 계산 연습 124~125쪽

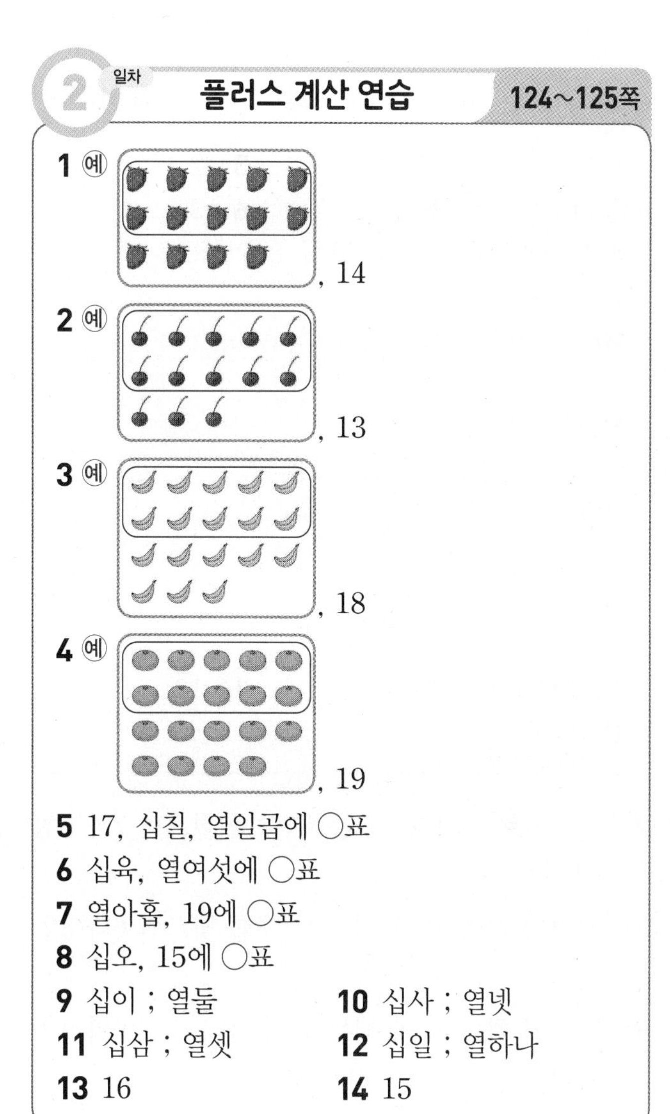

1 예 , 14
2 예 , 13
3 예 , 18
4 예 , 19
5 17, 십칠, 열일곱에 ○표
6 십육, 열여섯에 ○표
7 열아홉, 19에 ○표
8 십오, 15에 ○표
9 십이 ; 열둘 10 십사 ; 열넷
11 십삼 ; 열셋 12 십일 ; 열하나
13 16 14 15

5 사탕이 17개입니다. ➔ 17(십칠, 열일곱)

6 쿠키가 16개입니다. ➔ 16(십육, 열여섯)

7 초콜릿이 19개입니다. ➔ 19(십구, 열아홉)

8 쿠키가 15개입니다. ➔ 15(십오, 열다섯)

3일차 기초 계산 연습 126~127쪽

❶ 12 ❷ 13 ❸ 9 ; 18
❹ 8 ; 16 ❺ 7 ; 16 ❻ 6 ; 13
❼ 7 ; 15 ❽ 8 ; 13 ❾ 9 ; 15
❿ 7 ; 14 ⓫ 9 ; 17 ⓬ 7 ; 12
⓭ 6 ; 14 ⓮ 8 ; 12

3일차 플러스 계산 연습 128~129쪽

1 14　　2 13　　3 12
4 11　　5 11　　6 13
7 7, 5에 ○표　　8 6, 8에 ○표
9 9, 7에 ○표
10 ○○○○○○
○○○○○○, 12
11 ○○○○○○○
○○○○○○, 13
12 ○○○○○○○○
○○○○○○○, 15
13 ○○○○○○
○○○○○, 11
14 12　　15 14　　16 12
17 11

7 모으기 하여 12가 되는 두 수를 찾으면 7과 5입니다.

8 모으기 하여 14가 되는 두 수를 찾으면 6과 8입니다.

9 모으기 하여 16이 되는 두 수를 찾으면 9와 7입니다.

10 사탕 8개와 4개를 모으기 하면 12개가 됩니다.

11 크레파스 6개와 7개를 모으기 하면 13개가 됩니다.

12 연필 9자루와 6자루를 모으기 하면 15자루가 됩니다.

13 머핀 5개와 6개를 모으기 하면 11개가 됩니다.

4일차 기초 계산 연습 130~131쪽

❶ 6　　❷ 9　　❸ 6
❹ 5　　❺ 8　　❻ 5
❼ 7　　❽ 8　　❾ 5
❿ 7　　⓫ 9　　⓬ 8
⓭ 8　　⓮ 6

4일차 플러스 계산 연습 132~133쪽

1 7　　2 6　　3 9
4 5　　5 6　　6 7

7
9　7
6　8
15
9　7
6　8

8
5　6
8　7
13
4　5
9　8

9
3　7
9　5
12
6　4
6　8

10
8　7
6　7
14
5　8
9　6

11 ○○○
○○○, 6
12 ○○○
○○○, 6
13 ○○○
○○○
○○○, 9
14 ○○○
○○○○, 7
15 8　　16 8

11 11은 5와 6으로 가르기 할 수 있습니다.

12 12는 6과 6으로 가르기 할 수 있습니다.

13 13은 4와 9로 가르기 할 수 있습니다.

14 14는 7과 7로 가르기 할 수 있습니다.

5일차 기초 계산 연습 134~135쪽

❶ 30　　❷ 40　　❸ 20
❹ 40　　❺ 30　　❻ 50
❼ 40　　❽ 20　　❾ 30
❿ 20　　⓫ 40　　⓬ 50
⓭ 10　　⓮ 30

5일차 플러스 계산 연습 136~137쪽

1 ♥♥♥♥♥♥♥♥♥♥ / ○○○○○○○○○○

2 ◆◆◆◆◆◆◆◆◆◆ / ◆◆◆◆◆◆◆◆◆◆ / ○○○○○○○○○○ / ○○○○○○○○○○

3 ▲▲▲▲▲▲▲▲▲▲ / ▲▲▲▲▲▲▲▲▲▲ / ▲▲▲▲▲▲▲▲▲▲ / ○○○○○○○○○○ / ○○○○○○○○○○

4 이십 ; 스물　　**5** 삼십 ; 서른
6 사십 ; 마흔　　**7** 오십 ; 쉰

8 예) ; 삼십, 서른

9 예) ; 이십, 스물

10 예) ; 사십, 마흔

11 예) ; 오십, 쉰

12 30　　**13** 20
14 40　　**15** 50

8 10개씩 묶음이 3개이므로 30입니다.
➔ 30(삼십, 서른)

9 10개씩 묶음이 2개이므로 20입니다.
➔ 20(이십, 스물)

10 10개씩 묶음이 4개이므로 40입니다.
➔ 40(사십, 마흔)

11 10개씩 묶음이 5개이므로 50입니다.
➔ 50(오십, 쉰)

12 10개씩 3봉지는 30개입니다.

13 10개씩 2봉지는 20개입니다.

14 10개씩 4상자는 40개입니다.

15 10개씩 5묶음은 50개입니다.

6일차 기초 계산 연습 138~139쪽

① 27　② 25　③ 37
④ 31　⑤ 43　⑥ 46
⑦ 32　⑧ 38　⑨ 28
⑩ 26　⑪ 47　⑫ 42
⑬ 35　⑭ 33

⑦ 10개씩 묶음 3개와 낱개 2개이므로 32입니다.
⑧ 10개씩 묶음 3개와 낱개 8개이므로 38입니다.
⑨ 10개씩 묶음 2개와 낱개 8개이므로 28입니다.
⑩ 10개씩 묶음 2개와 낱개 6개이므로 26입니다.
⑪ 10개씩 묶음 4개와 낱개 7개이므로 47입니다.
⑫ 10개씩 묶음 4개와 낱개 2개이므로 42입니다.
⑬ 10개씩 묶음 3개와 낱개 5개이므로 35입니다.
⑭ 10개씩 묶음 3개와 낱개 3개이므로 33입니다.

6일차 플러스 계산 연습 140~141쪽

1 사십오, 마흔다섯　　**2** 이십육, 스물여섯
3 삼십사, 서른넷　　**4** 사십일, 마흔하나
5 23　**6** 39　**7** 46
8 22　**9** 34　**10** 27
11 41　**12** 39　**13** 21
14 48　**15** 33

1 45는 사십오 또는 마흔다섯이라고 읽습니다.
2 26은 이십육 또는 스물여섯이라고 읽습니다.
3 34는 삼십사 또는 서른넷이라고 읽습니다.
4 41은 사십일 또는 마흔하나라고 읽습니다.
5 10개씩 묶음 2개와 낱개 3개는 23입니다.
6 10개씩 묶음 3개와 낱개 9개는 39입니다.
7 10개씩 묶음 4개와 낱개 6개는 46입니다.
8 10원짜리 동전 2개와 1원짜리 동전 2개이므로 22원입니다.

9 10원짜리 동전 3개와 1원짜리 동전 4개이므로 34원입니다.

10 10원짜리 동전 2개와 1원짜리 동전 7개이므로 27원입니다.

11 10원짜리 동전 4개와 1원짜리 동전 1개이므로 41원입니다.

7일차 기초 계산 연습 142~143쪽

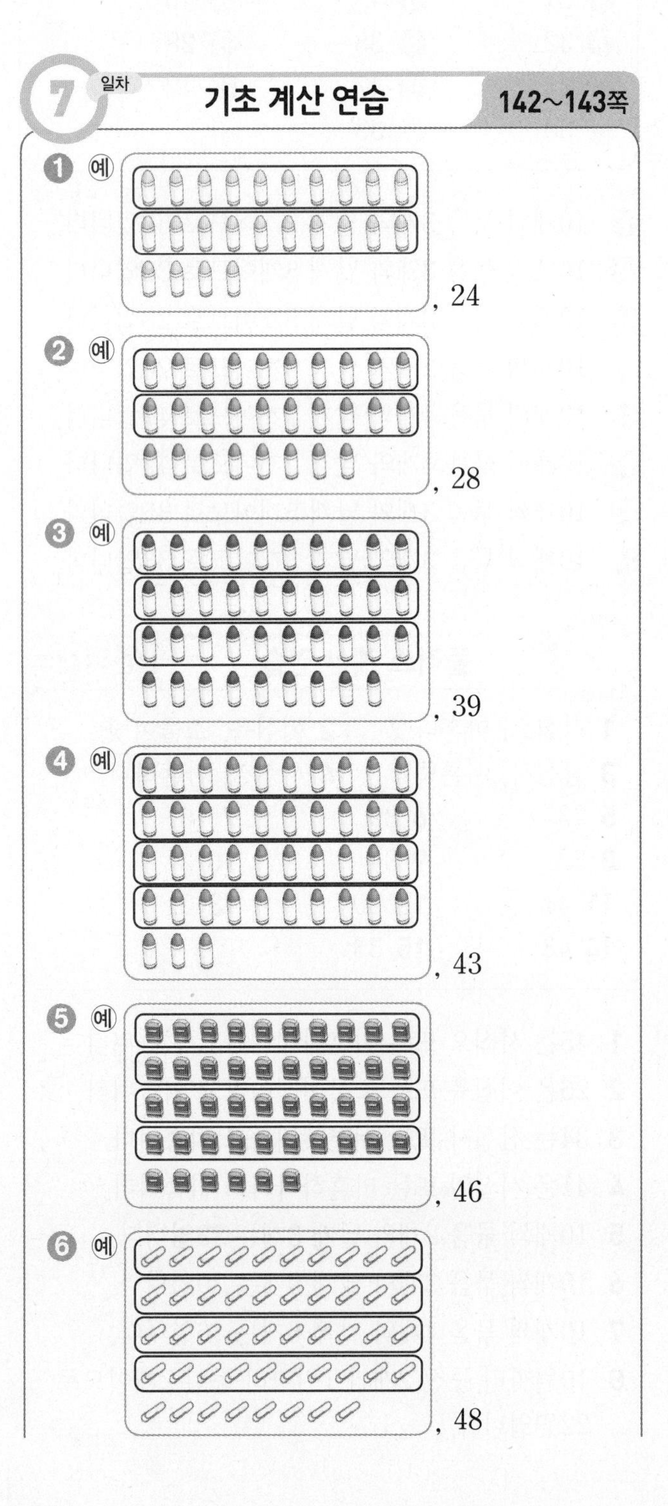

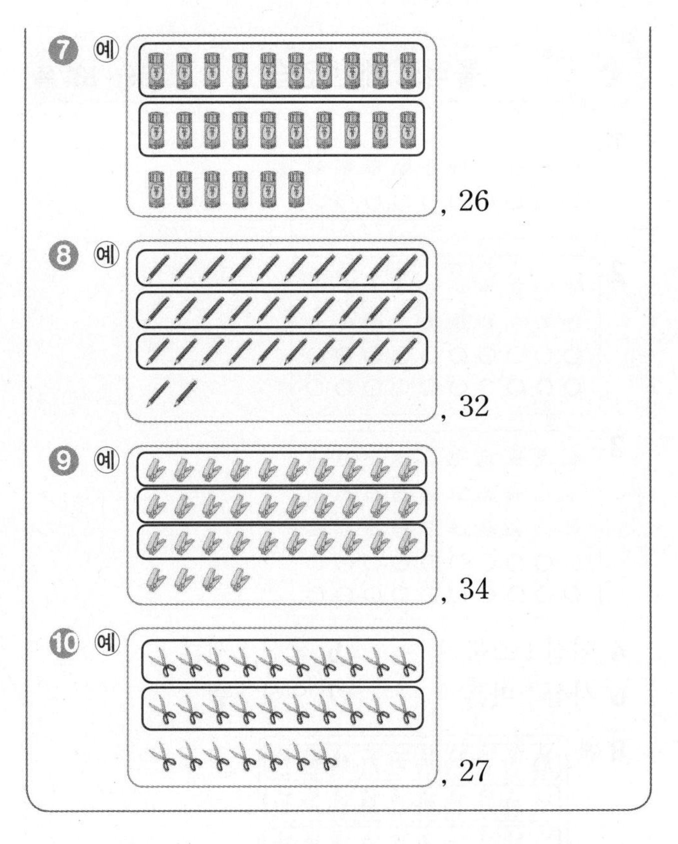

⑥ 10개씩 묶어 세면 10개씩 묶음 4개와 낱개 8개이므로 48입니다.

⑦ 10개씩 묶어 세면 10개씩 묶음 2개와 낱개 6개이므로 26입니다.

⑧ 10개씩 묶어 세면 10개씩 묶음 3개와 낱개 2개이므로 32입니다.

⑨ 10개씩 묶어 세면 10개씩 묶음 3개와 낱개 4개이므로 34입니다.

⑩ 10개씩 묶어 세면 10개씩 묶음 2개와 낱개 7개이므로 27입니다.

7일차 플러스 계산 연습 144~145쪽

1 3, 2 ; 32 **2** 4, 5 ; 45
3 삼십칠, 서른일곱 **4** 사십오, 마흔다섯
5 삼십삼, 서른셋 **6** 이십육, 스물여섯
7 22 **8** 36 **9** 35
10 27 **11** 29 **12** 35

11 10자루씩 2묶음과 낱개 9자루 ➔ 29자루

12 10자루씩 3묶음과 낱개 5자루 ➔ 35자루

8 일차 기초 계산 연습 146~147쪽

❶ 26, 27, 29 ❷ 32, 35, 36
❸ 14, 15, 17 ❹ 46, 49, 50
❺ 38, 40, 41 ❻ 22, 25, 26
❼ 13, 16, 17 ❽ 28, 30, 32
❾ 45, 46, 47 ❿ 23, 25, 26
⓫ 21, 23, 24 ⓬ 30, 33, 35
⓭ 24, 27, 28

8 일차 플러스 계산 연습 148~149쪽

1 29, 30, 32, 33
2 40, 43, 44, 46
3

35	36	37	45	44
34	32	38	42	43
31	33	39	40	41

4

27	25	31	32	33
28	29	30	38	34
26	24	37	36	35

5

40	38	39	49	35
41	42	50	48	47
36	43	44	45	46

6 37 에 ×표 7 15 에 ×표
8 26 에 ×표 9 42 에 ×표
10 33 에 ×표
11 26 12 33
13 50 14 45

6 32, 33, 34, 35이므로 37 에 ×표 합니다.
7 16, 17, 18, 19이므로 15 에 ×표 합니다.
8 29, 30, 31, 32이므로 26 에 ×표 합니다.
9 45, 46, 47, 48이므로 42 에 ×표 합니다.
10 35, 36, 37, 38이므로 33 에 ×표 합니다.

9 일차 기초 계산 연습 150~151쪽

❶ 31, 33 ❷ 28, 30 ❸ 47, 49
❹ 18, 20 ❺ 20, 22 ❻ 32, 34
❼ 11, 13 ❽ 38, 40 ❾ 41, 43
❿ 46, 48 ⓫ 48, 50 ⓬ 19, 21
⓭ 39, 41 ⓮ 29, 31 ⓯ 26, 28
⓰ 24, 26 ⓱ 22, 24 ⓲ 43, 45

9 일차 플러스 계산 연습 152~153쪽

1 21, 23 2 36, 38 3 33, 35
4 45, 47 5 18, 18 6 47, 30
7 26, 41 8 30, 48 9 23
10 20 11 17 12 21
13 27 14 34 15 42
16 20

9 24보다 1만큼 더 작은 수는 23이므로 작년에는 23세입니다.
10 21보다 1만큼 더 작은 수는 20이므로 작년에는 20세입니다.
11 16보다 1만큼 더 큰 수는 17이므로 내년에는 17세입니다.
12 20보다 1만큼 더 큰 수는 21이므로 내년에는 21세입니다.

10 일차 기초 계산 연습 154~155쪽

❶ 34에 ○표 ❷ 32에 ○표 ❸ 43에 ○표
❹ 24에 ○표 ❺ 39에 ○표 ❻ 45에 ○표
❼ 16에 ○표 ❽ 38에 ○표 ❾ 25에 △표
❿ 22에 △표 ⓫ 16에 △표 ⓬ 42에 △표
⓭ 23에 △표 ⓮ 27에 △표 ⓯ 14에 △표
⓰ 47에 △표 ⓱ 25에 △표 ⓲ 32에 △표
⓳ 49에 △표 ⓴ 27에 △표

10 일차 플러스 계산 연습 156~157쪽

1 15, 13 2 29, 24 3 44, 42
4 39에 ○표, 17에 △표
5 40에 ○표, 28에 △표
6 27에 ○표, 22에 △표
7 37에 ○표, 31에 △표
8 49에 ○표, 41에 △표
9 17에 ○표, 11에 △표
10 32, 34 11 26, 28 12 35, 36
13 21, 24 14 21 15 33
16 29 17 31

8 10개씩 묶음의 수가 같으므로 낱개의 수를 비교하면 42는 2, 49는 9, 41은 1이므로 49가 가장 크고 41이 가장 작습니다.

9 10개씩 묶음의 수가 같으므로 낱개의 수를 비교하면 12는 2, 17은 7, 11은 1이므로 17이 가장 크고 11이 가장 작습니다.

12 10개씩 묶음의 수가 같으므로 낱개의 수를 비교하면 35는 5, 36은 6이므로 35는 36보다 작습니다.

13 10개씩 묶음의 수가 같으므로 낱개의 수를 비교하면 21은 1, 24는 4이므로 21은 24보다 작습니다.

16 10개씩 묶음의 수가 같으므로 낱개의 수를 비교하면 29가 가장 큽니다.

17 10개씩 묶음의 수가 같으므로 낱개의 수를 비교하면 31이 가장 작습니다.

평가 SPEED 연산력 TEST 158~159쪽

❶ 10 ❷ 10 ❸ 12
❹ 8 ❺ 6 ❻ 9
❼ 29 ❽ 16 ❾ 31
❿ 45 ⓫ 15, 16, 18 ⓬ 35, 38, 39
⓭ 40, 42 ⓮ 30, 32 ⓯ 25, 27
⓰ 15, 17 ⓱ 34에 ○표 ⓲ 27에 ○표
⓳ 15에 △표 ⓴ 24에 △표

특강 문장제 문제 도전하기 160~161쪽

1 15 ; 15 ; 15 2 13 ; 13 ; 13
3 12 ; 12 ; 12 4 17 ; 17
5 11 ; 11 6 13 ; 13

특강 창의·융합·코딩·도전하기 162~163쪽

융합 1 13, 13, 15

창의 2

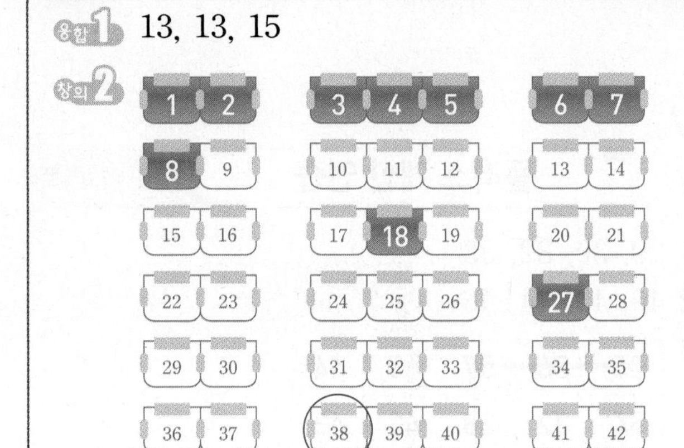

코딩 3 (위부터) 36, 27, 16, 17

코딩 3

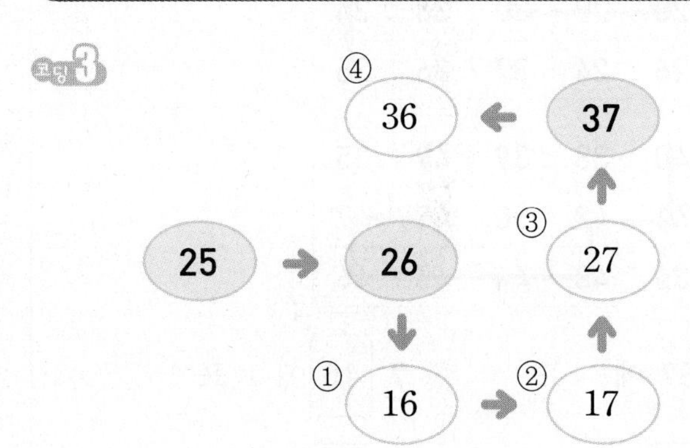

① 26보다 10개씩 묶음의 수가 1만큼 더 작은 수: 16
② 16보다 1만큼 더 큰 수: 17
③ 17보다 10개씩 묶음의 수가 1만큼 더 큰 수: 27
④ 37보다 1만큼 더 작은 수: 36

개념 OX 퀴즈 정답

10은 2와 8로 가르기 할 수 있으므로 × 입니다.

◀ 정답은 이안에 있어!